어느 비정규직의 해소법 3

• 소설 속 사건과 인물은 모두 허구를 바탕으로 한 것이며 실제
와 아무런 관련이 없음을 밝힙니다.

장편소설

어느 비정규직의 해소법 3

19

박성욱 지음

발 행 | 2024년 02월 13일

저 자 | 박성욱

펴낸이 | 한건희

펴낸곳 | 주식회사 부크크

출판사등록 | 2014.07.15(제2014-16호)

주 소 | 서울 금천구 가산디지털1로 119, A동 305호

전 화 | 1670 - 8316

이메일 | info@bookk.co.kr

ISBN | 979-11-410-7127-1

CONTENT

귀점의 큰 그림 ■■■■■■■■■■■■■■■■■■■■■■ 7

준석 아저씨의 낙타 눈썹 ■■■■■■■■■■■■■■■■ 31

여유로운 삶 ■■■■■■■■■■■■■■■■■■■■■■■■ 65

복합상가 내 유흥업소 ■■■■■■■■■■■■■■■■■ 73

50대 미주의 정성 ■■■■■■■■■■■■■■■■■■■ 81

재미난 이야기 ■■■■■■■■■■■■■■■■■■■■■ 91

보도방 동료들 ■■■■■■■■■■■■■■■■■■■■■ 107

미주의 가스라이팅 ■■■■■■■■■■■■■■■■■■ 165

맺음말 ■■■■■■■■■■■■■■■■■■■■■■■■■ 303

귀점의 큰 그림

증발되는 소량의 정액이 윤활유 또는 연료 역할도 했다. 예쁜이의 손이 자연스럽게 더 빨라졌다. 민재의 눈, 검은 눈동자가 위로 올라가 버렸다. 눈이 하얗게 보였다.

예쁜이가 다시 "킥킥" 조용히 웃어댔다. 민재는 본인의 손을 뻗어 예쁜이의 손을 저지했다.

- 이제 그만.

사정감이 밀려와, 예쁜이의 손에 사정할 것 같았다. 만약 예쁜이의 손에 사정한다면 본인의 정액이 예쁜이의 손을 거쳐 바지, 이불, 방바닥에 묻을 것이다. 그리고 냄새가 퍼져 친구들이 눈치챌 수도 있을 것이다. 그리된다면 얼마나 창피할까?

민재는 예쁜이의 입을 생각했다. 예쁜이의 입에 사정한다면 깔끔할 것이다. 예쁜이는 민재의 정액을 입에 머금고 아무 일 없다는 듯이 화장실로 가서 뱉으면 그만인 것이다.

민재는 '예쁜이에게 입에 사정하고 싶다.'며 애원하려 했는데, 옆에서 몸을 뒤척이는 소리가 들렸다. 민재는 잠시 멈칫했다. 지금까지의 예쁜이의 행실로 봐서는 본인의 요구를 굳이 말하지 않아도 허락해 줄 것이라는 확신이 들었다.

민재는 애벌레처럼 몸을 꿈틀대며 위로 올라갔다. 자신의 몸가락이 예쁜이의 얼굴에 맞닿을 수 있는 위치까지 올라갔다. 그리고는 이불로 예쁜이의 머리와 본인의 하체를 덮었다. 민재는 이불 안에서 바지와 팬티를 동시에 내렸다.

예쁜이는 민재의 요구를 들어주지 않았다. 오직 손으로만 민재를 다독여주고 있는 것이다. 예쁜이의 손이 민재의 불알 밑을 손으로 툭툭 쳤다. 마치 귀여운 강아지의 턱을 치는 듯하다. 예쁜이는 이제 이불속에서 두 손을 사용했다. 한 손으로 몸가락 아래쪽을 꽉 잡았고 다른 한 손으로 불알 전체를 살며시 잡으며 크기를 가늠했다. 여전히 한 손으로 몸가락을 위로 젖히고, 다른 한 손은 불알 속 양쪽 구슬을 번갈아 만지며 크기와 모양을 감지하는 듯했다.

- 오빠, 짝~ 불알.

예쁜이는 이불 밖으로 고개를 내밀며 속삭였다. 그리고 다시 이불 안으로 들어가 "킥킥"거렸다.

민재는 입으로 해주지 않아 속이 탔지만, 그도 괜찮은 듯 가만히 있었다.

이번에 예쁜이는 한 손은 쉬고 한쪽 손으로만 민재의 몸가락을 잡았다. 사람 목을 조르듯 귀두 밑 부분을 세게 조였다. 그러다 몸통에서부터 다시 쪼여서 귀두 밑 부분에 와 놓아주었다. 마치 얼마 남지 않은 치약을 짜는 동작 같다. 그리하니 다시 소량의 정액이 스며 나왔다. 예쁜이는 다시 민재의 정액을 펴 발랐다. 화장품 발라주듯이 민재의 귀두 입에서부터 바깥쪽으로 돌려가며 펴 발랐다. 그러기를 여러 번하다 예쁜이가 땅콩 때리기 하듯 손가락을 튕겨 민재의 몸가락을 때렸다. "이제 그만하자."라는 신호였다. 그렇지 않아도 더운 날 밤 이불속에 갇혀 있으려니 답답한 것이다.

민재는 아쉬움을 달래며 바지와 팬티를 끌어올리고 덮고 있던 이불을 치웠다. 그리고 다시 내려왔다. 민재는 "예쁜이가 이제 잘려는 것인가?"라는 생각을 했다. 창 밖 가로등으로 예쁜이의 얼굴을 확인했다. 예상과는 달리 눈이 여전히 초롱초롱하다.

예쁜이가 누운 상태로 민재 쪽으로 확 다가갔다. 그리고는 민재의 입에 본인의 입술을 포갰다. 흥분한 민재는 입을 열

없고 예쁜이의 혀가 민재 입 안으로 들어왔다. 민재는 '지금까지 나를 즐겁게 해 주었으니 이제는 자신의 차례'라는 생각이 들었다.

민재는 예쁜이의 혀를 단물 빨듯이 쪽쪽 빨아먹기 시작했다. 그런 열정이 신비하고 재미있는지 예쁜이는 침을 삼키지 않고, 입에서 생산되는 침을 민재에게 공급해 주었다. 민재는 그것으로도 부족한지 혀를 예쁜이의 입안에 넣어, 돌려가며 입안을 휩쓸었다.

민재는 속으로 쾌재를 불렀다. 이런 예쁜 소녀를 만나, 이렇게 즐기는 것이 한여름 밤의 꿈이라 생각했다. 그래. 한여름 밤의 꿈이 확실하다. 민재는 예쁜이를 입으로 느꼈다. 손으로 예쁜이의 가슴을 만졌다. 작지만 그래도 부드러운 살결이 느껴졌다. 아랫도리도 만지려고 했지만, 그것은 예쁜이가 완강히 거부했다.

- 오빠, 거기 안 씻어서 더러워.

예쁜이는 민재의 귀에다 대도 친절하게 이유를 설명해 주었다.

민재는 예쁜이와 배꼽을 맞대보고 싶었다. 하지만 상황이 여의치 않았다. 이미 아침이 다가오고 있고 몸도 피곤했다. 화장실로 가서 하려고 해도 화장실을 드나드는 사람들 때문에 할 수도 없을 것 같았다.

할 수 있는 것이라곤 딥키스 밖에 없었다. 민재는 다시 예쁜이의 입술에 입을 갖다 대었다. 예쁜이는 맛보라는 듯이 뱀처럼 혀를 내밀었다. 민재는 꿀 발린 사탕을 빨듯이 혀를 핥고 예쁜이의 침을 받아마셨다. 오랜 시간 딥키스를 하고서야 가까스로 잠이 들었다.

친구들이 일어난 것은 진성이의 목소리 덕분이었다.

- 친구들아, 일어나. 이제 그만 자. 벌써 해가 중천이야.

친구들이 벽에 걸린 시계를 일제히 쳐다보았다. 벌써 12였다. 점심시간이다. 진성이의 목소리에 고릴라를 비롯한 여성들도 일어났다.

친구들은 또다시 놀랐다. 오후에 일어난 여성들 때문이다. 맑은 햇살이 비쳐 여성들의 얼굴이 선명하게 보였다. 잠을 자고 난 후라 화장도 많이 지워진 상태였는데, 더 어려 보였다.

친구들이 다시 웅성거렸다.

- 뭐야? 고등학생도 아닌 것 같은데?

- 중학생 아니야?

화장이 지워진 모습이 마치 어린아이가 엄마 화장품을 바른 것 같았다. 그때 하철이가 조용히 말했다.

- 쟤네들이 사실대로 이야기해 주었어. 중 3 이래.

친구들은 모두 놀랐고 빨리 이 자리를 빠져나가고 싶었다. 미성년자와 한 방에 잠을 잤으니, 후일에 성범죄라고 오해받지 않을까?라는 우려 때문이었다.

친구들의 걱정을 눈치챘는지, 아니면 중 3들도 스케줄이 있는지 본인들의 짐을 챙기기 시작했다. 그러고 보니 친구들도 이제 숙소를 비워주어야 할 시간이었다. 그리하여 다들 각자의 짐만 챙겨서 다 같이 숙소 현관문을 지나 계단으로 내려왔다.

나오는 중간에 민재는 옆에 있던 재홍이에게 은근슬쩍 자랑을 늘어놓았다.

- 재홍아. 너만 알고 있어. 저기 예쁜이 있잖아. 나 어젯밤에

예쁜이랑 지겹도록 딥키스했어. 가슴도 만지고 말이야. 얼마나 했으면 입이 불어 터질 것 같아.

- 뭐라고? 미쳤어? 미성년자인데? 그래서 했어?

- 아니. 하고는 싶었는데, 못했어. 지금 생각하니 잘한 것 같아. 미성년자잖아.

- 만약에 저 중 3들이 경찰에 신고하면 어쩌려고 그래?

민재는 약간 겁먹은 표정을 지었다. 하지만 다시 아무 일 없다는 듯 말했다.

- 야! 그건 성관계를 맺었을 때이고 그것도 강제로 말이야.

민재는 "괜히 이야기했나?"라는 생각이 들었다.

다 같이 모텔을 나오는데, 뒤에서 침 뱉는 소리가 들렸다. 친구들이 방을 너무 더럽게 쓴 탓에 모텔 관리자가 화를 내며 침을 뱉는 것이다.

귀점을 제외하고는 모두 빨리 중 3들과 헤어져 집에 가고 싶어 했다.

- 어. 그래. 덕분에 재미나게 놀았어. 조심히 가.

귀점이 중 3들에게 인사를 했고 친구들도 억지웃음을 지으며 손을 흔들었다. 하지만 중 3들이 빨리 가지 않고 친구들과 멀지 않은 곳에서 머뭇거리는 것이 보였다. 그리고 고릴라가 예쁜이에게 때릴 것 같은 시늉을 하며 말하는 것이 보였다.

잠시 후 예쁜이가 조르르 달려왔다. 귀점에게 가서는 활기차게 말했다.

- 오빠, 우리 택시비가 없어서 그러는데 택시비 좀 주세요. 이와 돈 쓰실 거면 저희 구름과자도 사 먹게 구름과자 값도 주시고요.

예쁜이가 아주 당당하게 요구했다. 다른 친구들은 황당했지만 귀점은 마지막까지 친절하게 대해주었다. 예쁜이가 왜 당당했는지, 귀점이 왜 친절했는지는 나중에 귀점의 이야기를 듣고서야 이해할 수 있었다.

- 어이구, 택시비가 없구나. 돈이 많으면 많은 용돈을 주고 싶지만 어제 술하고 과자 사느라 지출을 많이 했어. 너희들 돈 좀 가진 사람 있어?

귀점이 친구들을 쳐다봤다. 친구들은 "이게 미쳤나?"라는 표정이었다.

귀점은 머쓱해하며 본인의 지갑에서 4만 원을 꺼내 주었다.

- 미안, 이것밖에 없네.

- 이거라도 고마워요. 즐거웠어요.

- 그래. 잘 가라.

그제야 중 3들은 친구들의 곁을 떠나갔다.

떠나갈 때 고릴라는 수만이를 비롯한 친구들에게 눈길조차 주지 않았다. "재미나게 즐긴다."라는 목적도 끝났고 더 이상 볼일도 없다는 것인가? 어젯밤만 하더라도 애절하게 수만이를 찾더니, 헤어질 때의 고릴라는 딴 사람 같았다. 어찌 보면 수만이를 가수 비라고 외치며 했던 행동들은 술에 취해서였나보다.

친구들은 재빨리 진성이의 차에 탑승했다. 진성이는 시동을 켜, 집으로 출발했다.

차가 움직이자 중 3들이 있어 하지 못했던 말들이 터져 나왔다.

- 야. 우리 좆 되는 거 아니야? 미성년자들하고 같이 잠을

잤잖아.

- 게다가 같이 술도 마시게 했잖아.

귀점을 제외한 친구들이 미성년자와 관련된 법과 뉴스에서 나온 미성년자 성범죄 이야기를 했다. 그리고 만약의 일에 대해 걱정하기 시작했다. 그때 민재가 이 논란의 종지부를 찍어주었다.

- 야. 걱정하지 마. 강제로 성관계를 맺은 것이 아니면 괜찮아.

- 맞아. 그리고 우리들 중에 중 3 하고 섹스한 사람도 없잖아. 안 그래?

- 맞아.

재홍이가 물었을 때 귀점을 제외하고는 다들 "맞아"라고 대답했다. 대답하지 않은 귀점에게 이목이 집중되었다. 친구들은 불안해하고 있는데, 귀점은 오히려 의기양양했다.

- 벌써 중딩하고는 끝났어. 다시 해운대 중딩하고 엮일 일 없어.

잠시 뜸을 들이더니, 귀점이 자랑스럽게 말했다.

- 친구들아. 그리고 나 예쁜이랑 한 그릇 했다.

친구들은 말뜻은 대충 이해했는데 비유가 당최 이해가 되질 않았다. 예쁜이랑 섹스를 했다는 말 같은데, 한 그릇을 했다? 예쁜이의 음경이 그릇이고, 귀점의 몸가락이 숟가락, 젓가락인가? 아니면 귀점의 몸가락을 어묵, 삶은 메추리알에 비유한 것인가? 예쁜이와 몸을 섞었다는 것을 식사에 비유한 것인가?

"한 그릇"이란 것이 무엇을 비유한 것일까? 계속 생각하고 있는데, 생각을 정리할 틈도 주지 않고 귀점이 그날 밤의 이야기를 자랑스럽게 늘어놓았다.

- 난 너희들이랑 술을 먹다, 도중에 예쁜이를 데리고 숙소 밖으로 나왔어. 당연히 예쁜이를 따먹기 위해서였지. 예쁜이를 데리고 해운대 일대를 서성거렸어. 근데 마땅히 할 데가 없는 거야. 화장실에 들어가려니깐 더럽고, 많은 사람들이 들어갔다 나왔다 하더라고. 그래서 화장실은 도저히 안 되겠더라. 이번엔 가로등이 비추지 않는 어두컴컴한 곳을 물색했어. 거기도 벌써 남녀 한 쌍이 있는 거야. 가니깐 흠칫 놀라면서 계속 쳐다보더라고. 빨리 가라 이거지. 진성이에게 차 키를 받아서 나오는 것도 상상했어. 근데 진성이 이놈이 절대 자동차 키를 빌려 주지 않을 것 같더라고. 맞지?

- 당연하지.

진성이는 운전을 하면서도 귀는 귀점의 말을 향해 있었다.

- 다시 모텔 잡으려니깐 돈이 너무 아깝더라고. 너희들도 알잖아. 성수기 때는 숙박업소 가격이 엄청 비싸잖아. 그래도 너무 하고 싶어서 모텔로 가는 것을 심사숙고했어. 예쁜이가 다리 아프다고 징징거리더라. 그때 순간 내 머릿속을 번개처럼 지나가는 것이 있었어. 우리가 방금 나온 숙소 있잖아. 1층 계단으로 올라가 2층에 도달하면 바로 방이 보였잖아. 무슨 경비실인지 숙직실인지, 일하는 사람 숙소 같더라고. 그리고 항상 문이 열려 있던 것이 생각났어. 그래서 결심했어. 예쁜이의 손을 잡고 다시 숙소로 향했어.

1층에 모텔 주인도 안보이더라. 계단으로 올라가니 역시 문이 열려있고 사람이 없더라고. 어디 나간 것 같더라. 막상 주인 없는 빈 방에 들어가려니깐 꺼림칙하더라. 도둑질이나 강도가 아닌 이상 걸리더라고 "욕만 먹고 말겠지."라는 생각을 하니깐 불안감이 많이 없어지더라. 예쁜이의 손을 잡고 숙직실로 들어가서 문을 잠갔어. 방이 있고 안쪽에 조그마한 화장실이 있더라. 방에는 요에 이불이 덮여 있고 사람 키만 한 옷걸이랑 TV도 있었어.

이불을 치우고 그 위에서 예쁜이와 혀를 주고받으며 예쁜이의 상의를 벗겼어. 겉모습에서 이미 확인했지만, 다시 봐도 가슴 작은 것이 흠이었어. 그래도 이런 영계를 따먹는 게 어디야? 예쁜이의 상의를 벗기고 발을 걸어서 자빠뜨렸어. 자빠뜨렸는데 이년이 앉아서 내 바지 지퍼를 급하게 찾아 열더라고. 자기 지갑 찾듯이 내 바지 안에 손을 넣어서는 내 자지를 꺼내더라. 그리고 한 입에 넣더라. 이거 보통이 아니더라고. 얼마나 잘하는지 지켜보자는 심산으로 위에서 쳐다봤지. 캬아~ 진짜, 맛있게 잘 빨더라. 쩝쩝, 쪽쪽 소리도 끝내주더라. 한입에 넣어서는 입으로 피스톤 운동도 시켜주고 혀로 귀두 부분을 간지럽혀주며 장난도 치더라. 그때 내 정액이 살짝 나왔어. "어머"하면서 이년이 웃더라고. 예쁜이를 눕히고 난 바지와 팬티만 벗었어.

마음 같아서는 바로 꽂아버리고 싶었지만, "급할수록 돌아가라!"는 말이 있잖아? 그래서 서두르지 않기로 했어. 예쁜이의 가슴을 혀로 핥고 이빨로 살짝 깨물었어. 예쁜이가 나를 쳐다보며 웃고 있더라. 요 어린것이 내가 어떻게 하는지를 보며 즐기는 것 같더라. 이제 치마하고 팬티만 남았어. 배꼽과 단전 부위를 입술과 혀로 애무하니깐 허리를 위, 아래로 꿈틀대더라. 팬티와 치마를 벗기기 위해 허리에 손을 갖다 대었어. 그랬더니 예쁜이가 엉덩이를 크게 들더라. 난 무슨 요가나 피트니스 동작 중 "브릿지"라는 동작을 하는 줄 알았어. 기분 좋게 단번에 벗기고 예쁜이의 꽃을 감상하기로 했어. 예쁜이는 경험이 많은 것 같았어. 알아서 다리를 벌려주더라. 검은 수풀 밑에 검푸스름한 꽃이 잎을 약간 벌리고 있는 것 같았어. 입으로 맛보고 싶어서일까? 입에 침이 고이더라. 다리 사이로 얼굴을 집어넣고, 양손으로 양쪽 골반을 살포시 잡았어. 꽃잎이 미세하게 벌어졌어. 미세했지만 내 눈에 정확히 포착되었어. 꽃잎 주위로 암술머리 같이 생긴 음핵도 보였어. 그 음핵을 혀로 더듬고 입술로 간질여 주고 싶었어. 난 입을 벌렸고 혀를 내밀었어. 핥으려는 순간 멈추었어. 정말 천만다행이었어. 냄새가 냄새가!

완전 흥분해서 웬만하면 입에 넣어 맛보려고 했는데, 진짜 썩은 냄새가 나더라고. 오징어를 몇 달 동안 안 먹고 처박아놓은 것을 더운 여름날 발견한 것 같았어. 진짜 딱 그 냄새였어. 정확히 그 냄새보다 몇 배는 강한 것 같았어. 구토가 나올 지경이었어. 간신히 참고 아랫도리를 입으로 하는 것은 생략하기로 했어. 도저히 못하겠더라. 그냥 예쁜이와 키스하다가 삽입할 작정이었어. 그래서 예쁜이의 얼굴 쪽으로 내 얼굴을 들이밀었지. 순간 이 년이 내 어깨를 잡더라고. 당돌하게 "오빠, 싫어. 나 좀 빨아줘. 나도 빨았잖아."

난 말하지 않고 대신 침 바른 손으로 예쁜이의 꽃잎과 암술머리 부분을 만지작거렸어. 그리고 그 손가락을 예쁜이의 인중에다 갖다 발랐어. "야! 너 같으면 이 냄새 맡아가면서 입으로 빨고 핥고 할 수 있겠어? 너 언제 씻었어?" 그랬더니 예쁜이도 지 냄새가 독한지 "우웩"하더라. "오빠, 미안. 어제 씻었는데......" 지도 스스로 창피한지 변명을 하더라.

아무튼 냄새나는 아랫도리에 관심 끄기로 했어. 이제 배꼽을 맞춰보기로 했어. 예쁜이가 알아서 내 자지를 살짝 잡더니 지 몸 안으로 꽂더라. 내 속으로 '이년도 되게 꼴리는가 보다.'라고 생각했어. 찔러 넣을 때마다 행복의 탄식 소리를 내지르더라고. 내가 얼마나 잘 박아줬으면 그럴까? 한편으로 소리가 문 밖으로 새어나갈까 봐 걱정되더라. 그래서 내가 예쁜이의 입을 손으로 막고 했다니깐. 역시 예쁜이는 보통이 아니었어.

소리를 못 지르니깐, 내 엉덩이 위쪽을 꼬집더라고. 그러거나 말거나 난 상관하지 않고 부지런히 박아댔지. 밑을 내려다보는데 조그마한 꽃잎들이 덜렁덜렁 거리더라. 내가 무슨 석유 캐내는 석유 굴착기 같더라. 박을수록 물이 계속 뿜어져 나오네. 역시 어리니깐 몸의 순환이 좋은가 봐.

귀점은 계속 예쁜이와 몸 섞은 것을 자랑했다. 하는 도중에 물레방아 찧기도 했다는 것이다. 몸가락으로 박으면서 몸통을 물레방아처럼 돌렸다는 것이다. 친구들은 귀점의 허세에 크게 웃어주었다.

- 계속 사정을 참다보니깐, 사정하려고 해도 안 되는 거야. 그래서 뒷치기를 시도했어. 예쁜이의 몸을 돌린 상태로, 뒤에서 내가 박았지. 박을 때마다 엉덩이가 내 단전 밑 부분과 부딪히는 소리 "철썩철썩"이 요란하게 울리더라. 그리고 예쁜이의 허리라인에서 좁아졌다가 골반에서 다시 커지는 S라인을 보니 다시 사정감이 몰려오더라. 밖에다 쌀까 하다가, 어차피 좀 있다 안 볼 사이인데 싶어서 그냥 안에다 질러 버렸어. 사정하고 난 후에도 피스톤 질을 잠시 동안 더 했어. 그동안 사정하고 싶은 것을 참고 참아서일까? 엄청 시원하더라고. 흐뭇해하고 있는데, 밖에서 소란스러운 소리가 들리더라.

밖에서 누가 싸웠나 봐. 난 예쁜이 꽃밭에서 나왔는데, 안쪽에 얼마나 싸질렀으면 많은 정액이 댐 터진 것처럼 흘러나왔어.

친구들은 귀점의 허세에 한 번 더 킥킥거리며 웃었다.

- 내가 예쁜이한테 말했지. "우리 빨리 나가자. 밖에서 나는 소리 들으니깐 여기 주인이 올 것 같아." 난 내부 화장실로 가서 자지를 물로만 헹구고 나왔어. 예쁜이도 빨리 씻으라는 차원에서 빨리 나온 거였어. 근데 예쁜이가 팬티를 입고 있네. "야. 넌 안 씻어?" "오빠 빨리 나가자. 나 이불로 대충 닦았어." "헐~"

그 걸쭉한 액체를 이불에 닦았으니 그 이불주인이 이 사실을 안다면 얼마나 난리를 칠까? 보지 않아도 알 것 같았어. 그래서 더욱더 들키면 안 되겠더라. 예쁜이와 나와서 바로 위층으로 올라갔어. 계단으로 고개를 내밀어 밑을 보니깐 숙직실 주인이 올라오더라.

숙직실 주인이 안으로 들어가는 것을 보고, 나와 예쁜이는 손을 잡고 다시 계단으로 내려와 숙소 밖으로 나왔어. 예쁜이가 재미있다고 배꼽 잡고 계속 웃더라. 그년 그거 정말 더러운 년이야. 생긴 것은 곱상하게 생겨가지고. 보지냄새는 엄청날 거야. 지금 내 자지에도 냄새 배였을까 봐 겁난다. 우리는 다시 해운대를 거닐었어. 난 예쁜이를 데리고 계속 인적이 드문 곳으로 걸어갔어. 뭐 때문이게?

친구들은 어젯밤, 중 3들과 술 마시며 놀 때 우리 숙소로 쳐들어온, 화가 난 모습의 사내가 떠올랐다. 그 사내가 숙직실 근무자일 것이다.

친구들은 귀 점의 질문이 무엇을 말하려는 건지 감도 잡지 못했다. 귀점이 궁금증을 유발시키려고 꺼낸 질문인가 보다.

- 내가 숙직실로 나오기 전 내 자지를 씻은 이유가 하나 더 있어. 그것은 더 즐기기 위함이었어. 나는 예쁜이에게 입으로 내 자지를 한 번 더 받아줄 것을 요구했어. 그랬더니 이년이 싫다고 그러네. 어떻게 설득할까? 걸으면서 계속 생각했어. 그리고 고릴라가 생각났어. 그래, 고릴라를 이용하기로 한 거야.

"모래 위, 돗자리를 펴고 술 마실 때 보니깐 고릴라 대장이 널 너무 함부로 대하는 것 같더라. 그 모습을 보니 내가 마음이 아프더라. 근데 함부로 그 사람을 일방적으로 욕할 수가 없는 게, 다 그럴만한 이유가 각자 있더라. 그 이유가 뭔지는 모르겠지만 그래도 폭력은 정당화될 수가 없어. 내가 아침에 이야기해야 되겠어." 그랬더니 예쁜이가 질색을 하더라. "오빠, 그러지 마세요. 그럼 더 지랄할 거예요. 내가 오빠를 이용했다고." 난 다시 다짐하듯이 말했어. "아니야. 난 꼭 말해야 되겠어. 훈계를 해야 되겠다고." 그러면서 나는 내 자지를 계속 만졌어.

예쁜이가 내 행동을 보더니 '지금 뭐 하냐?'라는 표정을 짓더라. "뭔가가 좀 허전하고 아쉬워서 내가 손으로나마 달래고 있어." 난 당당하게 말했어. 잠시 후, 예쁜이가 말귀를 알아들었나 봐. "오빠 그럼 내가 입으로 해주면 고릴라한테 아무 말 안 하는 거죠?" 나는 속으로 웃으며 말했어. "당연하지! 근데 난 하고 싶은 말은 꼭 해야 직성이 풀리거든. 참아볼게. 네가 하는 거 봐서."

  친구들의 야유가 쏟아졌다.

- 이거 완전 쓰레기인데.

- 개새끼야.

그런 비난과 욕을 들어도 귀점은 의기양양했다. 오히려 '너희는 나처럼 못 즐겼지?'라는 듯 비웃는 것 같았다. 귀점은 실실 웃으며 말을 이어갔다.

- 적당한 장소를 물색했어. 해운대에 사람이 붐벼서 어디를 가도 사람들이 보였어. 그때 난 셜록홈즈가 생각났어. 너네 읽었는지 모르겠지만 거기 보면 살인자가 사람을 죽여서 집에 감추잖아. 경찰이나 다른 사람이 시체 냄새를 맡을까 봐, 시체 냄새보다 더 강한 향을 풍기는 페인트를 집에 잔뜩 발라 버리지. 그런 식으로 사람들이 눈치 채지 못하게 하는 방법을 고안해 내었어.

해운대 파도가 발을 적셔주고 주위가 어두컴컴한 곳에 당도했어. 스마트 폰 불빛으로 파도가 어디까지 오는지 확인했고 그 근처에서 우리는 자리를 잡았어. 사람들이 왔다 갔다 하는 것이 실루엣으로 보였지만, 어두운 상태라 웃이며 사람 생김새는 분간할 수가 없을 정도였어. 우리는 모래밭에 앉았어. 거기서 난 바지를 내리지 않고 지퍼만 내렸어. 그리고 내 자지를 꺼내, 예쁜이의 손에 쥐어주었어. "잘 부탁해." 난 사랑스러운 말투로 말했어. 예쁜이가 내 옆에서 허리를 틀고 고개를 숙여, 내 몸가락을 입에 넣었어. 이년 이거 고릴라한테 안 맞으려고 진짜 열심히 빨더라. 내 자지를 빠는 예쁜이의 모습을 지켜보고 싶었는데, 어두워서 보이질 않았어. 그게 너무 안타까운 거야. 근데 안보이니깐 예쁜이의 입술과 혀로 해주는 것이 살갗을 통해, 그 느낌이 더 전달 잘 되는 것 같았어. 처음엔 "쪽쪽" 하는 소리가 났어. 시간이 지나 입에 침이 고여서일까? "쩝쩝"하는 소리가 나더라. 하지만 그런 소리도 파도소리에 묻혀 제대로 들리지 않고 희미하게 들렸어. 빨리고 있는 내가 집중해서 들어야만 들을 수 있는 소리 크기였어.

예쁜이가 몸을 비틀고 숙이는 것이 불편한지, 내 앞으로 와 엎드렸어. 그리고 다시 시작했어. 숙직실에서 많은 양을 배출해서일까? 사정할 기미가 보이질 않았어. 난 그게 오히려 더 좋았어. 더 오래 즐길 수 있으니깐. 정열적으로 고개를 끄덕이던 예쁜이도 지쳤는가 봐. "오빠, 나 힘들어." "어디가?" "입에 쥐 날 것 같아." "그럼 혀로 해봐." "아~씨."

예쁜이가 쌍욕을 하면서도 순순히 내 요구를 잘 따라주었어. 혀로 내 자지를 간지럽혀주기 시작했어. 근데 내 마음에 들지 않았어. 왠지 무질서하고 체계가 없는 것 같았거든. "예쁜아. 너 스마트폰 사용하지? 터치스크린 되는 거 말이야." "응. 당연하지. 폰 없으면 나 생활 못해." "그래. 네 혀가 손가락이고 내 자지가 폰이라고 상상해 봐. 그럼 내 아쉬움이 달래질 것 같아. 터치스크린을 얼마나 잘하냐에 따라 내일 아침, 일어날 일들에 변화가 올 수도 있어." 내 말을 이해했는지, 세심하게 움직이는 것이 느껴지더라고. 방금 전까지만 해도 대충 혀만 갖다 대더니 말이야.

잘 느끼고 있는데, 예쁜이가 도저히 못하겠다고 하더라. "오빠, 나 도저히 못하겠어. 이렇게 숙여서 하니깐 허리, 목, 입까지 다 아파. 내일 목에 담 올 것 같아." 포기할 내가 아니지. "예쁜아, 그런 넌 가만히 입 벌리고 있어. 내가 알아서 움직일게." "어떻게 할 건데?"

난 일어났어. 그리고 앉아있는 예쁜이의 입을 빌리기로 했어. 내가 예쁜이의 머리통을 잡고 내 자지를 입에다 물려주었어.

예쁜이가 말을 잘 들더라. "예쁜아, 입 조그만 다물어줄래. 진짜 조금만." 예쁜이가 침을 삼키지도 않는지 침이 계속 흘러 모래 위로 떨어졌어. 그런 상태로 허리를 앞, 뒤로 흔들며 진짜 한참 동안을 즐겼어. "예쁜아, 이빨로 살짝만 깨물어 봐." 뿌리 부분부터 귀두까지 잘근잘근 씹는데, 아픔이 느껴졌어. 쾌락만 즐기는 것이 적응이 된 탓에 지금까지 사정감이 없었는데, 예쁜이가 이빨로 살짝 무니깐 느껴졌어. 다시 사정하고 싶은 욕구가 밀려왔어. 매너상 진짜 잠시, "밖에 사정해야 하나?"라는 생각을 했어. 근데 더 이상 볼 사이도 아닌데, 왜 신경 써? 안 그래? 예쁜이의 몸 안에 내 영역표시를 하고 싶었어. 사정을 앞두고 일부러 말하지 않았어. 예쁜이의 머리통을 두 손으로 잡았어. 그리고 얼굴을 내 단전에 밀착시키고 사정했어. 예쁜이가 "읍읍"하며 아픔을 표현했지만 파도소리에 묻혀 버렸어. 몇 초 있다 머리통을 놓아주었어. 예쁜이가 쌍욕을 하며 모래 위에 침을 뱉더라. "오빠! 내가 괴로워하는 소리 못 들었어?" "미안, 파도소리 때문에 못 들었어. 괜찮아?" "이젠 진짜 그만해!" 그렇지 않아도 그만할 생각이었어.

내 욕정을 말끔히 다 풀었기 때문인지 며칠 동안 아침에 일어나도 자지가 안 설 것 같아. 볼일 다 봤으니 더 이상 예쁜이를 위한 연극 따위는 하기 싫었어. 그래도 내가 매너가 좋잖아. 예쁜이에게 담배 한 개비를 주었어. 우리는 담배를 입에 물고, 시답지 않은 이야기를 나누었어. 숙소 쪽으로 걸으면서 담배를 피웠어. 담배가 다 타들어갈 무렵, 숙소에 도착했어. 숙소에 올라와서 보니깐 너희들 다 자고 있더라.

예쁜이에게 얼마나 내 욕정을 풀었는지 더 이상 같이 살갗

닿는 것도 싫더라. 그래서 떨어져 잤어.

　진성이의 차에 있던, 귀점을 제외한 친구들은 여러 가지 감정을 느꼈다. 그중에 분노가 높은 비율을 차지했다. 진성이가 직설적으로 이야기했다.

- 뭐야? 그럼 너만 즐긴 거네. 야이, 씨발아. 네가 즐기고 싶어서 저런 중 3들을 데리고 온 거지?

- 아니야. 가로등불에 분간이 제대로 되질 않았어. 나도 처음엔 잘 몰랐어.

　진성이하고 귀점이 서로 말싸움을 하고 있을 때, 재홍이가 민재를 보며 싱긋 웃어 보였다. 민재는 당혹스러운 모습으로 입에 검지를 세워 보였다. "입 다물어."라는 뜻이었다.

　7명의 친구들은 집에 가기 전, 휴게소에 들렀다. 다들 화장실도 다녀오고 식사를 하기 위함이었다. 재홍이가 화장실로 가려는데, 민재가 재홍이의 팔에 팔걸이를 하고는 인적이 드문 곳으로 데리고 갔다. 재홍이가 민재를 보며 놀려댔다.

- 야, 네 입 더러워서 이제 어쩌냐? 너 어제 늦은 밤, 잠들 때까지 예쁜이하고 딥키스 했다면서? 근데 귀점이 이야기 듣고 시간 계산하니깐, 예쁜이가 귀점 자지를 한참 빨고 난 후에 바로 너랑 딥키스한거네. 아하하. 네가 귀점 자지 빤거나 다름없어. 귀점이 이 사실을 알면 어떨까? 너 이제 좆됐다. 평생 흑역사다. 우하하.

　한참을 웃고 있던 재홍이는 서늘한 기운을 느꼈다. 무서운 표정으로 변한 민재에게서 흘러나오는 "살기"였다.

- 개씨발새끼야. 내가 예쁜이하고 입 맞춘 거 이야기하면 넌 죽는다. 반드시 내가 널 죽일거야. 회 자를 때 쓰는 칼로 네 배에 수십 빵을 먹일 거다. 내가 그런 결단력이 있는지 없는

지 궁금하면 주둥아리 나불대 봐. 개새끼야.

민재의 눈동자가 엄청 커졌다. 흰자가 확장되어 징그러울 정도였다. 재홍이는 살짝 뒤로 물러서면 말했다.

- 씨발새끼, 더럽게 겁주네. 미친 새끼야. 너 진짜 친구인 나를 죽일거야? 죽이려면 귀점을 죽여야지. 이거 완전 또라이네. 알았어. 말은 안 할게. 근데 새끼야. 그런 것은 정중히 부탁을 해야지. 나에게 협박을 하냐? 네가 그러고도 친구냐? 기분 졸라 더러워졌어.

재홍이는 옆으로 침을 뱉고는 화장실로 가버렸다. 기분이 나쁜 것은 재홍이 뿐만이 아니었다. 민재도 본인이 한심하게 생각되었고 허탈했다. 휴게실에서 밥을 먹고 집으로 가는 길, 민재와 재홍이는 서로 한마디 말도 없었다. 대신 진성이와 귀점만 떠들었다.

- 야, 너 미성년자 건드리면 어떻게 되는 줄 알아? 쇠고랑 찰 수도 있어! 미친놈아!

- 야! 그런 년들은 자기네들이 필요해서 온 거야. 뉴스에 나오잖아. 불량 청소년들. 부모가 이혼했거나 맞벌이로 바빠서 자식들에게 하나도 신경 안 쓰는 가정의 자식들이 분명해. 그런 애들끼리 뭉쳐서 저렇게 싸돌아 다니는거야. 저런 무리들 중에서 서열이란 것이 존재하지. 힘으로 서열이 정리되는 것이고. 고릴라 봤지? 남자와 싸워도 이길 것 같은 피지컬. 저런 애들은 일부러 남자들이 많은 곳을 서성거려. 그래서 몸 한번 대주고 술 얻어먹고 용돈 받는 거야. 그게 쟤네들의 놀이야. 그러니깐 너무 죄책감 느낄 필요 없어.

다른 친구들도 귀점의 본인 합리화에 반박을 하려 했지만, 귀점이 입을 계속 나불대는 바람에 말도 제대로 하지 못했다. 그리고 귀점은 본인이 하고 싶은 말을 다 내뱉고는 잠들어버렸다. 몇 명의 친구들이 계속 화를 내려했지만, 귀점이 잠을 자고 시간이 흘러 '이미 끝난 것 같은 분위기' 탓에 더 이상 언급할 수도 없었다. 그렇게 해운대에서 한여름 밤의 꿈은 끝났다. 그때 친구들은 20대 중반이었다.

 동창모임에 온 친구들 중, 10년 전 해운대를 여행했던 친구들이 다 참여해 있었다. 귀점을 제외하고 말이다. 그 자리에 있던 우리들은 다 같이 귀점을 욕했다. 물론 여행을 다녀오지 않은 친구들을 포함해서 말이다.
 나는 10년 전 해운대 여행에 동참하지 못했다. 취직을 하기 위해 한참을 뛰어다니고 있을 때였다. 방금 진성이가 한 이야기에는 민재와 예쁜이와의 에피소드는 빠져있었다. 민재의 이야기는 재홍이에게 들었다. 10년 전, 해운대 여행을 다녀온 뒤 재홍이가 차 사고를 당해 병원에 한 달 넘게 입원해 있었다. 재홍이의 입원 사실을 듣고, 난 재홍이가 있는 병원으로 병문안을 갔다. 둘 다 시간이 많아, 많은 이야기를 하고 들었다. 특히 재홍이는 해운대에서 재미난 일들이 있었다며 10년 전, 해운대 이야기를 아주 상세하게 들려주었다. 물론 민재의 비밀도 이야기해 주었다. 재홍이가 해운대 이야기를 얼마나 자세히 해주었으면 내가 여행을 다녀오지도 않았는데, 다녀온 친구들과 해운대 여행과 관련된 대화를 나눌 수 있을 정도였다.
 진성이는 다시 귀점을 신랄하게 비판했다.
- 귀점, 그 씨발새끼. 이미 큰 그림을 그려놓고 있었어. 우리

는 단지 병풍, 또는 조연이었던 거야. 그 개새끼는 일부러 미성년자 따먹으려고 해운대로 가자고 한 거였어. 그리고 지가 헌팅을 하겠다고 한 것도 다 그건 맥락인 거야. 헌팅에 실패하면 술을 사? 그 새끼는 그럴 마음도 없었어. 귀점, 그 새끼랑 친할 때였어. 그 새끼가 나한테 속마음을 다 털어놓았어. 일부러 그런 작정을 짰다고. 모든 것이 지가 계산한 대로 다 맞아떨어져서 기분이 좋았다고 말이야.

그 자리에 있던 친구들은 경악을 금치 못했다. 수만이도 귀점 욕을 하면서, 귀점의 빠른 머리 회전은 칭찬했다.

- 귀점 그 새끼 정말 개새끼가 확실해. 그래도 대가리 회전은 정말 빠른 것 같아. 예쁜이와 몸을 섞고 싶었을 때, 2층 계단 옆에 있는 숙직실은 또 어떻게 찾았을까? 그리고 하필 주인도 없었고 말이야. 진짜 대단하다. 그리고 어두운 해운대, 파도가 치는 곳에서 예쁜이의 입으로 재미보고 말이야. 지나가는 사람들이 눈치챌 수도 있는데. 용기와 결단력이 대단해.

진성이는 여전히 귀점을 욕했다. "이기적인 놈"이라고 했다.
- 그 녀석 봐봐. 결혼하기 전에는 동창모임에 꼬박 참여해서 즐길 건 다 즐기더니, 결혼하고 나서는 안 오잖아.

진성이의 말 대로였다. 귀점은 결혼하기 전 동창모임에 성실히 참석하였고 본인 청첩장을 동창 친구들에게 나눠주며 "꼭 밥 먹고 가라."라는 말을 웃으며 전했다. 그랬던 귀점은 결혼 후 몇 달 뒤부터는 아예 동창모임에 코빼기도 보이질 않았다. 동창 친구들의 결혼이나 가족상이 발생했을 때 동창모임에서 이 사실을 알렸는데, 귀점이 더 이상 참석하지 않으니 전달하기가 애매했다. 그래서 지금까지 그런 소식들은 진성이를 통해서 전달했다. 근데 이제는 그것도 더 힘들게 된 것이다. 귀점과 진성이의 사이가 나빠졌기 때문이다.

진성이는 그동안 귀점에게 친구들의 소식을 전할 때의 상황도 이야기해 주었다.

- 귀점, 그 새끼 본인 목적만 달성하면 끝이야. 내가 친구들 결혼이나 가족상 이야기하면 표정이 좋지가 않아. 돈을 봉투에 넣지도 않고 커피숍 카운터에서 몇만 원 건네주더라. 지 결혼식 때는 참석해 달라고 부탁하더니. 친구들한테는 돈만 보내. 진짜 이기적인 놈이야.

처음에는 진성이의 이야기가 흥미롭고 재미있었는데, 오랫동안 계속 들으니 짜증이 밀려온다. 내 욕을 하는 것은 아니지만 그래도 남을 비난하고 계속 욕하는 것을 들으니, 내 마음에 화가 저절로 차올랐기 때문일 것이다. 그런 마음이 드는 것은 나만이 아닌가 보다.

- 이제 그만해. 집에 좀 가자. 이 가게도 문 닫아야지. 그래야 사장님도 쉬고 하지. 우리들도 내일 개인적으로 할 일들이 있잖아. 이제 헤어지자.

돈을 모아서 술값을 계산하고 각자 헤어졌다. 술도 깨고 화난 마음도 환기시킬 겸 집까지 걸어가기로 했다. 친구들과 헤어진 곳에서 집까지 걸어서 1시간 10분 정도가 걸린다. 그래도 걷기로 했다.

집까지 걸어가며 인간관계에 대해 생각했다. 고등학교 다닐 때는 다 같이 공부에 전념하고 같은 교복 입으며 학창 시절을 보냈다. 서로 다 같이 도와주고 위로해가며 학교생활을 했던 것이 생각났다. 그때는 끈끈한 정 같은 것이 느껴졌는데, 지금은 그런 것이 없고 메말라 비뚤어진 정만 남아있을 뿐이다. 사회생활로 인한 스트레스, 경쟁, 어른으로써의 책임 감으로 인해 내가 변한 것일까? 친구들이 변한 것일까? 둘 다 변한 것일까? 모르겠다. 내가 봤을 때는 친구들이 변한 것 같지만, 그들이 봤을 때는 내가 변해 보일 수도 있을 것이다. 학창 시절에 같이 있을 때는 든든하고 즐거웠는데, 방금 모임에서는 지루하고 불편했다. 물론 재미난 이야기도 있었지만 말이다.

인성이 좋아, 적이 없는 선배가 나에게 했던 말이 생각났다.

- 나 인간관계 정리 중이야. 친구, 선배, 후배, 동생, 형, 직장동료. 이렇게 폭넓게 관계 유지하려면 너무 힘들어. 또 그리하니깐 정작 중요한 내 가족이나 소중한 사람들에게 소홀해지는 것 같아. 내가 몸이 여러 개가 아니니 한계가 있잖아? 그래서 지금 인간관계를 가지치기처럼 정리할 거야. 그리고 나이 40이 넘으니깐 가려서 만나야 될 사람, 가지치기 해야 될 사람 등이 보여.

선배의 말을 곰곰이 생각해보았다. 나도 공감 가는 말이다. 이제는 동창모임도 자주 나가지 않아야겠다. 어떤 자리든 본인이 불편하면 가지 않아야 된다. 오늘 동창모임이 불편했다.

친구들을 만날 때 민아는 괜찮다고 했지만 "솔직히 가지 않았으면 하는 민아의 마음"을 나는 알고 있다. 이제 내 가족에 더 신경 쓰고 아껴야 될 것이다. 민아와 아들이 생각났다. 빨리 보고 싶다.

지금은 늦은 밤이라 아들이 자고 있을 것이다. 민아가 안 자고 기다리고 있다면, 조심스레 부탁할 것이다. 불보며 멍 때리기, 어항 보며 멍 때리기 하듯 "민아 멍"을 즐겨야겠다.
그 후에 나도 민아를 즐겁게 만들어 줄 것이다.

준석 아저씨의 낙타 눈썹

민아를 너무 사랑해서일까? 결혼생활뿐만 아니라 부부생활도 즐겁다. 게다가 아들까지 태어나서 너무 기쁘다. 하지만 조금 아쉬운 부분도 있다. 아들이 크면서 민아와의 부부생활을 자유롭게 할 수 없었다. 짐승도 아니고 어린 아들 앞에서 애정행위나 섹스를 할 수 없기 때문이다. 다행히 아들 녀석이 잠이 들면 업어 가도 모를 정도로 깊이 잠든다. 그 부분에 있어서 아들은 참 효자다.

민아와 나의 부부생활은 아들이 잠들고 나서야 할 수 있다. 늦은 저녁, 내가 아들을 침실로 데리고 가서 재우고 거실로 나온다. 그럼 민아는 마른 빨래를 개거나 아들이 가지고 놀던 장난감을 정리하고 있다. 나는 민아에게 조용히 속삭인다.

- 아들. 잠들었어.

- 뭐야? 징그럽게. 그래서 뭐 어쩌라고?

말로는 징그럽다고 하지만 민아의 입꼬리는 올라가 있다. 민아도 기다리고 있었던 것이다.

나는 바지와 팬티를 벗고 민아 뒤쪽으로 다가간다. 그리고 백허그를 하면서 민아의 큰 가슴을 주물럭거린다.

- 지금 빨래 개고 있잖아. 볼륨 줄이고 tv 좀 보고 있어.

나는 거실 소파에 누워 tv를 켜고 볼륨을 줄였다. tv를 보다 잠시 졸고 있으면 아래쪽에서 따스한 기운이 느껴진다. 민아가 나의 몸가락을 입에 물고 있는 것이다. 그럼 기분이 참 좋다. 자다 깬 것이 몽환적이면서도 환상적이다.

내 몸가락이 거인이 되면, 민아는 나의 뿌리 부분을 오른손으로 고정시키고 본격적으로 빨아준다. 그럼 나는 한동안 "민아 멍"을 즐긴다. 좀 더 자세히 보기 위해 민아의 머리카락을 움켜쥔 채, 민아의 모습을 쳐다본다. 민아는 나의 몸가락을 허겁지겁 빨아대고 있다. 민아의 뺨이 수축되는 모습이 보기 좋다. 시간이 지남에 따라 속도가 빨라진다. 마치 걸신이 들린 사람 같다. 민아의 격렬한 헤드뱅으로, 머리카락을 움켜쥔 나의 손도 격하게 흔들린다. 그러자 민아와 눈이 마주친다. 그럼 나는 얼른 천장을 바라보며 신음을 내뱉는다.

- 으~ 너무 좋아. 미칠 것 같아. 민아, 너무 고맙고 사랑해.

칭찬은 민아를 다시 집중시키게 만든다. 그럼 나는 다시 민아를 바라본다. 민아가 이제 지겨운가 보다. 나의 몸가락 귀두 부분을 가볍게 물고서는 오른쪽 손으로 나의 몸가락 마디 부분을 자극시킨다. 오른쪽 손가락으로 내 몸가락을 가볍게 쥐고선 위, 아래로 흔든다. 많이 해서인지 손가락으로 조였다 풀었다 하며 나를 절정으로 치닫게 만든다.

민아는 나의 성감대 부분도 파악하고 있다. 민아와 결혼할 당시에 나의 성감대는 귀두였다. 그것도 귀두 밑을 자극하면 금방 발기되고 흥분되었다. 민아와의 잦은 잠자리가 나의 성감대를 바꿔놓았다. 민아가 항상 귀두를 중심으로 자극시켰다. 입안에 나의 귀두를 머금고, 혀로 내 귀두를 씻어주었다. 그럼 내 귀두는 마치 세탁기 안에 든 빨래처럼 전방으로 기분 좋은 압을 받았다. 그럼 절정에 다다라 사정을 하곤 했다. 그랬던 것이 시간이 지나, 성감대가 귀두에서 몸가락 마디로 변경되었다. 민아가 나의 귀두를 핥고 빨아도 사정하지 않자, 목표물이 아래로 내려간 것이다. 마디에 내려오자 절정에 다다라 사정을 해버렸다. 컴퓨터에 입력된 것처럼 민아는 잊어버리지 않고 몸가락 마디 위주로 공략했다.

민아가 나의 귀두를 입에 머금고 손으로 몸가락 마디 전체를 피스톤 운동시켜주었다. 비닐팩 안에 든 아이스크림을 짜

먹는 것처럼, 손가락에 압을 주어 귀두 쪽으로 쓸어내렸다. "빨리 내 입에 싸라"는 무력시위 같다.

- 민아야. 나온다.

나는 여지없이 민아의 입에다 나의 정액을 쏟아내었다. 민아는 나의 귀두를 5초 정도 더 물고 있다. 그리고 여전히 나의 몸가락을 쓸어내리고 있다. 한 방울도 남기지 않고 본인의 입으로 옮기려는 듯하다.

- 민아야. 너무 고마워. 이제 놓아줘.

민아는 조용히 나의 몸가락을 놓아주고선, 말없이 베란다 앞, 관엽식물이 있는 곳으로 갔다. 화분에 소리 없이 본인의 입에 있던 것들을 뱉어낸다. 아들이 혹여나 깰까, 조심스러운 것이다.

나는 사정의 만끽함을 느끼며 거실에 누워있으면 민아가 물티슈를 들고 나에게 다가온다. 그리고 나의 몸가락과 주변을 닦아준다. 정리가 끝나면 울다 지친 나의 몸가락을 입으로 와락 안아준다. 입 안 따뜻한 온기에 울다 지친 몸가락이 조금씩 회복되는 것 같다. 그리해도 나의 나이가 30 후반이어서 일까? 금방 회복되지 않는다. 민아의 배려는 여기서 끝이 아니다. 몸가락을 가볍게 입에 머금고, 오른손으로 나의 불알을 마사지해준다. 손가락이 주는 야릇한 쾌감에 내가 신음이라도 내뱉으면 민아는 더 분발한다.

나의 몸가락을 놓아주고 다시 자세를 잡는다. 이번에는 왼손으로 내 몸가락 마디를 잡아 나의 배꼽 쪽으로 젖힌다. 오른손은 나의 불알 뿌리 부분을 잡아 조인다. 그럼 나의 불알은 두 개의 구슬이 든 보자기 모양이 된다. 민아는 나의 불알을 쪼일 때로 쪼여, 주름진 보자기에서 팽팽하고 조그마한 보자기로 만든다. 민아가 보자기에 다시 입을 갖다 대기 시작한다. 혀로 찬찬히 핥더니 입으로 불알 안, 두 구슬을 나누어 한차례씩 살짝 물고 빤다. 이제는 한입으로 불알을 잔뜩 물고서는 떼어내려는 듯이 고개를 흔든다. 그럼 아프면서도 묘한 쾌감을 느꼈다. 다시 손으로 불알을 가볍게 쥐고 당기기도 하고 두 개의 구슬을 한 손으로 가지고 노는 것처럼 만지작거렸다. 민아의 노력으로 나의 몸가락은 서서히 기지개를 켜기 시작한다.

나는 민아를 살며시 밀어내고 옷을 벗겼다. 민아의 입에 내 혀를 삽입시킨다. 이제는 내가 봉사해주고 싶은 것이다. 민아의 혀와 비비적거린 후, 목을 핥고 가슴으로 내려온다. 민아가 출산을 했지만 가슴은 참 가슴이다. 조금 늘어나긴 했지만 만지면 탄탄하고 묵직한 것이 부드러운 근육 같기도 하다. 손과 혀로 한참 동안 민아 가슴의 부드러움과 탄력을 만끽한다. 더 내려오면 과속방지턱처럼 민아의 배가 불룩 나와 있다. 예전부터 민아의 배가 보기 싫어, 될 수 있으면 밝은 곳에서는 민아와 몸을 섞지 않는다. 어두워도 촉감으로 민아의 배가 느껴진다. 짜증 나지만 지나쳤다. 신경 쓰지 않기로 하고 민아의 정글에 도착했다. 순간 민아가 나를 밀어낸다.

- 잠깐, 그냥 넣어. 쉬하고 안 씻었어.

나는 아랑곳하지 않고 다시 민아의 두 다리 사이로 내 머리를 처박았다. 그리고 나의 두 팔로 민아의 허벅지를 감쌌다. 민아가 나를 밀어내지 못하기 위함이었다.

- 냄새 나. 그만해.

비릿한 오줌 냄새가 났다. 민아가 샤워를 한지 얼마 되지 않았지만, 그래도 오줌을 몇 번 눈 것 같다. 민아는 오줌을 누고 휴지로 본인의 보지를 닦긴 하지만, 그래도 냄새가 배였다. 하지만 이 정도 냄새 따위는 감내하고 이겨내야 한다. 내가 민아의 보지를 맛있게 핥고 빨아야지만, 민아는 "나의 더러움"까지도 사랑하는구나 하며 나를 더 아껴줄 것이기 때문이다. 그리고 잠시 생각해 보면 민아가 일부러 본인의 보지를 씻지 않고 나를 찾았을 가능성도 높다. 내가 어떻게 하려는지 지켜볼 심산으로 말이다.

냄새 때문에 잠시 머뭇거렸지만, 이내 혀를 갖다 대었다. 눈을 뜨니, 민아의 털은 이슬 맺힌 정글처럼 물기가 맺혀있다. 냄새 때문에 핥고 빠는 것에 집중이 되질 않는다. 그래서 숨을 잠시 참고, 민아의 음핵을 찾았다. 콩이 붙어있는 것 같은 음핵을 혀로 여러 방향으로 밀어젖혔다. 민아의 탄식이 흘러나오고 몸이 살짝 떨리는 것이 느껴졌다. 튀어나온 음핵을 살짝 물기도 하고 혀로 간지럽혀 주었다. 곰이 꿀 빨듯이, 혀 안쪽을 음핵에 맞대게 하고서 고개를 천천히 돌렸다. 그러면 내 혀의 안쪽부터 혀 끝까지 민아의 음핵을 마찰시킬 수 있다.

이제 숨을 쉬어야 했다. 혀로 오줌 나오는 부분을 문질렀다. 수건으로 닦는 것처럼 문지르고 입안에 침을 모았다. 입안의 침으로 혀를 씻고, 혀에 침을 잔뜩 묻혔다. 그리고 그 혀를 다시 민아의 보지 안쪽으로, 깊게 찔러 넣었다. 민아의 보지 안에 나의 침을 흘려보냈다. 어찌 보면 비겁한 짓이다. 민아는 나의 정액을 아무렇지 않게 섭취하는데, 나는 민아 몰래 보지 안에 뱉는 것이다. 민아는 그것도 모른 채, 얕은 탄성을 자아내며 내 뒤통수를 가볍게 잡았다. 그리고 나를 사랑스러운 눈빛으로 지켜보았다. 나는 피스톤 운동하듯 혀로 민아의 보지를 쑤셨다. 그러면서 민아의 오줌을 씻은 침을 흘려보냈다.

- 자기. 더럽지도 않아? 냄새날 텐데. 너무 사랑해. 빨리 넣어줘.

- 민아야. 네 거 너무 맛있어. 조금만 더 먹을게.

　난 또 거짓말을 했다. 사실 먹는 것이 아니라 뺄는 것인데 말이다. 미안한 마음에 더 핥고 싶어졌다. 다시 음핵을 물고 빨았다. 음핵 양 옆으로 난, 닭 벼슬 같은 것을 가볍게 물었다. 그리고 하모니카 불 듯이 입술로 비비적거렸다. 왼쪽, 오른쪽 번갈아가며 했고, 다시 음핵을 핥았다. 혀를 길게 빼어 민아의 보지 안을 출입했다. 이런 과정을 한 세트로, 3번을 반복했다. 그러자 입과 턱 주변으로 침과 민아의 물이 흥건히 묻혔다. 고개를 드니, 턱에서 액체가 땅바닥으로 떨어졌다.

　방금 민아의 보지 안에 넣었던 나의 혀를 민아의 입으로 찔러 넣었다. 동시에 나의 몸가락도 민아의 보지에 박아버렸다. 윗입, 아랫입을 동시에 공략한 것이다. 민아는 기다렸다는 듯이 나의 혀를 빨고, 두 다리로 나의 허리를 감쌌다. 나의 몸은 저절로 움직이는 것처럼 민아의 몸 위에서 꿈틀거렸다. 그 와중에도 민아의 큰 가슴이 느껴졌다. 그래서 손으로 가슴을 움켜잡았다. 민아는 나의 엉덩이를 움켜잡았다.

　서로의 몸을 맞보며 즐겼다. 내 밑에 있던 민아가 갑자기 내 엉덩이를 잡고 놓아주지 않았다.

- 이젠 내가 위에서 해보고 싶어.

　민아가 나를 놓아주었고 우리는 분리되었다. 나는 다리를 뻗은 채, 민아를 기다렸다. 민아는 오른손으로 내 몸가락을 잡아 고정시키더니, 내 다리 위로 천천히 주저앉았다. 나의 몸가락은 아무 거리낌 없이 삽입되었고, 민아는 허리를 흔들었다.

나에게는 고통의 시간이다. 민아의 몸무게 때문에 한지도 얼마 되지 않았는데, 다리가 저린다. 나는 상체를 세웠다. 민아의 큰 가슴이 내 얼굴에 와닿는다. 민아의 큰 가슴을 만져보고 싶은데 그럴 여유가 없다. 두 손으로 바닥을 딛고, 민아의 몸무게를 견뎌내야 했다. 민아의 몸부림이 더 격해진다. 골반과 다리 사이가 끊어질 것 같은 느낌이 든다.

민아는 내 위에서 하는 것을 좋아한다. 나를 정복하는 느낌이 든다고 했다. 그러거나 말거나 제발 빨리 끝나기를 바랄 뿐이다. 잠시 후 민아는 지쳤는지, 흔들던 허리를 멈추었다. 그리고 나의 표정을 살폈다. 나는 얼른 환한 미소를 지어 보였다. 민아는 다시 일어서더니, 내 옆에 누웠다. 복수하고 싶은 마음이 들었다. 그래서 더 세게 박아주기로 결심했다.

나는 민아에게 다가가, 무거운 다리를 내 어깨에 걸쳤다. 쪼그려 앉아 몸가락을 삽입하고 허리에 반동을 가했다. 그리하니 나의 몸가락이 더 깊이 들어가는 것이 느껴졌다. 민아도 그것을 느꼈는지, 탄성 소리가 커졌다.

- 조용히 해. 아들 일어나겠다.

민아는 상관없다는 듯이 나의 몸을 받아들이며 쾌감을 느꼈다. 근데 느낌이 예전만 같지 않다. 출산 후 민아의 보지가 넓어진 것이다. 아쉬운 마음에, 돌려서 이야기했다.

- 민아야. 너무 좋아. 근데 조금 색다른 느낌이야.

- 뭐가?

나는 피스톤 운동을 하며 말을 이어갔다.

- 예전엔 내 자지가 목욕탕에서 놀았다면 지금은 드넓은 바다에서 수영하는 느낌이야.

- 그래서 이제는 내 구멍이 싫어?

- 아니야. 그래도 좋아. 좋으니깐 네 배를 타고 있는 것이지. 그리고 너무 좁은 공간은 감옥 같아. 지금 난 넓은 대궐 같은 집의 집주인이 된 기분이야.

- 호호호.

민아는 웃으며 즐거워했다. 서서히 사정감이 몰려왔다. 민아의 깊은 바다, 해저 밑에 나의 씨를 뿌릴 것이다. 나의 허리 반동이 빨라졌다. 민아는 "음음"하며 짧은 호흡을 내뱉었다. 나는 쾌감을 느끼며 민아의 해저 밑에 내 귀두를 고정시킨 채, 울었다.

몸을 부르르 떨며 민아의 두 가슴을 움켜쥐고 여운을 느꼈다. 그리고 민아의 몸 위로 쓰러졌다.

- 민아야. 완전 사랑해.

민아의 입술에다 나의 혀를 삽입시켰다. 민아의 혀가 마중 나와 있었고, 서로 비비적대며 혀의 촉감을 느꼈다.

민아는 화장실로 가서 아랫도리를 씻었다. 그리고 물티슈를 한 장 들고 내게로 왔다. 내 몸가락과 불알, 주변을 깨끗이 닦아주었다.

- 자기. 고생 많았어.

민아는 내게 고마워하며 내 다리를 정성스럽게 주물러주었다. 다리 마사지를 다 받은 나는 옷을 챙겨 입고 안방에 들어갔다. 잠시 후 민아도 들어와 잠을 청한다. 이것이 우리 부부생활의 리듬이다.

그런데 이런 기회가 많지가 않다. 일하고 온 내가 피곤해서, 아들이 잠을 늦게 자서, 민아가 바빠서 등 여러 이유 때문이다. 그리해도 난 지금까지 민아와의 잠자리에 만족하고 있었다. 같은 공장에서 일하는 준석 아저씨의 자지를 보기 전에는 말이다.

준석 아저씨는 옆 반에서 일하는 작업자이고 일을 잘해서 "조장"이란 직책을 맡고 있다. 용접작업하면 자연스럽게 쇠를 다듬고 자르는 그라인더 작업이 따라가기 마련이다. 그라인더 작업을 하면 쇳가루가 날린다. 그래서 퇴근하기 전, 회사 내 목욕탕에서 몸을 씻고 집에 간다. 그중엔 집에 가서 씻는 사람들도 있다. 하지만 대부분 물세, 물을 데우는 연료비를 아끼기 위해 회사 목욕탕을 이용한다.

목욕탕에서 준석 아저씨의 자지를 보았다. 보통 목욕탕에 들어가면 남의 생식기를 보지 않고 본인 몸을 씻느라 바쁘다. 근데 내 눈에 준석 아저씨의 자지가 포착된 것이다. 내가 씻는 공간으로 갈 때 준석 아저씨의 곁을 지나갔는데, 하체 쪽으로 뭔가가 반짝거렸다. 시선을 돌려보니 살색과 다른 이질적인 색감이 나의 시선을 사로잡았다.

자지, 귀두 부분에 쇠구슬이 박혀있었다. 준석 아저씨의 자지를 쳐다보다 아저씨와 눈이 마주쳤다. 난 부끄러워 달아나듯이 자리를 옮겼다. 이동하다 준석 아저씨를 슬쩍 쳐다보았다. 준석 아저씨는 아무렇지 않은 것 같다.

며칠 동안 머릿속에 준석 아저씨의 빛나는 자지가 떠올랐다. 왜 자지에 쇠구슬을 박았을까? 자지를 다쳤나? 아니면 일부러 쇠구슬을 박은 것인가? 여자와 잠자리를 할 때 상대방에게 더 많은 쾌감을 주기 위해? 여러 의문이 떠올랐다.

우리 공장 내 목욕탕에는 조그마한 탕도 있다. 작업자들이 그곳에 뜨거운 물을 받아, 반신욕 또는 전신욕을 했다. 나도 일하다 근육이 뭉치거나 몸상태가 좋지 않아 오한이 느껴지면 탕에 들어가곤 했다. 보통 탕에는 나이 많으신 작업자 선배들이 매일 들어간다. 어느 날은 탕에서 전신욕을 하다 선배들의 옛이야기를 듣게 되었다. 그리고 그중엔 준석 아저씨의 이야기도 있었다. 준석 아저씨는 젊었을 때부터 색을 엄청 밝혔다고 한다.

- 그때를 생각하면 준석, 그 녀석의 기괴한 행동이 떠올라! 우리 20대, 총각이었을 때 말이야. 경공업에서 일하는 곰순이들하고 자주 미팅했잖아. 그때마다 준석이 녀석이 끼어달라고. 미팅이 잡히는 날에는 어떤 행동을 하는 줄 알아? 작업 끝나고 쉬는 시간마다 지 자지를 주물럭거리는 거야. 여자를 만난 것도 아니고 어떤 여자가 나올 줄도 모르는데, 벌써부터 지 자지를 만지는 모습이 어찌나 웃기는지. 지 자지에게 제발 참아달라고 다독여주는 것 같더라. 준석이 녀석이 어찌하다가 짝을 만나 결혼까지 했어. 근데 결혼하고 나서도 경공업 공장 여직원들하고 미팅이 있으면 끼어달라고 조르는 거야. 주변에서 뭐라고 해도 막무가내야. 그렇게 바람피우다 이혼당할 뻔했잖아. 그리 혼나도 성에 차지 않는지 이제는 지 자지에 구슬을 박았네. 구슬 박으면 여자들이 죽을 정도로 좋아한다면서 말이야.

- 완전 변태네.

- 아니지. 변태 하고는 좀 달라. 여자를 너무 밝히는 거지.

탕 속에서 선배 작업자들의 이야기를 듣고서야, 준석 아저씨의 자지에 박힌 구술의 용도를 정확히 알 수 있었다. 참

별난 사람도 다 있다.

내가 쓰는 캐비닛은 너무 오래되어 문이 잘 닫히지 않았다. 캐비닛에 갈아입을 작업복, 사복이나 개인 물건을 보관하기도 한다. 근데 이 캐비닛은 닫아도 시간이 지나면 항상 열려 있는 것이다. 그것을 반장이 본 모양이다. 아침 조회시간에 반장이 내게 캐비닛을 바꿔주겠다고 했다.

- 너 우리 옆반에 준석이 아저씨 알지? 그 양반이 올해 정년이야. 그 사람 캐비닛 이제 안 쓴다고 하니, 네가 들고 가서 사용해라.

- 네.

나는 아침 조회가 끝나자, 옆반으로 갔다. 그곳에 준석 아저씨가 있었다.

- 너구나. 캐비닛 필요하다는 사람이. 캐비닛 열어보고 안에 버릴 건 버리고 사용할 수 있는 물건이 있으면 사용해.

- 네. 감사합니다.

캐비닛을 비스듬히 세워 끌며 우리 반으로 옮겼다. 그리고 나의 옛 캐비닛을 버리고, 준석 아저씨의 캐비닛을 가져다 놓았다. 작업장으로 가, 일을 했다. 쉬는 시간이 되자, 캐비닛을 정리하기 위해 반샵으로 왔다. 캐비닛엔 장갑, 나사, 볼트, 용접 팁, 종이컵 등이 널브러져 있었다. 그리고 그중엔 콘돔도 보였다. 공장엔 웬 콘돔? 준석 아저씨에겐 콘돔이 많은가 보다. 그리고 또 희한한 물건을 발견했다.

열쇠고리 같은 모양, 고무 재질의 원에 짧은 머리카락이 붙어 있는 형상이다. 이건 또 뭐지? 콘돔과 같이 있었기에, 성에 관련된 것 같다. 그 고무 고리를 주머니에 넣었다.

점심시간, 공장 내 식당에서 점심을 먹고 난 후 친한 형의 지그로 갔다. 그 형에게 털로 둘러싸인 고무링을 보여주었다.

- 형, 준석 아저씨 캐비닛 정리하다가 이걸 발견했는데, 이거 뭐예요?

- 하하하. 진짜 웃긴다. 그 아저씨 공장 안에 숨겨둔 애인이라도 있나? 그런 것은 왜 여기 두고 다니냐? 그거 "낙타 눈썹"이란 거야. 그거 자지에 차고 여자랑 하면 여자 완전 뿅 간다. 그 털이 여자의 질내를 마구 쓸어주거든. 그거 끼고 여자랑 피스톤 운동 몇 번하면 여자들은 바로 오르가즘 느낄걸.

- 진짜요?

- 그거 잘 챙겨. 오늘 집에 가서 마누라한테 사용해 봐. 다음날 대우가 달라질 거야.

- 정말요? 자지 어느 부위에다 끼우는 거예요?

- 자세한 것은 인터넷 검색으로 알아봐. 나보다 더 자세히 설명해 줄 거야. 오늘 집에 가서 꼭 사용해라. 하하하.

- 에이~

"여자가 뿅 간다."라는 말에 흥분했다. 그러다 관심 없는 표정을 지으며 나의 작업장, 지그로 돌아갔다. 가슴이 크게 요동쳤다. 낙타 눈썹을 끼고 민아와 하는 것을 상상했다.

- 어머. 자기 뭐야? 누가 내 보지를~. 어떡해~. 미칠 것 같고 금방 쌀 것 같아. 자기 자지 너무 훌륭해.

나 혼자 머릿속으로 판타지를 그리니, 나도 모르게 흥분해 버렸다. 내 몸가락 밖으로 정액이 조금 배어 나온 것 같다. 팬티가 축축한 것이 느껴졌다.

작업이 끝난 쉬는 시간, 핸드폰으로 열심히 검색했다. "낙타 눈썹"에 대해 말이다. 낙타 눈썹은 중동에서 일하는 노동자들이 한국으로 들여온 것이라는 설이 있었다. 말 그대로 자지에 끼울 수 있는 고리에 낙타 눈썹 같은 털을 잔뜩 묻힌 것이다. 주머니에 있던 낙타 눈썹 고리를 꺼내 살펴보았다. 내 몸가락에 한번 착용해보고 싶은 강한 충동을 느꼈다. 하지만 불시에 직장동료가 들어올 수도 있기에, 그러지 못했다. 유심히 관찰하다 보니 조금 허술해 보였다. 내가 낙타 눈썹을 끼고 민아와 격렬히 피스톤 운동을 하다, 고리의 눈썹이 빠지는 것은 아닐까? 그리되면 민아의 몸 깊은 곳에 털이 들어갈 수도 있다. 혹시나 그것 때문에 민아 몸에 문제라도 생긴다면 큰 낭패다. 손으로 고리의 눈썹을 살짝 잡아당겨보았다. 민아와 격렬한 피스톤 운동을 상상하며 더 세게 잡아당겼다. 그러자 고리에서 털이 분리되었다.

실망이다. 이렇게 허접할 줄이야. 그냥 쓰레기통에 버렸다. 낙타 눈썹이 쓰레기통에 들어갔지만, 내 머릿속엔 아직 남아 있었다. 준석 아저씨의 낙타 눈썹은 오래된 것이라 판단된다. 그럼 지금은 더 좋은 것들이 많이 발명되었을 것이다. 물어볼 사람도 없다. 인터넷 검색이 답이다.

성인인증을 거쳐, 대형 물류 사이트에 들어갔다. 작업이 끝난, 쉬는 시간마다 검색을 했다. 신천지를 경험하는 듯하다. 낙타 눈썹과 같은 고리는 물론이고 남자 사정을 지연시켜주는 도구, 여자의 성기를 본떠 만든 기구, 자위 도구 등 다양하다. 나는 특히 내 몸가락에 착용할 수 있는 것들 위주로 살펴보았다. 하나씩 클릭해 검색하는데, 검색할 때마다 내 머릿속에는 그 기구를 착용하고 민아와 격렬히 배꼽을 맞추고 있다. 또 팬티가 젖었다.

이번 달 내 용돈을 여기다 쏟아붓기로 했다. 우선 실리콘 소재의 링 세트를 샀다. 한 세트에 3개의 링이 있는데, 하나는 귀두 밑, 다른 것은 몸가락 뿌리 부분, 나머지는 불알 위쪽에 착용하는 것이다. 두 번째 구입한 것은 두 개의 링이 연결된 도구이다. 몸가락 뿌리와 불알을 잡아주었다. 세 번째는 귀두 밑에 착용하는 실리콘 링인데, 링 바깥쪽으로 요란한 장식품이 붙어있다. 이것이 제일 마음에 들었다. 이것들로 민아를 뽕 가게 만들어 줄 것을 생각하니, 벌써 흥분이 되었다. 흥분에 주체를 못 해, 하나 더 구입했다. 마지막 것은 단련용 링이다. 일상생활, 잠을 자거나 일할 때도 착용할 수 있는 실리콘 링인데, 링 안에 자석이 붙어있다. 설명서에는 피가 잘 통해, 성기능을 강화시켜준다고 했다.

이렇게 4개의 제품을 주문했다. 택배로 배달 시, 제품 이름엔 사무용품이라고 기재될 것이라고 했다. 개인의 프라이버시를 지켜주는 것이다. 집으로 주문했고 드디어 도착했다. 민아가 "이 물건이 뭐냐?"라고 내게 물었다.

- 널 위한 서프라이즈 선물이야. 기대해.

나는 아주 음흉한 미소를 지으며 대답했다.

민아는 "뭐야?"하며 별반응이 없었다. 그 시큰둥한 반응을 후회하게 만들어 줄 것이다. 이 기구를 사용, 민아를 홍콩으로 보낼 것이다. 또 흥분이 되었다. 민아 몰래 조용히 꺼내, 깨끗이 물로 씻어 숨겨 놓았다. 아들을 재우고 기회가 왔을 때 사용할 것이다.

성기구를 사용할 날이 의외로 빨리 찾아왔다. 민아는 아들을 재우고 또 노랑 치마를 입은 상태로 빨래를 개고 있다. 민아를 "뽕 가게 만들 것"을 생각하니 벌써 흥분된다. 나는 민아의 뒤로 다가가, 민아의 가슴을 살며시 만졌다. 아들을 출산했음에도 가슴엔 탄력이 살아있다.

- 아직 빨래 많이 남았어! 좀 기다려.

- 나 못 참겠어. 민아야. 빨리 하고 싶어.

- 아. 진짜.

나는 평소 집에 있을 때, 잠옷 용도로 반바지를 입는다. 추운 겨울엔 어쩔 수 없어 긴바지를 입지만 침대에 들어갈 때 팬티만 입고 잔다. 지금은 서늘한 가을이지만 아직도 반바지를 입고 있다. 물론 노팬티로 말이다.

나는 민아 옆에 벌러덩 누웠다. 나의 하체 쪽엔 텐트를 친 것 같다. 내 반바지 한가운데 큰 기둥이 불쑥 솟아나 있다. 민아는 내 기둥을 보더니, 빨래 개기를 멈추고 내 반바지 밑으로 손을 넣었다. 내 반바지는 통이 넓어, 손을 넣기 손쉬웠다.

- 뭐야? 오늘은 왜 누워? 서거나 앉아서 빨아달라고 하더니? 오늘은 다르네.

- 오늘은 편하게 받고 싶어.

민아는 고개를 끄덕였다. 내가 반바지를 벗자, 민아가 상체를 숙여 내 몸가락을 입에 넣었다. 내 몸가락 뿌리 부분을 오른손으로 잡아 지지한 채, 게걸스럽게 빨기 시작했다. 성기구를 착용한 채로 민아와 배꼽을 맞대고, 피스톤 운동으로 민아를 뿅 가게 해줄 것을 상상하니, 사정감이 빨리 다가왔다.

나는 또 민아의 머리를 지긋이 내 몸 쪽으로 눌렀다. 그리고 시원하게 사정했다. 민아가 "컥컥"하는 소리와 함께 힘든 표정을 지었다. 나는 민아의 머리를 놓아주었다. 민아는 한 손으로 입을 막으며 관엽식물이 있는 곳으로 갔다. 식물에게 영양분을 준 후 내게 다시 왔다.

- 뭐야? 쌀 때는 말하라니깐. 목 안으로 또 넘어갔잖아. 어휴. 정말 한두 번도 아니고!

- 그랬어? 미안해. 대신 내가 궁극의 맛을 보여줄게.

나는 드레스룸으로 가, 숨겨놓았던 실리콘 기구를 꺼내기 시작했다. 첫 번째로 3개의 링이 한 세트인 성기구를 착용했다. 귀두 밑, 몸가락 뿌리 부분, 불알 위쪽에 3개의 링을 차례로 착용했다. 살과 피가 한쪽으로 쏠리는 느낌이 든다. 내 물건들이 더 크고 단단해 보였다. 특히 귀두가 반질거렸다. 나는 얼른 민아에게 다가가, 나의 모습을 보여주었다. 민아가 크게 웃기 시작했다.

- 그게 뭐야? 변태 같아.

- 뭐? 변태? 나를 이상하게 본 것을 후회하게 만들어줄 테다.

나는 민아를 가볍게 밀어 넘어뜨렸다. 그리고 민아의 하체 쪽 깊은 곳에 혀를 갖다 대기 시작했다. 빨리 나의 몸가락을 삽입하고 싶은 마음이 간절했다. 삽입이 잘 되도록 침을 잔뜩 발라놓고, 민아 보지 앞에 무릎 꿇고 앉았다. 조심스럽게 나의 몸가락을 잡아 민아의 탕으로 깊숙이 찔러 넣었다. 아니나 다를까 민아가 소스라치게 놀라기 시작했다.

- 어머, 뭐야? 느낌이 이상해. 내 보지 안에 다른 무언가가 들어온 것 같아. 나 다른 남자랑 하는 것 같아. 되게 낯설다. 자기 맞아?

- 그래. 니 남편이다. 내가 널 홍콩으로 보내기 위해 업그레이드했다.

민아와 나는 서로를 쳐다보며 웃기 시작했다. 웃으면서도 허리는 천천히 돌리고 있었다. 웃으니깐 귀두 밑에 위치해 있던, 실리콘 링이 빠져나가버렸다. 다시 착용해도 미끄러져 빠졌다. 민아의 애액과 나의 정액이 섞여 미끄러운 것이다. 피스톤 운동하는데 집중이 되질 않는다. 실패다. 몸가락에서 링을 다 제거했다.

두 번째 성기구를 착용했다. 이것도 첫 번째와 다르게 몸가락 밑 부분과 불알 밑을 쪼아주는 링이다. 별 느낌이 없는가 보다. 실망한 표정이 역력하다.

- 자기, 그냥 빼고 해. 그런 성기구는 잘 안 서는 사람이나 사용하는 거 아니야? 자기는 상관없잖아.

민아의 말이 나의 자존심을 건드렸다. 민아를 즐겁게 해 주기 위한 나의 계획이 수포로 돌아가게 할 수 없다.

나는 다시 드레스룸으로 가, 세 번째 성기구를 찾았다. 나의 몸가락은 아직 죽지 않고 발기되어 있다. 다시 민아에게 달려가 세 번째 성기구를 착용했다. 제일 애착 가는 기구이다. 이것은 하나의 실리콘 링인데, 귀두 밑에 착용하는 것이다. 앞에 사용했던 것과는 달리 폭이 좁아 잘 빠질 것 같진 않다. 그리고 이 실리콘 링 바깥쪽으로는 더듬이 같이 생긴 모형이 잔뜩 붙어있다.

이것저것 시도하느라 민아의 탕이 많이 말라 버린 것 같다. 69 자세로 민아의 탕을 핥고 빨며 침을 잔뜩 발라주었다. 민아는 나의 몸가락에 부착된 실리콘 링을 유심히 쳐다보며 만져보았다.

- 자기, 이건 다 뭐야? 고무 링에 무엇을 붙인 거야? 곤충 더듬이 같기도 하고 괴벌레 촉수 같기도 해.

- 잠시 후 더듬이나 촉수 같은 것들이 너의 안을 빗질하듯이 애무해 줄 거야. 기대해.

나는 다시 정자세로 돌아와, 민아를 눕혔다. 신기했는지 민아는 허리를 세워, 본인의 몸에 삽입되는 과정을 지켜보았다. 나는 쉽게 삽입시켰고 민아를 다시 눕혔다. 민아의 큰 가슴을 양손으로 움켜쥐며 허리를 움직였다.

- 아~. 뭐야? 느낌이 이상해.

민아는 실성한 사람처럼 읊조리듯이 말을 했다. 멀리서 들었다면 혼자서 중얼거리는 것으로 보였을 것이다. 나는 허리를 천천히 움직이며 민아의 반응을 살펴보았다.

민아는 눈을 반쯤 뜨고 있다. 눈에는 흰자만 보였다. 그리고 아픈 것처럼 "큿큿"하며 소리를 내었다.

- 민아야. 느낌이 어때? 이번에 완전 색다르지? 좀 자세히 말해봐. 그래야 내가 준비한 것이 제대로 먹혔는지 알 거 아니야? 허심탄회하게 말해봐.

- 처음 겪어보는 느낌이야! 아까 다른 남자하고 하는 느낌이라고 했잖아. 지금은 흑인 하고 하는 느낌이야. 흑인과 경험은 없지만, 흑인 자지가 그리 크다면서. 느낌은 색다르고 좋은데, 기분이 이상해.

- 뭐가 어떻게 이상한데?

- 죄를 짓는 것 같아. 내가 바람을 피우는 것 같아.

- 그게 무슨 말이야?

- 내가 지금까지 자기한테 길들여져 있잖아. 그래서 지금 자기 자지가 나에게 너무 익숙하고 편안해. 근데 지금은 자기의 탈을 쓴 흑인하고 하는 느낌이야. 눈 감으면 미안하고 마음이 무거운데, 눈을 떠서 자기인 것을 확인하니 마음이 놓

여. 나 지금 너무 혼란스러워.

확실히 성공한 것 같다. 이 촉수 실리콘 링을 착용한 것이 신의 한수인 듯하다. 민아는 혼란스럽고 희한한 흥분을 마음껏 느끼고 있다. 내 몸가락이 포르노에 나오는 흑인 대물이 된 것 같아, 신이 난다.

슬슬 속도를 올리기 시작했다. 민아의 중얼거리는 듯한 탄성이 커지기 시작했다. 중얼거림이 감탄사가 되었고, 감탄사가 다시 명령으로 바뀌었다. 그럴 때마다 허리 반동은 더 커졌다.

- 아, 으, 엉, 음. 자기 너무 좋아. 나 미칠 것 같아. 좀 더 빨리 박아줘. 나 오줌 쌀 것 같아.

- 그래. 싸. 시원하게 싸.

- 미쳤나 봐. 이 거실에서 어떡해. 거실에 냄새 배일까 봐 겁나.

민아는 흥분의 도가니 속에서도 침착했다.

- 자기. 내가 위에 올라가서 해보고 싶어.

조금만 더 세게 하다가 사정하고 싶었는데....... 민아는 또 본인이 주도하고 싶은 것이다. "위에서 하면 정복하는 느낌이 든다."라며 민아가 했던 말이 생각났다. 귀여운 것, 이젠 자지만 흑인인, 색다른 나를 정복하고 싶은 모양이구나. 이런 생각을 하니 또다시 흥분이 되었다.

나는 민아의 몸에서 빠져나왔다. 내 몸가락 뿌리 부분엔 설탕으로 만든 구름과자 같은 하얀 거품이 몸가락 주변 털에 놓여 있었다. 나는 크게 누워 민아를 기다렸다. 거실에서 불을 끄고 민아와 몸을 섞고 있기에 주변이 어둡다. 민아는 익숙한 것 같다. 내 허리 옆으로 각 발을 위치시키고, 천천히 앉기 시작했다. 스쿼트를 하는 것 같다. 무릎이 90도가 되자, 손으로 내 몸가락을 찾기 시작했다. 내 몸가락을 오른손으로 잡아 본인의 입구에 위치시켰다. 천천히 엉덩이를 내려놓았다. 음영으로나마 보였던 나의 몸가락은 민아의 몸속으로 사라졌다.

민아는 눈을 감고 있는 것 같다. 양손을 내 가슴에 내려놓고 몸의 균형을 잡았다. 천천히 허리를 앞, 뒤로 움직였다. 움직임이 빨라졌다. 민아의 큰 가슴이 출렁거리는 소리가 들렸다. 미친 듯이 날뛰는 민아의 유방을 진정시키기 위해, 밑에서 민아의 가슴을 움켜잡았다.

- 자기, 너무 맛있어.

민아가 정복감을 제대로 느낄 때 하는 말이다. 민아가 만족해하니 나도 기분이 좋다.

근데 시간이 지나니 민아와는 반대로 나의 흥분이 사그라들었다. 민아의 무게감 때문이다. 민아는 70kg 후반이고 나는 60kg 중반이다. 민아가 위에서 계속 짓누르고 비벼대니, 하체 쪽으로 아픔이 전달되었다. 특히나 엉덩이 밑 부분이 아프고, 계속했다가는 엉덩이와 다리 사이에 피가 안 통할 것 같다. 그런 것도 모르고 민아는 흥분해서 본인의 몸무게를 망각하고 있는 듯하다. 오히려 본인을 깃털이라고 착각하는 것은 아닐까?

- 이제 내가 위에서 하고 싶어.

나의 말을 무시하는 것인지, "맛있어"라며 계속 중얼거리는 본인의 목소리로 인해 못 들었는지 민아는 위에서 나를 짓눌렀다. 이제는 양쪽 무릎을 바닥에 위치시키고, 내 몸가락을 완전히 삽입한 채로 세차게 허리에 반동을 주기 시작했다.

그러자 민아의 털과 내 몸가락 털이 마찰되어, 부직포를 맞대고 비비는 것 같은 소리가 나기 시작했다.

민아의 가슴을 받치고 있던, 나의 팔도 아프다. 그래서 가슴을 잡고 있던 손을 내리는데, 민아의 배가 느껴졌다. 손을 내리다 민아의 배를 만진 것이다. 앞에서도 언급했듯이 민아의 몸을 섞을 때 불을 끄는 이유는 민아의 불룩한 배를 보지 않기 위함이었다. 근데 손의 촉감으로 민아의 배가 느껴지자 나의 몸가락이 줄어들기 시작했다. 잠시 후 민아가 작아지는 나의 몸가락을 느꼈나 보다.

- 자기, 쌌어?

차마 민아의 배 때문이라고 솔직히 말할 순 없다. 사랑하는 민아에게 상처를 줄 순 없다.

- 응. 자기가 흥분하는 모습 보니깐 나도 흥분되더라. 오래 하고 싶어서 최대한 참으려고 했는데, 조금씩 사정했나 봐. 조절이 잘 안 되네.

- 아니야. 나 너무 좋았어. 날 위해서 이런 노력도 하고. 고마워. 그리고 사랑해.

- 나도 사랑해.

민아는 상체를 숙여 키스해 주었다. 민아의 혀가 나의 입으로 들어왔다.

- 자기, 나 먼저 화장실 갈게. 아까부터 오줌 참고 있었어.

- 그래.

민아가 먼저 일어나, 화장실로 달려갔다. 참긴 정말 오래 참았는가 보다. 오줌 누는 소리가 엄청 크게 들렸다. 변기 물 내리는 소리가 들리고 물로 씻는 소리가 들렸다. 친절하고 사랑스러운 민아가 어느새 물티슈를 들고 왔다. 나의 몸가락과 주변을 닦아주었다. 내 불알을 닦던 민아가 내게 말을 걸었다.

- 자기 자지에 착용하던 괴상한 고무링은 어디 갔어? 벌써 치웠어?

- 아니. 왜? 없어?

- 응. 자기 엉덩이 밑에도 안 보이네. 잠시 불 좀 켜보자.

민아는 상의 하나만 대충 걸친 채, 거실 등을 켰다. 민아의 말대로 내 귀두 밑쪽에 착용했던 실리콘 링이 보이질 않았다.

- 어디 갔지? 혹시 자기 몸에 들어간 거 아니야?

- 어머. 정말? 난 모르지.

혹시 내 몸가락이 작아지면서 실리콘 링이 빠지고, 민아의 격렬한 허리 반동에 의해 실리콘 링이 민아의 몸 안 깊숙한 곳으로 박힌 것이 아닐까? 민아가 걱정되었다.

- 어쩌지?

좋아했던 민아의 표정이 금방 어두워졌다.

- 민아야. 미안해.

- 괜찮아. 자기가 날 위해 노력하다 이리되었는데. 뭘. 나중에 오줌 누다가 나오겠지.

우리는 대충 마무리하고 잘 준비를 했다. 난 민아의 큰 가슴을 만지작거리며 잠들었다.

다음날, 흑인 대물이 되어 민아를 흥분시킨 느낌만 간직한 채로 출근했다. 작업을 하고 점심시간이 지나, 민아에게서 전화가 걸려왔다. 민아는 전화할 일이 있으면 항상 쉬는 시간에 맞춰 연락을 했다. 그래서인지 좀 불길한 예감이 들었다.

- 민아야. 무슨 일 있어?

- 응. 나 몸이 이상해.

'몸이 이상하다.'는 말에 가슴이 내려앉는 느낌이다.

- 왜? 몸, 어디가 이상한데?

- 응. 몸이 불편해. 자연스럽지가 않아. 특히 하체 쪽이 그래. 아무래도 자기가 어제 착용했던 고무링이 내 몸 안쪽에 박혔나 봐. 걷는 것도 불편하고, 양반자세로 앉아도 균형이 안 맞는 느낌이야.

- 그럼 빨리 병원 가!

- 나 혼자 가기 좀 그래. 우리 같이 가자.

- 어휴. 난 또 뭐라고. 깜짝 놀랐잖아. 난 자기가 크게 아픈 줄 알았잖아. 그거 산부인과 가서 빼 달라고 하면 되잖아. 굳이 내가 따라갈 필요가 있을까?

- 자기 나 심각해. 아 짜증 나. 씨발.

민아가 내뱉은 "씨발"이란 단어가 내게 큰 충격이다. 화나면 누구나 으레 하는 짧은 욕지거리지만, 민아가 지금까지 내게 십 원짜리 들어가는 욕을 한 적이 없었다. 그래서일까? 민아가 내뱉은 짧은 욕이 내게 크게 다가왔다. 나는 당황스러웠지만 못 들은 척했다.

- 그럼 지금 바로 조퇴해서 집으로 갈게. 기다려.

- 알았어. 조심히 와.

전화로 반장에게 조퇴 사실을 알리고 회사를 빠져나왔다. 집으로 오는 동안, 민아가 내게 했던 욕이 계속 떠올랐다. 내가 몰랐던 민아의 이면이 있었던 것일까?

집으로 도착해서 민아와 함께 차를 타고 산부인과로 갔다. 가는 동안 민아와는 한마디도 이야기를 나누지 않았다. 차 안에 공기가 무겁다. 산부인과에 도착, 차를 주차시키고 병원에 들어갔다. 병원에 접수를 하면 무슨 일로 왔는지, 병원 측에서 물어본다. 혼자가도 되는데, 민아는 나의 팔에 팔짱을 끼우고 나를 끌다시피 하며 접수처로 이동했다.

- 무슨 일로 오셨어요?

- 제 몸 안에 이물질이 들어간 것 같아요. 자궁 쪽에요.

- 네. 소파에 앉아 기다리세요. 잠시 후 성함 부르면 진찰실로 가셔서 의사 선생님께 진찰받으시면 돼요.

접수 후에야 민아는 나의 팔을 놓아주었다. 우리는 소파에 앉아 차례를 기다렸다. 민아를 부르는 소리에 진찰실로 들어갔다. 의사가 남자였다. 50대 후반의 베테랑 의사 같아 보였다. 민아와 나는 의사가 남자인 것에 잠시 주춤했다.

- 옷 갈아입으시고 저기 앉아보세요.

두 다리를 벌려서 앉는 의자가 보였다. 의사가 남자라는 것이 마음에 걸렸지만, 남자가 아닌 의사로 보기로 했다. 민아도 나와 같은 생각이었는지, 환자복으로 갈아입고 의자에 앉았다. 민아의 배 위쪽으로 간이 커튼이 보였다. 의사는 그 커튼을 길게 펼쳐, 내 위치에서는 보이지 않게 했다. 의사는 손전등 같은 것이 중앙에 박힌 머리띠를 머리에 두르고 비닐장갑을 착용했다. 의사는 바퀴가 달린 의자에 앉아, 민아의 다리 사이로 이동했다. 의사가 내뱉는 말이 들렸다.

- 이게 뭐야? 뭐지?

의사는 다시 나와, 긴 핀셋을 들고서, 다시 민아의 다리 사이로 이동했다. 잠시 희미하게 "뽁"하는 소리가 들렸다.

- 이제 끝났습니다.

의사는 머리에 두른 등을 끄고, 비닐장갑을 벗으며 내게 말했다.

- 앞으로 조심하세요. 민감한 부위입니다.

- 아. 네.

 의사는 꺼낸 것을 보여주지도 않았다. 다 알고 있는 듯하다. 우리는 진료실을 나와, 진찰비를 내고 병원에서 나왔다.

 차를 타고 집으로 오는 길, 무거운 분위기를 탈출하려는 듯이 민아가 먼저 말문을 열었다.

- 자기, 아직도 내가 왜 자기랑 같이 산부인과에 오려는 줄 모르겠지?

 말소리가 한결 가벼워진 느낌이다.

- 부끄러워서?

- 창피한 것도 맞아. 그것보다는 남들한테 이상한 오해 사기 싫어. 괜히 나 혼자 갔다가 의사나 간호사가 다른 남자랑 바람피우다가 온 곳으로 착각할까 봐. 물론 그런 생각 안 할 수도 있지만. 아무튼 이상한 시선으로 쳐다볼까 봐. 그게 너무 싫었어. 하지만 남편이랑 같이 오면 오해 살 일도 없어지잖아.

- 그런 이유였구나. 민아야. 미안해.

 난 어제 민아를 극도로 흥분시킨 것만 생각했지, 민아의 몸상태와 상황은 크게 걱정하지 않았다. 내가 참 한심하게 느껴진다. 사실, 민아가 전화상으로 내뱉은 "씨발"이란 욕에 대해 따지려고 했었다. 하지만 내 잘못이 크기에 잊어버리기로 했다. 민아는 내 마음을 읽기라도 했는지, 내가 머릿속으로 떠올린 것들에 대해 이야기했다.

- 자기, 그리고 내가 아까 전화상으로 짧게 욕한 거 미안해. 순간 짜증이 엄청 밀려왔었어.

- 아니야. 눈치 없었던 내가 더 미안해.

집에 도착, 나는 샤워를 하고 수건으로 물기를 닦았다. 얼굴에만 스킨, 로션을 바르고 나체인 상태로 민아 앞에 섰다.

- 어머. 뭐야? 왜 이래? 무섭게.

집에는 민아와 나, 둘 밖에 없었다. 아들은 유치원에 갔다.

- 좀 있다 아들 데리러 가야 돼.

- 그래도 시간 좀 있잖아.

- 잠시 기다려.

민아는 화장실로 갔다. 오줌 누는 소리와 물로 씻는 소리가 들렸다. 창문은 커튼으로 다 가려진 상태다. 나는 소파에 앉아 있는데, 민아가 내 앞으로 와서는 무릎을 꿇었다.

- 좀 있다 유치원에 가서 아들 데려와야 되니깐, 그냥 입에다가 싸.

민아는 나의 몸가락 뿌리 부분을 손으로 잡더니, 크게 흔들었다. 그 모습이 자고 있는 사람을 억지로 깨우는 느낌이다. 내 몸가락이 곧게 서자, 민아가 입을 크게 벌려 물었다. 민아의 혀가 내 귀두를 어루만져주는 것이 느껴진다. 나는 민아의 혀놀림을 만끽한 채 말했다.

- 민아야. 나 항상 받기만 했어. 이젠 내가 해줄게.

민아는 입에서 나의 몸가락을 빼며 다시 말했다.

- 괜찮아. 자기 자지 빠는 거 즐거워. 시간도 얼마 없어. 내가 해주는 서비스야.

민아의 거짓말이 귀엽다. 방근 전, 민아는 소변을 보고, 하체를 물로 씻었다. 입으로만 해줄 생각이었다면 하체를 씻지 않았을 것이다. 그것도 화장실 문을 닫지 않은 채 말이다.

- 아니야. 내가 빨고 핥고 싶어서 그래. 그러니깐 오늘은 민아가 양보해. 자리 바꿔. 자기가 소파에 누워봐.

- 시간 없다니깐.
- 알았어. 그럼 내가 서비스해 주고 삽입하다가 자기 입에다 쌀게. 그럼 공평하잖아.

민아와 나는 자리를 바꾸었다. 민아가 소파에 누워 다리를 벌렸다. 나는 민아의 엉덩이를 소파 끝에 위치시키고 다리 사이로 얼굴을 들이밀었다. 역시나 민아는 팔꿈치로 상체를 지지한 채, 나를 쳐다보고 있다.

나는 민아의 눈빛을 무시한 채, 손으로 민아의 조갯살을 밀어젖혔다. 맛있는 한우나 돼지고기를 구울 때 나오는 육즙처럼 즙이 흘러나왔다. 역시 나의 예상이 맞았다. 민아의 거짓말이 확인되었다.

나는 오줌 나오는 부위를 혀로 핥았다. 그제야 민아는 드러누워 기쁜 호흡을 내쉬었다. 민아의 육즙이 나의 혀를 타고 입 안으로 들어오려 했다. 예전에 민아의 육즙을 먹어본 적이 있었다. 그때 너무 흥분하여 꿀 빨 듯이 소리 나게 "쪽쪽" 빨아먹었다. 솔직히 맛이 좋지 않았다. 그때 민아의 시선이 느껴져서 인상을 쓰지 않고 다시 핥은 적이 있다. 그때 민아는 아주 만족스러운 표정을 지었다.

다시는 육즙을 먹지 않을 것이다. 역시나 민아는 고개를 들어 나의 얼굴을 쳐다보고 있다. 나는 내 입안으로 잔뜩 들어온 민아의 육즙을 느끼며, 민아의 탕 속으로 혀를 길게 뺐다. 민아의 즙과 내 침을 한 데 뭉쳐, 혀를 통해 민아의 탕 안을 채웠다. 그리고는 육즙을 먹은 것처럼 행동했다.
- 아. 맛있어. 민아 거는 과즙 맛이 나.
- 거짓말.
- 너무 맛있어. 과즙 좀 더 짜내 봐.

민아는 만족스러운 표정을 지으며 말했다.

- 자기. 이제 그만. 자기 자지 넣어줘.

나는 민아의 음핵을 혀를 이용, 여러 방향으로 간지럽힌 뒤에야 물러났다. 민아는 소파에서 내려와, 다리를 벌린 채 누웠다. 나는 손으로 내 자지를 잡지도 않은 채, 발기된 나의 몸가락을 가볍게 집어넣었다. 민아의 탕 안에 있던, 민아의 육즙과 내 침이 흘러넘쳤다. 민아의 엉덩이를 타고 바닥을 적시는 것이 보였다.

어제의 흥분이 생각났다. 한번 더 흑인 대물 흉내를 내고 싶었다.

- 민아야, 오늘 일로 귀두에 실리콘 링을 착용 못할 것 같아. 하다가 빠져서 다시 민아 몸 안으로 들어갈까 봐 겁이 나. 이제 어떡하지?

어제처럼 실리콘 링을 착용하고 삽입했다면 더 많은 물이 흘러넘쳤을 것이다.

- 아쉬워하지 마. 난 지금이 좋아.

- 거짓말하는 거 다 알아. 자기 출산하고 나서 보지가 더 넓어졌어. 피스톤 운동하다 보면 느껴져. 예전보다 헐렁해진 거 느껴진다고. 그건 민아도 느낄 거 아니야?

- 그럼 나 예쁜이수술이라도 할까?

- 글쎄.

- 농담이야. 더 이상 내 몸에 손대기 싫어. 자기는 어때? 자기가 느낌도 안 나고 허전하면 내가 수술 생각해볼게.

- 나도 지금이 좋아. 안에 들어가면 헐렁한 감은 있지만, 우리 민아가 입구는 잘 쪼아주잖아. 우리 민아 쪼아주는 힘이 죽지 않았어.

- 그래. 야호. 필라테스하는 거 효과가 있네. 나 요즘 코어 위주로 운동하잖아. 그 효과를 보네. 그리고 실리콘 링에 너무 집착하지 마. 나 자기 자지에 길들여져 있어. 자기랑 하고 있으면 내 질 안이 꽉 차는 느낌이 들어. 그러니깐 더 이상 흑인 대물 흉내 낼 생각하지 마. 자기 자지가 내겐 딱이야.

- 고마워.

민아의 몸 위에서 피스톤 운동을 하며, 이런저런 생각들을 했다. 민아는 출산 후, 몸이 많이 상했다. 그래서 치료 목적으로 필라테스를 배웠는데, 이것이 부부생활에 큰 도움을 주는 것이다. 또한 민아에게 더 큰 흥분을 선물하려고 시도했는데 실패했다. 그럼에도 민아는 나를 격려해주고 내 것이 최고라고 했다. 고마움에 보답이라도 하려는 듯 나의 허리 반동은 빨라졌다.

아들을 데리러 갈 시간이 다 되어간다. 민아의 상의를 벗겨, 출렁이는 가슴을 보고 싶다. 그리된다면 사정감이 빨리 밀려올 것이다. 근데 밝은 대낮이라 민아의 상의를 벗긴다면 둥근 배도 보일 것이다. 어쩔 수 없이 두 손을 민아의 상의를 넣은 채, 출렁이는 가슴을 움켜잡았다. 그 상태로 민아 위에 누워, 피스톤 운동을 하며 민아와 딥키스를 나누었다. 얼마 지나지 않아 사정감이 밀려왔다.

딥키스를 멈추고 다급히 말했다.

- 민아야 쌀 것 같아.

나는 민아의 몸에서 빠져나왔다. 나는 두 다리를 벌리고 앉았다. 양손으로 바닥을 지지한 채 상체를 뒤로 젖혔다. 민아는 벌떡 일어나, 내 몸가락을 황급히 찾았다. 먹잇감을 노리는 짐승처럼 재빠르다. 머리를 내 하체에 박다시피 하며 내 몸가락을 입에 물었다.

　이젠 습관이 되었다. 민아의 머리를 두 손으로 누르고 엉덩이를 조금 들었다. "흡흡"하며 민아가 나의 허벅지를 두드린다.

- 앗, 미안. 내가 또 이런 실수를 했네. 근데 이거 어쩔 수가 없나 보다. 이상하게도 사정할 때면 내 자지를 깊숙이 넣고 싶어.

　민아는 한 손으로 본인의 입을 틀어막고, 거실 끄트머리에 있는 관엽식물 쪽으로 갔다. 잠시 후 민아가 다시 돌아왔다.

- 자기 정말~. 또 먹었잖아. 앞으로 조심해. 근데 자기 거 계속 먹으니깐 익숙해졌나 봐. 예전만큼 거부감이 들지 않아.

- 그게 무슨 소리야? 그런 거 먹으면 안 되지.

　민아와 나는 서로 웃으며 한번 더 딥키스를 나누었다. 나의 정액은 어떤 맛일까? 단순한 호기심이 들어 민아의 입속을 청소하듯 혀로 핥고 맛보았다. 민아의 침 맛만 느껴졌다. 우리는 간단히 씻고 아무렇지 않게 아들을 데리러 갔다.

　아들을 데리러 가는 중에, 민아와 실리콘 링에 대한 이야기를 나누었다. 우리는 더 이상 귀두에 링을 착용하지 않기로 했다. 대신 민아가 내 불알 위쪽에 링을 착용하는 것은 허락해 주었다. 그럼 불알이 보자기 주머니처럼 뭉쳐져 보기 좋다고 했다.

- 불알이 늘어나는 것보다 타이트하게 모양이 잡혀있는 게 보기 좋더라.

　민아의 말대로 실리콘 링을 불알 위쪽에 착용했는데, 시간이 지나니 그것도 흥미가 시들해졌다. 기분에 따라서 착용하기도 하고 안 하기도 했다.

　성기구 중 네 번째인, 성기능 강화 자석 실리콘 링을 착용하고 다녔다. 이것은 몸가락 뿌리 쪽에 착용하는 것인데, 성적으로 좀 더 강화되고 싶은 마음에서 시작했다. 근데 탄성력이 적었다. 그럼에도 잘 때 착용하며 몇 달을 사용했다. 기대와는 달리 많이 불편했다.

　남자는 잠을 잘 때 성기가 커지기도 한다. 그런 변화가 올 때마다 링 때문에 아파서 잠을 깨기도 했다. 한 번은 공장에서 일을 끝내고 퇴근하기 위해 옷을 갈아입는데, 트렁크 팬티 사이로 이 자석 실리콘이 떨어졌다. 내 몸가락에서 떨어져 나갈 것 같은 느낌을 받았기에, 예상은 하고 있었다. 자석 실리콘 링이 땅에 떨어져서 바닥에 한번 튕길 때 재빠른 동작으로 자석 실리콘 링을 거머쥐었다. 주변에는 수많은 직장동료들이 있었다. 나는 재빨리 사복 바지 주머니에 집어넣었다. 다행히 본 사람이 없는 것인지, 퇴근길에 바빠 신경을 못 쓰는 것인지, 물어보거나 언급하는 사람이 없다.

　오랜 시간 착용하다 보니 실리콘 링에 닿는 부위가 간지러우면서 염증이 생겼다. 사람 피부도 공기를 통해 호흡을 하는데, 하루 종일 착용하니 염증이 생기는 것이다. 결국 성 강화 자석 실리콘 링 착용을 포기하기로 했다. 가만 생각해 보니 나에겐 성 강화 실리콘 링 따위는 필요 없었다. 내 사랑, 민아가 나를 조련해 줄 뿐만 아니라 나의 기분을 풀어주기 때문이다. 잠들기 전에 나는 민아의 가슴을, 민아는 나의 몸가락을 만지작거리며 잔다. 아들 때문에 성욕을 풀지 못할 경우에도 민아는 알아서 나의 성욕을 해소시켜준다.

요즘 우리 아들은 tv 프로그램 중, 애니메이션에 빠져있다. 거실에 있는 tv에 애니메이션을 틀어주면 아들은 소파에서 조용히 시청한다. 그럼 나는 민아를 데리고 구석진 곳으로 간다.

- 민아야, 긴히 할 말이 있어.

　음흉한 표정을 지으며 말하는 것에, 민아도 무슨 일로 부르는 것인지 알 것이다. 그럼 민아는 싫은 내색하지 않고 나를 따라온다. 구석진 안방이나 욕실에 들어가 문을 잠근다. 그리고 나는 바지를 내린다. 그럼 민아는 알아서 내 몸가락을 핥고 빨아준다. 때로는 민아의 큰 가슴 사이에 넣어 가슴 치기도 하고 민아를 숙이게 해서 뒷치기를 하기도 한다. 사정할 때, 웬만해서는 민아 입이나 가슴 위, 엉덩이 등에다 사정한다. 가혹 가다 아들이 엄마를 찾을 때도 민아는 침착하다.

- 우리 아들, 잠시만 기다려.

　민아는 그리 말하고 내 귀두를 입에 머금고 손가락을 둥글게 말아 내 몸가락을 자극시켜 사정시킨다. 민아의 입에다 사정 후, 우리는 아무 일 없다는 듯이 문을 열고 아들을 맞이한다. 나는 아들에게 말을 걸고, 민아는 세면대에 물을 틀고 나의 정액을 뱉어낸다. 이제는 입을 헹구지도 않는다.

　준석 아저씨의 자지에 박힌 쇠구슬을 보고 민아에게 색다른 경험을 느끼게 해주고 싶었다. 그로 인해 여러 성기구를 착용했지만 녹록지 않았다. 나의 여러 시도를 다 받아주고 실패해도 격려해주는 민아가 고맙다. 결혼한 지 5년이 넘었는데도, 우리는 아직 신혼 같다. 퇴근하고 집에 돌아오면 민아와 딥키스를 나누고 잘 때도 서로를 몸을 탐닉한다. 민아의 조금 돌출된 눈, 낮은 코, 둥근 배도 사랑스럽다. 아내가 얼굴이 이쁘고 몸이 아름다워도, 남편과 성적으로 맞지 않는다면 실망스러울 것이다. 아내나 남편이 내 마음대로 다 만족스러울 수 없다. 그런 측면에서 나는 결혼을 잘한 것 같다. 우리의 사랑은 점점 깊어만 가고 있다.

여유로운 삶

경제적으로 여유롭다. 대기업 직원도 아닌, 외주업체에서 일하는 비정규직 신분인데도 말이다. 그 이유는 "결혼"을 잘해서였다.

새 아파트에 전세로 살고 있다. 전세라 해도 신축아파트라 가격이 만만치 않은데, 민아 부모님(장인, 장모님)이 돈을 빌려주셨다. 큰돈을 빌려주면 못 받을 것을 대비해 계약서라도 써야 되는 것인데, 장인어른은 그런 것도 일절 하지 않았다. 그러던 중, 장인어른이 우리 부부를 불렀다.

- 여기 카드를 줄 테니, 식비로 사용해. 그리고 자네 월급은 그냥 저축해.

장인어른의 말에 할 말을 잃어버렸다. 좋긴 하나, 나도 돈을 벌고 있는 입장이라 그럴 수 없었다. 거절했다.

- 거절할 필요 없어. 이제 자네는 우리 가족이야. 내게 아들이 없으니, 자네를 아들처럼 여길 거야. 그러니 색안경 끼고 다르게 해석할 필요 없어. 진짜 아들 같아서 그런 거라고. 손주도 생겼으니 돈 쓸데가 많아졌잖아. 할아버지가 되어가지고 우리 손주 하고 싶은 거, 먹고 싶은 거 해주고 싶어서 그래.

나를 "아들"이라 여긴다는 말에 감동을 받았다. 그리고 '가족, 손자, 할아버지'란 단어에 더 이상 거절할 수 없었다.

- 네. 고맙습니다.

또한 장모님은 우리 집에 먹을 것을 자주 사들고 오셨다.

- 마트에서 장 보다가 민아네 것도 같이 봤어. 이걸로 요리해 먹어.

아들 학원비도 장모님이 자주 내주셨다. 그러다 보니 돈이 지출되지 않고 은행잔고에 쌓이길 시작했다. 대신에 장인어른과 장모님은 우리 집 비밀번호를 자연스럽게 알게 되었고, 제 집 드나들 듯이 자주 출입했다. 하지만 큰 문제는 되지 않는다. 우리 부부의 사적공간을 염려하여 대낮에만 드나드는 것이다.

민아는 집에 있으면서 부동산을 공부하기 시작했다. 민아는 우리 부부가 모은 돈과 은행대출로 전세를 안고 아파트를 샀다. 1년 후 시세차익을 남기고 되팔았다. 그렇게 몇 천만 원을 벌더니, 억이 되었다. 그런 식으로 우리 부부의 재산을 조금씩 증식시켰다.

민아와 장인어른, 장모님 덕분에 풍요로운 생활을 누렸다. 대기업이나 공기업 직원들 하나도 부럽지 않다. 내가 딱히 잘한 것도 없는데, 장인어른과 장모님은 나를 좋게 봐주셨다. 난 단지 민아가 하라는 대로 했다. "집에 놀러 가자."라고 하면 장모님 집에 하룻밤 자고 왔다. "아버지에게 전화드려."라고 하면 장인어른에게 안부전화를 걸었다. 장모님은 우리 집에 자주 놀러 왔고 그럴 때마다 허물없이 대화를 나누었다. 민아가 시킨 대로 했더니, 장인•장모와 나 사이에 벽이 허물어진 것 같다.

우리 부부관계도 문제 될 것이 없다. 개인적으로 서운한 것이 있다면, 결혼 초창기와 달리 민아가 낮에는 나의 몸가락을 입으로 빨아주지 않는다는 것이다. 아들이 유치원 가기 전까지는 나의 말을 잘 들었다. 아침에 일어나 발기가 되었거나 빨리 사정하고 싶으면 민아를 화장실이나 옷방으로 불러 부탁했다. 그러면 민아는 싫은 내색하지 않고 내 몸가락을 빨고 핥아주었다. 근데 이제는 "그러지 않겠다."라고 했다.

- 여보, 나 우리 아들하고 입술에다 자주 뽀뽀 하잖아. 근데 낮에 자기 자지 빨고 얇은 입술로 천사같이 순순한 우리 아들에게 뽀뽀하려니깐 엄청 미안해. 내가 타락한 것 같고 죄 짓는 기분이야. 그래서 낮에는 자기 자지 못 빨겠어. 대신 우리 아들 재우고 밤에 자기 원하는 거 다 들어줄게.

민아가 아들과의 뽀뽀를 언급하니, 민아 말을 안 들을 수가 없었다.

아쉬움이 계속 남았다. 밤에 민아와 즐기려 해도 그게 마음 대도 되질 않는다. 나도 일하고 저녁에 집에 와서 침대에 누우면 잠들어버린다. 그럼 그것으로 기회는 날아가 버린다. 민아가 아들하고 같이 잔다고 잠들어 버리면, 하고 싶어서 깨워도 꿈쩍하질 않는다. 이러니 낮에 민아가 간결하게 입으로 내 정액을 받아주던 때가 그리운 것이다.

아쉬움을 상쇄시키려, 핸드폰을 통한 미국야동 사이트에 접속했다. 15년 넘게 안 본 것 같다. 오랜만에 봤는데, 너무 자극적이다. 총각 때 봤던 것과 차원이 달랐다. 예전에는 남자가 콘돔을 끼고 여자 보지에만 삽입했다. 근데 최근 것에는 남자들이 콘돔을 끼지 않았다. 남•녀, 모두 성기 부분에 제모를 해, 은밀한 부위가 적나라하게 보였다. 남자 자지가 여자 항문으로 삽입되는 것은 다반사고, 일대일도 아니다. "자극적"인 것과 더불어 희한함까지 존재했다.

사람에게 욕심은 끝이 없는가 보다. 나도 여자 항문에 내 몸가락을 끼워보고 싶다. 지금까지 경험하지 않았으니, 경험해보고 싶은 것이다. 민아가 떠올랐다. "아들이 잠든 밤에는 다 들어줄게." 민아가 한 말이다.

아들이 잠든 밤이 찾아왔다. 나는 민아에게 음흉한 미소를 보였다. 그러자 민아는 아무렇지 않다는 듯 웃었다. 난 민아에게 항문을 깨끗이 씻을 것을 주문했다. 민아는 나의 말을 잘 들었다. 아마도 내가 혀로 민아의 엉덩이를 핥고 간지럽혀 줄 것이라 기대한 모양이다.

민아가 화장실에서 씻고 거실로 나왔다. 상체에 티만 걸친 상태였다. 나는 민아를 바라보며 말했다.

- 소파 위로 올라가서 엎드려.

이제 익숙한지, 민아는 소파에 머리를 박고 엉덩이를 내쪽으로 내밀었다. 나는 손으로 민아의 허벅지 바깥쪽을 어루만지며 얼굴을 엉덩이 쪽으로 들이대었다.

- 흠 흠.

민아의 괴상하고 귀여운 신음소리가 새어 나왔다. 나는 지금까지 했던 것처럼 혀를 엉덩이 밑 부분부터 갖다 대고 고개를 들어 올렸다. 그런 식으로 차츰 올라갔다. 다시 화성탐사를 하듯이 혀로 주변을 관찰했다. 혹시나 화성표면에 뭔가가 나올 것을 기대하는 마음으로 혀로 꾹꾹 누르며 침을 발랐다. 특히나 굳게 닫힌, 주름진 입구에 침을 왕창 발라두었다. 내 몸가락이 들어갈 것을 상상하니 절로 흥분이 되었다. 고양이가 제 발을 핥듯이, 엉덩이 주변을 돌아다니며 짧고 간결하게 혀로 핥았다. 화성표면 중앙에 "하~"하며 뜨거운 입김을 불어넣기도 했다. 민아가 "윽"하는 소리를 내었다. 희한하게도 민아는 부부관계 도중 황홀감이 절정에 달하면 "윽"하는 이상한 소리를 내었다. 나는 민아에게 소파에서 "내려오라."라고 했다.

민아는 소파에서 내려오자마자, 매트 위에 벌러덩 누워버렸다. 민아가 정자세로 누워버리면 내가 원하는 것을 이룰 수 없다.

- 민아야. 엎드려 봐.

- 자기. 그냥 해.

- 아니. 엎드려 봐.

민아는 싫은 티를 내며 엎드렸다. 나는 내 몸가락을 민아의 엉덩이 중앙에 살짝 갖다 대며 문질렀다.

- 거기, 거기 아니야. 좀 있으면 나랑 산지가 10년이 다 되어가는데, 아직 마누라 구멍도 못 찾아? 이제 눈 감고도 찾을 때가 되었잖아.

- 민아야, 오늘은 특별하게 하고 싶어. 엉덩이에다 넣어보고 싶어.

민아가 화들짝 놀라며 엉덩이를 내렸다. 다시 양반자세로 고쳐 앉으며 역정을 내었다.

- 자기, 나 몰래 포르노 봤어? 같이 보자. 도대체 뭘 보길래 변태처럼 구는 거야? 신체의 구조는 각자 역할이 있는 거야. 항문은 똥 나오는 곳이야! 포르노는 보여주기 식이야. 여자 포르노 배우는 다 관장하고 하는 거고. 잘못되면 항문이 제 구실 못해서, 질질 셀 수도 있어. 더럽게. 자기 정신 차려. 내가 기저귀 찼으면 좋겠어? 그렇지 않아도 애 낳아서 보지 구멍이 넓어졌는데, 뒤에도 넓히려고?

민아의 짜증 섞인 잔소리가 시작되었다. 잔소리 때문에 내 몸가락이 줄어들었다. 나는 민아에게 거의 싹싹 빌다시피하며 사과를 했다.

- 저번에는 내 몸에 이상한 낙타 눈썹 링을 넣어서 고생시키질 않나? 자기 정말 왜 이래?

과거 잘못했던 실수까지 소환되었다. 민아의 폭풍 같은 잔소리를 한참 들은 후에야, 민아는 진정이 되었다.

- 민아야. 미안해. 다시는 그런 이상한 포르노 안 볼게.

이제 일단락된 듯하다. 하지만 나의 몸가락은 난쟁이가 되어버렸다. 민아가 그런 나의 몸가락을 보더니 "누우라."라고 했다. 내가 정자세로 눕자, 민아가 내 몸 위로 올라탔다. 하체는 내 머리 쪽에 위치시킨 채, 나의 몸가락을 잡아 빨아주었다. 69 자세다. 나는 민아의 폭풍 같은 잔소리에 기진맥진한 상태라, 아무것도 하지 않았다. 단순이 눈을 감은 채, 민아의 입안 온도와 혀의 움직임을 느낄 뿐이었다.

그때 입술에 촉촉한 것이 닿았다. 민아의 젖은 보지였다. 민아는 나의 다리를 접게 하더니, 불알을 조금 세게 거머쥐었다. "너도 빨리 빨고 핥으라."라는 표시인 듯하다. 내키지 않았지만 혀를 길게 뺐다. 하려던 것을 못하니 실망감과 허전함이 밀려왔다. 나의 감정을 드러내면 부부관계가 어색할 것이다. 나는 혀로써 나의 분노를 표현했다. 민아에게 사과와 잘못을 만회하려는 움직임으로 보이기를 바라면서 말이다.

나의 몸가락이 다시 팽창할 대로 팽창했다. 몸가락 크기에 만족했는지, 민아가 고개를 들었다. 민아가 자세를 바꿨다. 엉덩이를 들더니 내 하체 쪽으로 내려갔다. 나를 바라보지 않고 등진 채, 나의 몸가락 뿌리 부분을 잡아 고정시켰다. 그리고 천천히 앉았다. 나의 몸가락이 민아에게 먹히는 것 같다. 민아가 엉덩이를 좌우로 흔들었다. 내 몸가락이 잘근잘근 씹히는 모양새다. 맴돌로 가는 움직임도 보였다. 손으로 내 무릎을 잡더니 위, 아래로 엉덩이를 흔들었다. 보통 민아는 나를 바라보며 하는데, 내가 부탁한 자세로 조금 화가 난 모양이다. 민아가 나를 등진 채, 엉덩이를 흔드니 민아의 항문이 적나라하게 보였다. 어떤 느낌일까? 궁금하지만 어쩔 도리가 없다. 민아의 엉덩이가 가하는 압박이 오늘따라 더 센 것 같다. 민아가 좀 더 느끼고 싶은지, 아예 엎드렸다. 내 몸가락이 밑으로 젖혀져 조금 아팠다. 민아는 그런 것도 모르고 계속 하체를 움직였다. 민아가 나를 등진 상태로 내 것을 삽입하고 엎드리니, 엉덩이가 더 적나라하게 보였다. 나는 민아를 애무하는 척하며 민아의 엉덩이를 손으로 잡아 바깥쪽으로 살짝 당겼다. 보는 것으로 만족해야겠다.

복합상가 내 유흥업소

민아가 "용돈으로 쓰라."라며 체크카드를 만들어주었다.

- 자기 직장동료나 친구들하고 술 마실 때 얻어먹지만 말고 생색내고 싶은 때 사용해.

 민아가 카드를 주니 고맙고 기분이 좋았다. 하지만 딱히 쓸 때가 없었다.

- 민아야. 나 집하고 회사 밖에 모르는데, 굳이 필요 없어. 돈이 필요하면 이야기할게.

- 아니야. 그냥 '품위 유지비'라고 생각해. TV 보니깐 직급 높은 공무원들은 품위 유지비라는 것이 있더라.

- 그래?

 "품위 유지비"라는 단어가 마음에 들었다. 내가 비록 공장에서 일하는 노동자이지만 품위 유지비가 있다는 것이, 나를 들뜨게 만들었다. 내가 높은 직급의 상사처럼 우대받는 느낌이다. 그래서 카드를 받아, 내 지갑에 넣었다.

 며칠 후 내가 일하는 곳에서 직장 반회식이 있었다. 퇴근하고 공장 근처의 식당에서 회식을 했는데, 저녁 8시가 되지도 않는 시각에 끝나버렸다. 그동안 코로나 때문에 회식을 오랫동안 하질 못했다. 오랜만에 술을 먹어서인지 술기운이 많이 올라왔다. 어느덧 겨울이다. '하~'하고 숨을 뱉으니 입에서 하얀 연기가 나왔다. 직장동료와 인사하고 헤어졌다. 지금 집에 들어가면 민아가 아들과 공부를 하고 있거나 TV를 보고 있을 것이다. 집으로 가는 발걸음이 멈췄다.

 아랫도리에 쓸데없이 힘이 들어갔다. 집에 빨리 들어가고 싶다. 민아와 한바탕 몸을 섞으며 땀을 흘리고 싶지만 아들 때문에 그럴 수 없다. 아쉬운 마음에 유흥주점이 생각났다. 그리고 민아가 만들어준 체크카드도 떠올랐다.

- 에이. 그러면 안 되지. 민아가 품위 유지비라는 명목으로 만들어 준 것인데, 그런 곳에 가라고 준 것이 아니란 말이야.

아무도 없는데, 나 혼자 말을 하고 있다. 내가 나에게 호되게 야단치고 있는 것이다. 내적 갈등이 심하게 일어났다. 미주 누나는 아직 그 보도에서 일하고 있을까? 많은 시간이 흘렀는데, 그 가게는 아직 존재할까? 확인해보고 싶었다. 그곳에 가서 맥주 몇 잔만 마시고 나오는 것으로 스스로에게 합의를 보았다. 또한 그곳에서 몇 잔 마신다면, 내가 직장동료들을 맥주집에 데려가, 한턱내는 가격과 비슷할 것이다.

나는 주변에 ATM기기를 찾았다. 카드로 결제하면 나중에 가게 이름이 적힌 카드명세서가 집으로 도착할 것이다. 미연에 방지하는 차원에서 현금을 찾기로 했다.

택시를 잡아타고 버스 정류장 몇 곳을 지나고 나서야 내렸다. 중심가 외곽지역이었다. 옛 기억을 떠올리며, 미주누나가 자주 출입하던 복합상가를 찾았다. 긴 세월이 지났음에도, 복합상가와 유흥업소 명판은 그대로였다. 추운 겨울 날씨에 휘황찬란한 가게의 조명이 몽환적인 분위기를 자아냈다. 두근거리는 가슴으로 지하로 내려갔다. 현관문을 열었다. 현관문 위쪽에 달린 방울이 '딸랑' 거리며 큰 소리를 발산했다.

- 어서 오세요.

여사장님의 모습이 과거와 그대로다.

- 사장님, 안녕하세요. 그동안 잘 지내셨어요?

여사장은 한참 동안 나를 뚫어져라 쳐다보았다. 그제야 '아하'하며 나를 알아보았다.

- 삼촌, 정말 오래간만이야. 그동안 왜 안 왔어? 참 반갑다.

그때 누구랑 놀았더라?

- 미주 누나요.

- 아. 맞다. 미주. 내가 불러줄게.

- 미주 누나, 아직도 일해요. 이제 퇴직 안 했어요?

- 퇴직?

여사장이 크게 웃기 시작했다.

- 이런 곳에 퇴직이 어디 있어? 본인이 '퇴물'이다 싶으면 눈치 보여서 그만두는 것이지. 아무튼 지금은 현역이니깐 기다려.

여사장이 나를 룸으로 안내했다. 룸이 아늑하다.

- 삼촌 노래 부르고 있어. 미주 오면 다시 시간 세팅 할 테니깐.

- 아 참, 사장님. 옛날처럼 맥주 몇 병만 가져다주세요. 미주 누나 만나러 온 거니깐 약식으로 해주세요. 저 아직도 공장에서 일해요.

- 알았어. 성공해서 돈 많이 벌면 그땐 양주 먹어.

- 화장실은요?

- 화장실은 주방 옆에 있어.

나는 화장실로 가, 소변을 보고 손을 씻었다. 예전에 내가 동거를 꿈꾸며 좋아했던 누나를 다시 보려니 아직도 가슴이 떨리는 듯하다.

다시 룸에 들어오니, 여사장이 이동식 난로를 켜놓았다. 슬리퍼도 준비되어 있었다. 슬리퍼로 갈아 신고 잠바를 벗어놓은 채 소파에 앉았다. 미주누나는 어떤 모습일까? 많이 늙어서 주름이 많으면 어떡하지? 모습이 많이 바뀌었으면? 그래도 괜찮다. 사실 미주누나의 외모는 이쁜 편이 아니다. 내가 한때 그녀를 좋아했던 것은, 그녀의 친절함과 깊은 배려 때문이었다. 지금은 옛날만큼 스트레스를 많이 받지 않는다. 옛날, 정신적으로 힘들 때 나에게 용기를 북돋아주고 내 요구를 다 들어주던 미주누나, 그 미주누나 자체로 반가운 것이다.

가게 현관문에 달린 방울소리가 들렸다. 그리고 여사장과 어떤 여성이 대화를 나누는 소리가 희미하게 들렸다. 분명 미주누나일 것이다.

빠른 발걸음 소리가 들리더니, 누군가 내가 있는 룸의 문을 벌컥 열었다. 미주누나였다.

- 죽지도 않고 또 왔네. 그동안 어찌 지냈어?

나도 벌떡 일어나 미주 누나를 반겼다.

- 누나도 잘 지냈어요? 아픈데 없이 건강해 보이네요.

우리는 한참 동안 못 만난 가족처럼 반가워했다. 미주누나가 나를 안아주었다. 누나의 묵직한 가슴이 느껴졌다.

- 삼촌, 우리 앉자.

소파에 앉자, 미주누나가 나의 두 손을 잡았다.

- 밖에 춥지? 손이 얼음이네. 내가 녹여줄게.

미주누나는 나의 두 손을 양손으로 비비더니 자신의 겨드랑이 사이로 내 두 손을 넣어주었다. 미주누나도 여사장과 마찬가지로 외모가 크게 달라지지 않았다. 아시아인 전형적인 눈매와 두터운 입술, 파마머리 그대로였다. 단지 얼굴에 팔자주름이 더 확연하게 보였다. 그리고 이 추운 날씨에도 옷은 봄, 가을 옷차림새였다. 얇은 카디건에 짧은 치마와 굽 높은 구두를 착용했다. 치마를 자세히 들여다보니, 팬티가 얼핏 보였다. 오늘은 회색 팬티를 착용했다.

내 손의 온도가 조금 올라가자, 미주누나는 나의 양손을 자신의 치마 안에 넣었다. 다리를 벌리더니, 내 양손을 집어넣고 다시 다리를 오므렸다. 찰진 피부의 촉감과 따뜻함이 내 손을 타고 온몸으로 전해졌다. 누나의 다리 사이에 내 손이 들어간 것을 보니, 몸가락이 커지기 시작했다. 미주누나는 방긋 웃어 보였다. 그러다 본인의 다리로 금속의 차가움을 느꼈나 보다!

- 손에 뭐꼈어? 어머 결혼했구나. 지금 손가락에 끼고 있는 거 결혼반지 맞지? 축하해. 결혼했구나. 애는 있어?

- 네. 한 명 있어요.

그때 문이 열리더니, 여사장이 안주와 맥주를 가지고 들어왔다. 내 양손은 여전히 미주누나 가랑이 사이에 있었다.

- 총각, 여전하네.

미주누나는 이런 상황이 전혀 개의치 않는지 자연스럽게 대꾸했다.

- 언니, 이제 총각 아니야. 우리 가게에 안 온 사이에 결혼도 하고 애도 낳았어. 이제 숨 돌리고 살만하니깐 다시 놀러 온 거야.

미주누나가 나를 대변해 주었다.

- 삼촌, 이제 자주 놀러 와.

여사장은 손에 들고 있던 것을 탁자에 내려놓았다. 방긋 웃으며 나가버렸다. 나는 미주누나 다리 사이에 있던 손을 뺐다.

- 누나, 우리 한잔해요.

맥주 마개를 따고 우리는 서로의 잔에 맥주를 부었다. "짠" 하며 유리컵을 부딪히고 술을 마셨다. 미주누나는 여전히 현역이라 술을 빨리 마셨다. 내가 컵에 있던 술을 다 마시기도 전에, 다 마시고 술잔을 내려놓았다.

- 삼촌, 겨울 되면 춥잖아. 추우면 우리 신체의 끝부분이 빨리 차가워져. 그 끝부분만 따뜻하게 해 줘도 추운 것이 한결 나아져. 내가 그 끝부분 녹여줄게.

끝부분? 무슨 말인지 모르겠다. 나는 여전히 술을 들이켜고 있다. 그때 아랫도리가 따뜻해지면서 쾌락이 느껴졌다. 술잔을 내려놓고 보니, 미주누나가 내 아랫도리 쪽으로 엎드려있다. 내 바지 지퍼를 열고, 트렁크 팬티 안쪽에 있던 내 몸가락을 어느새 꺼내어 입에 물고 있었던 것이다. 머리가 상하로 움직이기 시작했다. 정말 내 몸가락을 입으로 녹여주고 있었다.

내 몸가락은 미주누나 입안에서 커질 대로 커졌다. 내 손은 자연스럽게 미주누나의 가슴 쪽으로 향했다. 카디건 위쪽으로 들어가, 브래지어 안 가슴을 움켜쥐었다. 지금 생각해 보니, 미주누나 자신만의 방식인 듯하다. 차가웠던 나의 손을 따뜻하게 만든다는 이유로 자신의 중요부위에 내 손을 갖다 대었다. 또한 내 몸가락을 입에 넣음으로써 일부러 나를 흥분시킨 것이다.

미주누나가 날 사정 시키려는 모양이다. 내 허벅지에 위치한 손으로 몸의 무게를 지지하고 서서히 머리를 크게 움직이기 시작했다. 내가 누나의 가슴을 세게 움켜쥔 것이 발단이 된 듯하다.

조용한 룸 안에서 '쓥, 쩝'하는 소리만 옅게 들린다. 그 장단이 파도 장단 같다. 일정한 속도로 왔다 갔다 하면서 내 몸가락을 자극시켰다. 몸에 신호가 왔다. 순간 민아가 생각났다.

- 누나, 잠깐. 안돼.

미주누나는 다급한 나의 말에 놀랐는지, 내 몸가락을 뺄고는 나를 쳐다보았다.

- 삼촌, 왜?

- 쌀 것 같아요?

- 그럼 시원하게 내 입에다 싸.

미주누나가 다시 내 몸가락을 입에 넣으려, 입을 벌렸다.

- 안 돼요. 마누라 생각나서 안될 것 같아요.

- 착하네. 근데 내 입에 싸도 돼. 우리 둘 밖에 몰라.

미주누나가 다시 내 몸가락을 입에 물었다. 난 미주누나의 머리를 잡았다. 미주누나는 다시 뺄고 허리를 세웠다.

미주누나 입에 사정한 후, 집에 가서 민아와 사랑을 나눌 수도 있다. 저번에 언급했듯이 민아는 나와 몸을 섞기 전에, 입으로 나를 사정시킨다. 임신이 두려운 것이다. 그런데 내가 민아의 입에 조금만 사정하거나 사정하지 않는다면 민아가 나를 의심할 수도 있다. 이럴 경우는 드물겠지만, 그것보다는 민아에게 미안했다. 내가 사랑하는 여자가 집에서 나를 기다리고 있는데, 이런 곳에서 옛사랑의 입에다 사정하려니 내키질 않는 것이다. 양심상 그럴 수 없다.

- 누나, 사정은 우리 마누라한테 할래.

50대 미주의 정성

미주누나는 무척 놀란 표정을 지었다.

- 너, 특이하다. 참 착해. 여기 오는 남자들 다 마누라 있으면서도 껄떡되는데. 여기 오면 남자들은 마누라 생각을 일절 하지 않아. 넌 착하니깐, 내가 봐줬다. 내가 입으로 사정시키고 싶었는데, 아쉽다. 너희 마누라는 좋겠다. 이런 멋있는 자지 매일 밤 빨 수 있어서. 내가 네 마누라였으면 매일 꿀이나 잼을 자지에 발라서 빨아먹겠다.

- 헐.

- 그만큼 네 자지 촉감이 좋아. 특히 넌 귀두가 커서, 빨 때 귀두 테두리가 느껴져서 참 좋았는데. 마누라 진짜 부럽다. 아래 입, 윗 입으로 다 맛볼 수 있어서.

설령 누나의 설탕 발린 말이라도, 듣기에 기분이 좋았다. 농담이라도 유쾌한 농담이다. 누나의 칭찬은 이에 그치지 않았다.

- 근데 자식은 왜 하나만 낳았어? 넌 키도 크고 멋있잖아. 너의 유전자를 닮은 자식을 많이 낳아야지. 그래야 우리나라에 미남이 많이 생길 거 아니야.

누나는 그대로였다. 짜증 나고 스트레스 쌓일 때 누나를 만나면 항상 이런 식이다. 나를 북돋아주는데, 온갖 비유를 하며 나를 치켜세워주는 것이다.

- 누나, 고마워요. 누나 말 들으니깐 기분이 너무 좋다.

- 난 사실, 그대로 말한 건데.

나는 누나의 술잔에 술을 따라주었다. 내 잔에도 술을 따라 건배를 제안했다. 그리고 바지 밖으로 튀어나온 내 몸가락을 집어넣지 않고 그래도 두었다.

- 누나, 내 자지는 그대로 놔둘게요. 말려야 하니깐. 지금 넣

으면 팬티 축축해져요.

미주누나가 고개를 끄덕였다.

사실 간신히 참았다. 미주누나 입에 사정하고 싶은 욕구를 멈추는 것이 쉽지 않았다. 사정을 못하니 아쉽다. 미주누나는 나의 순애보에 놀랐는지, 더 이상 내 몸가락에 입을 대지 않았다. 대신 내 허벅지에 손을 올려놓았다.

미주누나의 움직이지 않는 손이 나를 자극시켰다. 가만있는데도 못다 푼 사정욕구를 되살리게 만들었다. 그래도 참아야 했다. 나는 아쉬운 대로 미주누나의 가슴을 주물럭거렸다. 오랜 시간이 지났음에도 불구하고 가슴의 탄력성이 느껴졌다. 나는 사정하지 못해 아쉽고, 미주누나는 내가 사정을 거부한 것에 놀란 모양이다. 우리는 서로 잠시동안 서먹해졌다. 그 서먹함이 싫어, 난 얼른 화제를 돌렸다.

- 누나, 가슴이 처녀가슴이에요. 만지는데 촉감이 너무 좋아요.

- 그렇지. 내 가슴 아직 살아있지?

- 네. 누나는 시간이 지났는데도 변한 것이 없네요. 무슨 좋은 약이라도 먹나요? 아니면 운동해요?

- 먹는 약은 없고, 운동은 그냥 걷기 운동만 해.

- 눈으로 확인해보고 싶어요. 옛날엔 우리 모텔 가서 섹스도 했잖아요. 누나 몸은 아직도 내 눈에 선명해요. 한번 벗어봐요.

- 정말 내가 몸관리를 잘했나?

미주누나는 일어서더니, 옷을 벗기 시작했다. 팬티 하나 남기고 다 벗었다.

- 자, 어때?

누나는 확인해 보라는 듯이 몸통을 한 바퀴 돌렸다. 배는 옛날보다 더 나왔다. 나잇살과 음주 때문일 것이다. 그 외에는 여전했다. 촉감도 궁금해 가슴과 허벅지, 엉덩이를 차례로 만져보았다. 탄력성도 예전보다 떨어지는 듯하다. 역시 나이는 속일 수 없는가 보다. 그나마 가슴은 여전히 묵직하고 탄탄했다.

- 누나, 가슴은 여전히 탄탄하네요.

'혹시나 미주누나가 가슴 수술을 한 것은 아닐까?'라는 생각이 들었다.

- 타고났다니깐. 집안 내력이야.

아무리 타고났어도 가슴은 30대 중반의 여자 가슴 같다. 문득 누나의 나이가 궁금해졌다.

- 누나, 몇 살이에요? 가슴 만져보니깐 40대 중반 같은데.

- 아이고. 동생. 고마워. 그리 말해줘서. 내일이면 50 초반이야.

그리고 보니 대략 10년이 넘는 세월이 지나, 미주누나를 다시 만난 것 같다.

- 누나! 회사 다니는 사람은 60이면 정년이잖아요. 누나는 외모도 동안이고 피부도 좋아서 70 넘어서도 할 수 있겠다.

- 어이구, 동생. 고마워. 근데 나도 이제 슬슬 힘에 부쳐.

- 뭐가요?

- 뭐긴, 지금 하는 일 말이야. 남자 접대하는 거. 나 젊었을 때는 "돈을 개 같이 벌어서 정승 같이 쓰겠다."라는 심정으로 정말 열심히 했어. 많을 때는 하루 동안 손님 5명의 자지를 빤 적도 있어. 그때는 5명의 정액을 입으로 다 받아줄 수 있었어. 지금은 그렇게 못해. 삼촌도 방금 느껴봤겠지만, 내

가 남자 자지는 정말 맛깔나게 빨거든. 그래서 내 단골도 여러 명 있어. 내 입에 다 사정하고 싶어, 날 찾는 사람들이지. 지금은 나이 들고 힘드니깐 가지치기하듯이 몇 명은 거절했어. 소수만이 아직 내 단골로 남아있어.

- 단골손님 받는 기준이 있어요?

미주누나는 부끄럽다는 듯이 고개를 숙이며 배시시 웃었다.

- 응. 삼촌처럼 젊고 친절한 사람. 우선 착해야 돼. 더불어 키도 크고 잘 생기면 더 좋지.

- 나, 단골로 받아줄 수 있나요?

- 그럼. 당연하지. 생각 바뀌면 말만 해. 내가 입으로 받아줄게.

- 누나. 고마워요. 그리고 다행이네요. 누나의 기준에 부합되어서요. 근데 누나가 방금 내 자지 빨아주었잖아요. 너무 기분이 좋고 금방 흥분되더라고요. 누나의 입맛을 본 사람은 누나를 못 잊을 것 같은데....... 거절당한 사람들은 다른 상대를 찾겠네요. 누나를 대체할만한 사람으로요.

- 어쩔 수 없지. 내가 입으로 잘해주니깐 나를 못 잊고 자주 연락이 와. 나 만큼 잘 빠는 사람 찾기 힘들겠지. 그럼 내가 또 매몰차게는 거절 안 해. 전화 안 받고 문자를 보내. "나도 내일모레면 50 초반이다. 이제 더 이상 힘들다. 나이 드니깐, 턱도 아프고 해서 병원도 다닌다. 그러니 더 이상 받아줄 수 없다. 우리의 인연은 여기까지인 것 같다. 그동안 고마웠다. 잘 살아라." 이런 식으로 보내. 이렇게 하니깐, 다들 "알았다. 나도 그동안 고마웠다."라는 답장이 와. 훈훈하게 정리되는 것이지. 그리고 실제로 남자 자지 많이 빨면 턱 아파.

- 누나 고마워요. 그 아픈 턱으로 내 자지 빨아줘서요. 누나 보니깐 "프로"란 단어가 떠오르네요. 누나 같은 프로에게 한번 더 느껴보고 싶네요. 누나, 죄송하지만 한번 더 누나 입맛을 느낄 수 있을까요?

나의 몸가락은 님을 기다리는 망부석처럼 우뚝 섰다. 나의 몸가락을 본, 미주누나는 한숨을 쉬었다.

- 이 누나 턱 아프다고 했는데. 알았어. 벗고 일어나.

나는 미주누나가 말대로 바지와 팬티를 벗은 후, 앉아있는 미주누나 앞에 당당히 섰다. 그리고 열중쉬어 자세를 취했다. 누나는 맥주가 든 맥주잔을 들이켜더니, 내 몸가락 아랫부분을 한 손으로 거머쥐었다. 내 몸가락이 누나 입으로 들어갔다. 내 몸가락이 서서히 모습을 드러낼 때마다, 누나의 양쪽 뺨이 오목하게 들어갔다. 입안을 진공상태로 만들려는 듯 쪽쪽 소리 내며 빠는데, 그 쪼임이 너무 완벽하다. 입술과 내 몸가락 사이에 빈틈이 없는 듯하다. 정말 "정성껏"이란 표현이 정확할 것이다. 미주누나처럼 정성껏 입으로 빤다면 자연스럽게 침 외에 다른 이물질을 섭취하게 될 것이다. 하지만 미주누나는 전혀 개의치 않았다. 그렇기 때문에 "프로"다.

잠시 후 누나는 내 몸가락을 입 안 깊숙이 넣었다. 나의 단전 밑 몸가락 주변에 난 털들이 누나의 인중에 닿았다. 내 귀두 끝은 누나의 식도 앞에 맞닿은 느낌이다. 몇 초 동안 그리 있더니, 내 몸가락을 풀어주었다. 누나의 입에서 침이 '왈칵'하며 한가득 흘러나왔다. 손등으로 입을 대충 닦더니, 다시 내 몸가락 밑쪽을 한 손으로 거머쥐었다. 혀를 길게 내밀어 회초리로 손바닥 때리듯이, 나의 몸가락으로 본인의 혀를 내리쳤다. 누나의 재미난 퍼포먼스에 웃음이 나왔다. 누나도 웃었다. 누나는 내 귀두 끝에 혀를 갖다 대며 뱀처럼 날름날름거렸다. 그 상태로 나를 야릇한 눈빛으로 쳐다보았다. 그 모습이 무척 야해 보인다.

이젠 청소모드다. 혀로 내 귀두를 쓱쓱 문질러주었다. 특히나 귀두 입구와 테두리 부분을 집중적으로 핥아주니, 전기에 감전된 것처럼 찌릿찌릿하다. 미주누나는 내 몸가락을 잡고 위로 젖혔다. 나의 불알을 노리는 것 같다. 나의 예상은 적중했다. 불알 안, 두 개의 구슬을 번갈아 입에 살짝 물었다. 그리곤 혀로 구슬치기 하듯이 압을 주기도 하고, 저글링 하듯이 위로 던지는 시늉도 했다. 마지막엔 뜨거운 입김을 내며 불알 전체를 입으로 보듬어주었다. 따뜻함을 넘어 뜨거운 열기에, 몸가락이 더 팽창되는 느낌이다. 그런 가운데, 느닷없이 누나가 나를 쳐다보며 말했다.

- 나 이빨로 한번 물어도 돼. 살짝 깨물게.
- 네. 누나 마음대로 해보세요.

미주누나가 내 몸가락을 앞니로 살짝, 어금니로 살짝 깨물었다. 아픔이 느껴졌다. 하지만 너무 흥분한 상태라, 그 아픔이 크지는 않다.

- 삼촌, 쫀득쫀득한 것이 식감이 너무 좋다.

누나가 다시 자세를 잡았다. 한 손으로 내 몸가락 뿌리 부분을 살며시 거머쥐더니, 다시 정성껏 빨았다. 나는 더욱더 흥분되었다. 단 음식에 더 단맛을 내기 위해서는 소금을 넣어야 한다. 누나가 내 몸가락을 살짝 깨문 것이 소금 역할을 한 것이다. 거기에다 누나가 내뱉는 말들과 야릇한 미소가 사람을 황홀하게 만드는 것이다. 누나에게 한번 빨리면 단골이 될 수밖에 없을 것 같다.

누나의 정성으로 금방 절정에 다다른 것 같다.

- 누나. 이제 그만. 너무 고마워요. 조금만 더하면 쌀 것 같아요. 마누라한테 양보하세요.

미주누나는 나의 몸가락을 놓아주고 피식 웃었다.

- 알았어. 사정했다고 생각하고 마지막 서비스 해줄게.

미주누나가 다시 내 몸가락을 물었다. 입 안에 깊숙이 넣고, 혀를 길게 뺀 후, 내 몸가락 몸통을 몇 바퀴 돌고 또 반대로도 돌렸다. 혀로 귀두 입구를 쓱쓱 닦았다. 혀가 돌아갔고 누나는 "음~"하는 소리를 내며 몇 초간 정지상태로 있었다. 신기한 광경에 난 지켜볼 뿐이다. 뭔가를 준비하는 신호음인 듯하다. 누나가 내 몸가락을 천천히 내뱉기 시작했다. 누나의 뺨이 오목하게 들어간 것이 보였다. 입술이 귀두 밑에 다다르자, "흠"하며 입술을 힘차게 오므렸다. 입술 쪼임이 대단하다. 그 상태로 누나는 고개를 살짝 뒤로 뺐다. 그러자 "뽁"하는 소리와 함께 내 몸가락이 자유를 되찾았다.

- 누나, 정말 대단해요. 진짜 최고.

- 뭘 이 정도 가지고, 젊었을 때 삼촌이 나 만났으면 못 헤어 나올걸.

'이게 프로다.'라는 말이 나올 뻔했다. 민아와는 결이 달랐다. 민아도 입으로 나를 만족시켜 주었다. 근데 민아는 힘과 피지컬 좋은 선수라면, 미주누나는 기술적으로 탁월한 선수다. 민아는 묵묵히 나의 몸가락을 빨고 핥으며 튼튼한 턱의 관절을 이용, 나의 사정을 기다린다. 근데 미주누나는 묵묵히 기다리지 않는다. 나에게 야릇한 미소를 보내기도 하고 흥분되는 말장난과 나의 자존감을 높여주는 칭찬을 한다. 또한 손과 혀를 동원하여 빨리 흥분하게 만든다. 민아가 구수한

된장국이라면 미주누나는 닭볶음탕이다. 내 사랑 민아와 미주누나를 머릿속에서 비교하는데, 미주누나가 다시 물었다.

- 진짜 안 쌀 거야? 시원하게 싸고 가. 나중에 집에 가서 후회하지 말고.
- 집에 가면 마누라 입에 다 사정할 거예요.
- 그래. 나도 네 자지 맛 충분히 봤으니깐. 상관은 없어.

  핸드폰으로 시간을 확인하니, 시간이 얼마 남지 않았다.

재미난 이야기

난 다시 팬티와 바지를 입었다. 미주누나 말대로 아쉬움이 남는지, 몸가락을 바지 밖으로 꺼내놓은 채, 미주누나 옆에 앉았다. 미주누나가 내 술잔에 맥주를 채워주고 다시 건배제의를 했다. 우리는 서로 잔을 맞대고 술을 마셨다.

- 벌써 시간이 다 되었네. 근데 자지는 왜 안 집어넣어?

난 또 변명을 했다.

- 마를 때까지 내버려 두세요.

- 다 말랐어.

- 아직 불알이 축축해요.

- 보니깐 계속 입에 넣고 싶잖아.

우리는 얼굴을 마주 보며 또 웃었다.

- 이제 헤어질 시간이네. 누나 보러 자주 올 거지? 다시 올 수 있어? 마누라가 아무리 잘해줘도, 가끔씩이라도 와. 마누라가 빨아주는 거하고 내가 해주는 거하고 다르잖아. 그렇지?

- 우리 와이프도 잘해요. 저를 잘 만족시켜 줘요.

- 이야. 결혼 잘했네. 여기 오는 단골 남자는, 대부분이 결혼한 후 성생활이 불만족스러워서 오는데, 그래도 이 누나가 빨아주는 것이 더 좋지?

사실 둘 다 만족스럽지만, 미주누나가 나를 더 황홀하게 만들어주었다. 하지만 난 사실대로 말하지 않았고 장난기가 발동했다.

- 비슷해요.

- 거짓말! 난 오래 세월 동안 수십 명의 남자 자지를 빨고 핥았어. 거짓말하지 마.

- 입이 거기서 거기지. 뭐.

- 헉.

미주누나가 조금 짜증 난 듯 보였다. 그리고 내가 미주누나 입에 다 사정하지 않고 집에 가서 해결한다고 했으니, 더욱 자존심이 상할 것이다.

- 같은 입이라도 달라.

미주누나는 빈정거렸다. 순간 정신이 번쩍 들었다. 헤어질 순간에 좋게 헤어져야 되는데, 누나의 화난 모습을 보니 어찌할 바를 모르겠다. 다른 부분을 칭찬해 줘야 될 것 같았다.

- 다시 생각해 보니 다르네요. 사람마다 개성이 다르듯이 신체구조도 조금씩 다르잖아요. 말 나온 김에, 오랜만에 누나 거 보고 싶어요.

- 집에 가서 마누라 거 봐. 다 똑같이 생겼는데 뭘.

- 어허, 누나가 방금 다르다고 했잖아요.

미주누나는 벌떡 일어서더니, 팬티를 벗어 탁자 위에 올려 놓았다. 그리고 다시 소파에 앉았다. 무릎을 가슴까지 끌어올리더니, 다리를 벌렸다. 그리곤 손으로 엉덩이 밑 부분을 양쪽으로 살며시 잡아당겼다. 미주누나의 음부가 확연하게 보였다. 주변 털이 미주누나의 파마머리 같다. 대체로 어두운 표면이며 깊은 곳에 붉은 살점이 보였다. 미주누나 나이가 많아서인지, 생기가 없어 보였다. 아름답고 흥분되는 느낌은 없었지만 연기를 했다. 어색해진 관계를 다시 회복하기 위해서였다.

- 누나, 너무 예뻐요. 누나 보지 30대 보지 같다. 안에 혀 집어넣고 싶어요.

미주누나가 '키득키득' 웃기 시작했다.

- 너 여기 와서 본전 제대로 뽑는구나.

미주누나는 손을 놓고서는 일어났다. 다시 팬티와 옷을 입으며 말했다.

- 다음에 오면 내 조개 맛보게 해 줄게. 지금은 시간이 다 되었잖아.

솔직히 입으로 느껴보고 싶은 마음은 전혀 없었다. 특히나 청결이 마음에 걸렸다. 어쨌든 다시 관계가 회복된 듯하다.

우리는 다시 나란히 소파에 앉았다. 그러고 보니 우리는 맥주만 마셨지, 안주에는 전혀 손대지 않았다. 서로의 입에 과일조각을 넣어주며 대화를 나누었다.

- 누나, 이제 곧 50 초반이라면서요. 그럼 누나가 일하는 보도방에서 고참이겠네요.

- 거의 고참이지. 나랑 동갑도 있어.

미주누나가 갑자기 웃기 시작했다.

- 누나, 갑자기 왜 웃어요?

- 네가 보도방 이야기하니깐 웃긴 이야기가 생각나서. 호호호. 내가 일하는 보도방에 사람들이 재미있어. 콜 받고 사무실을 나서기 전에 모여있잖아. 오래 일하다 보니깐 서로 언니, 동생 하거든. 콜 없으면 일하다가 본인이 겪은 재미난 이야기를 해주는데 말이야. 그게 갑자기 생각나서 웃음이 나왔어.

- 아. 나 궁금해.

그때 시간이 다 되었다는 알림이 울리기 시작했다.

- 삼촌, 다음에 와. 내가 재미난 이야기 해줄게.

- 네. 알았어요. 꼭 올게요.

- 그래 이제 자지 집어넣어.

'미주누나의 보도방 이야기가 궁금해서라도 꼭 와야겠다.'라는 결심이 섰다.

우리는 룸을 나왔다. 미주누나가 여사장을 불렀다. 여사장이 휴게실에서 나왔고 미주누나가 여사장에게 말을 걸었다.

- 언니, 삼촌이 결혼하고 애까지 낳아서 힘든가 봐. 그러니깐 술값 좀 깎아줘.

- 어이구. 대단하네. 남편, 아버지로서 역할도 잘하고. 알았어. 다음에도 술값 깎아줄게. 그러니깐 자주 와.

난 여사장에게 남편, 아버지로서의 역할을 언급하거나 강조한 적이 없었다. 아무튼 미주누나가 나의 술값까지 걱정해주니 고맙다. 어찌 보면 여사장과 미주누나가 나를 단골로 만들기 위한 행동일 수도 있다.

- 네. 시간적으로나 경제적으로 여유 생기면 놀러 올게요.

나는 미주누나와 여사장에게 인사하고 현관문을 열고 나왔다. 발걸음을 옮겼다. 잠시 후 현관문이 다시 열리더니 미주누나가 나에게 큰 소리로 외쳤다.

- 삼촌, 집에 가서 마누나 입에 다 시원하게 사정해.

미주누나의 돌발행동에 얼굴이 달아올랐다. 나는 얼른 마스크를 착용하고 그 지역을 벗어났다. 뒤에선 두 명의 여성 웃음소리가 들려왔다. 여사장과 미주누나일 것이다.

집에 돌아왔다. 아들은 방에서 자고 있고 민아가 거실에서 조용히 TV를 보고 있었다. 우리 부부는 서로 "수고했다."라며 인사를 했다. 나는 바로 샤워를 했다. 민아에게 미안한 마음을 씻으려는 듯 몸가락을 깨끗이 씻었다.

샤워를 하고 난 후, 몸가락을 제외한, 나머지 신체 부분에 화장품을 발랐다. 나는 나체로 소파에 앉았다.

- 어휴, 일하고 회식 갔다 오니깐 더 힘드네.
- 자기, 고생했어.

민아가 다가와, 내 몸가락을 만졌다. 나 또 민아에게 부탁했다. 민아는 싫은 내색하지 않고 입으로 내 몸가락을 물었다. 민아에게 여러 가지를 부탁했다. 버터플라이, 녹는 아이스크림, 압축기, 막대사탕, 바나나, 알사탕, 꿀 등 내가 요구하는 자세를 시켰다. 그럼에도 불구하고 사정감이 밀려오지 않았다. 방금 전, 미주누나 입에 사정할 뻔한 순간들을 여러 번 참았기 때문이다. 결국 내가 누웠다.

- 자기, 쌀 것 같으면 이야기해.

첫 사정은 정액양이 많아, 민아가 대부분 입으로 해주었다. 하지만 지금 내가 사정하지 않으니, 아랫입을 이용하는 것이다. 민아가 내 위로 올라왔다. 삽입 후 허리를 돌리고 엉덩이를 흔들었다. 민아의 흥분한 모습을 보니 나도 흥분되었다.

- 민아야 쌀 것 같아.

민아는 흠칫 놀라며 몸을 뺐다. 그리고 내 몸가락을 입으로 물었다. 나는 민아의 입에 많은 양을 쏟아냈다. 민아는 크로톤 화분에 내 정액을 뱉어냈다.

- 자기, 오늘은 내 머리 안 당기네.

난 대답 대신 민아에게 키스를 했다.

- 민아야. 미안하고 사랑해.
- 나도 사랑하고 고마워.

우리는 서로 얼싸안으며 키스를 나누었다. 민아에게 미안했고 나의 사랑은 더 커져가는 듯하다.

회사에 출근해 일하고 있는데, 문득 미주누나가 언급한 '재미난 이야기'가 떠올랐다. 도대체 무슨 이야기일까? 미주누나가 근무하는 보도방과 관련되어 무슨 재미난 이야기가 있을까? 몹시 궁금하다. 미주누나의 재미난 이야기를 듣고 싶다. 회식날만을 손꼽아 기다렸다. 회식날 미주누나를 만나러 갈 것이라 마음먹었기 때문이다.

얼마 후 반회식이 또 정해졌다. 회식날, 먹을 거 다 먹고 눈치껏 일어났다. 혹시나 미주누나를 못 만날까, 미주누나가 자주 출입하는 유흥주점에 전화를 걸었다. 미주누나가 근무하는 것을 확인했다. 전화를 받은 여사장의 목소리가 밝다.
- 삼촌, 언제 올 거야? 내가 미주한테 연락해 놓을게.
- 잠시 후에 갈 거예요.
- 알았어. 준비해 놓고 있을게.
유흥주점에 도착했다. 여사장이 기쁜 표정으로 반겼다. 나를 단골손님 목록에 포함시킨 것 같다. 여사장이 안내하는 룸으로 들어갔다.
- 삼촌, 노래 부르며 놀고 있어. 미주 금방 올 거야.
- 네. 그전에 화장실 갔다 올게요.
난 잠바를 벗어 탁자에 올려놓고 화장실로 향했다. 소변이 마려우면 사정감이 일찍 찾아온다. 미주의 입속에서 그나마 오래 버티려면 준비해야 한다. 소변을 보고 세면대에서 손을 씻었다. 그때 가게 현관문에 달린 방울이 울리는 소리가 들렸다. 사람이 들어온 것인데, 미주누나일 것이다.
손을 마른 티슈로 닦는데, 세면대에 걸린 거울의 위치가 매우 낮다. 내가 바로 섰을 때 내 단전 높이에 위치해 있다.

바지 지퍼를 열어 내 몸가락을 꺼내보았다. 몸가락이 잘 보였다. 몸가락 상태를 확인하라고 달아놓은 거울 같다.

옷매무새를 단정히 하고 다시 룸으로 들어갔다. 슬리퍼가 탁자 앞에 놓여있다. 슬리퍼로 갈아 신고, 미주누나를 기다렸다. 그리고 보니 소변보고 귀두를 씻지 않았다. 미주누나는 보나 마나 내 몸가락을 입에 넣을 것이다. 매너가 아닌 것 같다. 그래서 물티슈에 맥주를 조금 부었다. 바지 지퍼를 열어, 몸가락을 꺼냈다. 물티슈로 귀두 부분을 깨끗이 닦았다.

자연건조 시키기 위해, 상의로 살짝 덮어만 놓았다. 여사장과 미주누나가 같이 들어왔다. 미주누나는 맥주와 잔을, 여사장은 과일안주를 챙겨 왔다. 조용하던 룸이 시끄러워졌다.

- 아이고. 또 왔네.

- 미주는 참 좋겠다. 이렇게 찾아주는 사람도 있고.

- 언니, 이 삼촌 정말 착해. 내가 입으로 사정시켜 주려 했는데, 거절하는 거야. 집에 있는 마누라한테 미안하다고.

순간 창피해 낯이 빨개졌다. 미주누나는 아랑곳하지 않고 계속 이야기했다.

- 내가 당황했다니깐. 정말 착하지 않아?

- 삼촌, 진짜 착하네.

여사장은 안주를 탁자에 내려놓고, "재미있게 노세요."라는 말을 하고 룸을 나가버렸다.

나는 미주누나에게 짜증을 내었다.

- 누나, 그런 것을 아무렇지 않게 이야기하면 어떡해. 그건 우리들의 비밀로 해야지.

미주누나는 '호호호' 웃기 시작했다.

- 괜찮아. 언니하고 난 굉장히 친해. 나 초창기 때 이 일 하

면서 알게 된 언니야. 20년 넘게 알고 지낸 사이라고. 초창기땐 언니가 가게에 손님 오면, 나를 많이 불러주었어. 덕분에 돈도 많이 벌었어. 나도 언니에게 보답하기 위해, 내 단골을 이쪽 가게로 불러. 서로 고민이 있으면 털어놓고 같이 울어주고 웃다 보니, 이제는 친자매처럼 느껴져. 그리고 걱정하지 마. 여기에서 일어난 일들을 어디 가서 말하겠어? '도우미'라는 직업도 자랑할 게 못되는데, 말해줄 사람도 없어. 사장언니도 마찬가지야. 70이 다 되어가는 여자가 물장사하는 것을 어디 가서 이야기하겠어? 그냥 서로 웃자고 한 것이니, 너무 신경 쓰지 마. 알았지?

미주누나의 말에 안심이 되었다.

그래도 조금 화가 났다. 난 미주누나 뒤통수를 잡아 내 하체 쪽으로 당겼다. 미주누나의 얼굴이 내 하체에 파묻혔다. 미주누나가 "어머"를 외쳤다.

- 뭐야? 벌써 꺼내놓고 있었어? 너 과감하다. 그러다 사장언니한테 네 자지 들키면 어쩌려고 그래?

미주누나는 내 몸가락을 살며시 잡았다.

- 몰라. 누나가 내 비밀 이야기를 다 했는데, 무슨 상관이야.

미주누나는 내 옆자리에서 내 몸가락을 맛있게 빨기 시작했다. 뺨이 오목하게 들어가는 것을, 위에서 쳐다보고 있으니 화가 풀리는 듯하다.

미주누나의 혀가 움직이는 것이 느껴졌다. 기분이 좋아지고 있는데, 돌연 미주누나가 몸을 일으켰다. 정색하며 말했다.

- 무슨 약 발랐어? 맛이 왜 이래. 사실대로 말해.

미주누나의 진지해진 표정에 당황했다.

- 약이라니요? 내가 무슨 약을 발라요.

순간 맥주를 적신 물티슈로 귀두를 닦은 것이 생각났다.

- 누나 생각해서 맥주를 적신 물티슈로 내 자지 대가리 닦았어요. 그 맛인가 보다.

그제야 어두웠던 미주누나의 표정이 환해졌다.

- 그래? 내가 오해했어. 근데 마치 그 맛이랑 비슷하네.

미주누나가 다시 몸을 숙여, 내 몸가락을 입에 넣었다. 그리곤 입으로 세차게 빨았다. 다시 맛을 보는 것이다.

- 흠. 그래. 맥주 맛이야. 어이구 삼촌 고마워. 이렇게 위생적으로 준비해 주면 누나는 너무 고맙지.

- 누나, 살짝 실망했어요. 나를 뭘로 보고, 그리고 누나 입에 들어갈 건데 당연히 깨끗이 씻어야죠. 근데 누나가 이리 질색하는 것을 보니, 정말 자지에 약 뿌리는 사람이 있는가 보네요?

미주누나는 맥주병을 따, 나의 잔과 본인의 잔에 술을 따랐다.

- 한잔 마시고 이야기해 줄게.

미주누나는 빠른 속도로 술을 마시더니 입을 뗐다.

- 삼촌도 알다시피, 내가 남자 자지를 정말 잘 빨잖아. 그렇다 보니 내가 해주는 것을 오래 즐기고 싶은가 봐. 내 단골 중에 은행원이 있어. 이 놈이 생긴 것을 멀쩡하게 생겼어. 안경도 쓰고 정장 입으니 지적으로 보이잖아. 그날도 술 한 잔 마시고 혼자 놀러 왔더라고. 우리 가게에 오자마자 화장실로 들어가더라. 그때 별생각 없었지. 날 찾아온 단골이니깐 얼마나 고마워. 이 놈도 삼촌처럼 미리 자지를 꺼내놓더라고. 남자가 다 비슷하지. 맥주를 한잔 들이켜고 열심히 빨아주었어. 예전 같으면 입에서 빨리 쌀 녀석인데, 열심히 핥고 빨

아도 쌀 기미가 안 보이는 거야. 오기가 발동하더라. 그래서 빨고 핥고 깨물고 별의별 짓을 다했어. 그런데도 돌덩이처럼 반응이 없는 거야. 이젠 한계에 도달했어. 계속 입으로 하니깐 턱이 아픈 거야. 자지에 침을 발라서 손으로 해주었어. 그래도 마찬가지야. 그런데 이 은행원이 내 턱 아픈 것은 생각하지도 않고 계속 입으로 해달래. 점차 내 오기도 꺾이더라. 그래도 "사정시켜야 되겠다."라는 집념으로 도전했어. 남자는 또 시각적이잖아. 눈으로 흥분해라고 팬티하나 남기고 다 벗고 입으로 해주었어. 그 은행원의 손을 잡아 내 가슴에 위치시켰어. 만지면서 빨리 흥분하고 사정하라고. 근데도 반응이 없네. 결국 내가 손을 들었어. "삼촌, 나 더 이상 못하겠다. 입 아파." 그런데도 이 은행원이 손으로 빌며 부탁하네. "누님 조금만 더 하면 쌀 것 같아요. 그러니깐 조금만 더 참고 힘 내주세요." 죽은 사람 소원도 들어주는데, 산 사람 소원 못 들어주겠어? 결국 또 힘을 내기로 했어. 다시 은행원 자지를 입에 물고 빨았어. 은행원도 빨리 사정하려는지, 노력하더라. 내 가슴을 막 문지르고 잡으며 괴성을 지르더라. 나중에 내 팬티에 손도 집어넣었어. "누나 나 손 씻었어요. 깨끗해요. 조금만 더 참아요. 쌀 것 같아요. 반응이 와요."
'반응이 온다.'는 말에 또 내가 참았어. 이 놈이 이제 내 보지에 손가락을 집어넣으면서 느끼더라. 턱 아픈데 몸 안에 손가락이 들어오니깐 더 짜증 나더라고. 이곳에선 웬만하면 내 보지에 자지나 손가락 못 넣게 하는데. '조금만 참으면 된다.'라는 생각에 버텼어. 와~. 그래도 반응이 없더라. 결국 남자 손을 끄집어내고 은행원 자지도 뱉었어. 내가 막 뭐라고 했어. "사람이 매너가 있어야지. 이게 뭐야? 양복 입고 점잖게 일하는 은행원이라, 좋게 봤는데. 내 생각은 안 해? 내가 이런 일 하니깐 우스워보여?" 은행원이 또다시 싹싹 빌었어. 문득 시계를 확인해 보니 마칠 시간이 몇 분 안 남았더라. 그러니깐 내가 대략 한 시간 정도 그 녀석 자리를 물고 빨았던 것이지. 너무 화가 나는 거야. 그렇다고 돈이라도 많이 주면 화가 좀 풀렸을 텐데, 팁으로 고작 5만 원 주더라. 계속 뭐라고 했어. 그러니깐 이실직고하더라. 본인 자지에 약을 뿌렸대. 인터넷에 별의별 약이 다 있다네. 그중에 발기된 남자 자지를 오랫동안 유지시켜 주는 약이 있다네. 이걸 뿌리면 정말 오래 유지가 되는가 봐. 이 놈이 오랫동안 즐기고 싶어서 엄청나게 많은 약을 뿌린 거야. 그러고 보니 내가 처음 이 은행원 자지를 빨면서 맛이 이상하다고 생각했었어. 비릿한 것은 아닌데, 화학제품 맛이 나더라고.

그렇게 호되게 당하고 나니깐 이제 겁이 나는 거야. 그래서 삼촌한테 화낸 거야. 삼촌 자지에서 이상한 맛이 나길래.

 난 미주누나를 끌어안았다.

- 누나. 정말 고생이 많네요. 그런 변태 같은 놈 만나서 고생하시고. 누나 정말 수고가 많다.

- 근데 나도 참 어리석지. 이곳에서 이렇게 맥주를 많이 마시는데, 그런 맛도 구분 못하고.

- 그럴 수도 있어요. 내 자지에 물티슈 맛도 첨가되었을 거예요. 그럼 그 은행원은 안 만나요?

- 응. 더 이상 연락 안 해. 내 단골에서 제외되었어. 저번에 이야기한 것처럼, 이별문자 보냈어. 삼촌 의심해서 미안해. 삼촌은 당연히 그럴 사람은 아닌데 말이야. 삼촌이 이해해 주니깐 너무 고맙다.

- 누나, 다 이해해요. 그런 놈한테 모질게 당했으니 그럴 수밖에요.

우리는 한동안 부둥켜안으며 서로를 위로했다. 미주누나가 내 몸가락을 한 손으로 만지작거리며 물었다.

- 그날, 집에 가서 마누라랑 했어?
- 네.
- 시원했겠네. 마누라랑 못했으면 내 입에 다 안 싼 거 후회했을 텐데.

나는 대답하지 않았다. 대신 몸가락에 힘을 주었다. 발기된 내 몸가락을 보며, 미주누나가 다시 물었다.

- 오늘도 안 쌀 거야?
- 네. 그러니깐 조금만 해줘요. 누나 입안의 따스함과 입 조임만 느낄게요.

미주누나는 다시 내 하체에 머리를 파묻었다. 아래쪽에서 따스함이 전해졌다. 미주누나의 입은 자동차 자동 세차장 같다. 들어갈 때는 뭔가 답답하고 어두운데, 나올 때는 반질반질해지는 것이 시원한 느낌도 든다. 게다가 세차장처럼, 처음 들어갈 때는 위치선정하여 꽉 잡아주고 나의 몸가락을 적셔준다. 누나의 혀가 내 몸가락 전체를 걸레질해준다. 내 몸가락이 미주누나의 입에서 나올 땐, 표면의 침이 증발되면서 시원함을 선사해 주고 자유를 만끽하게 해 준다. 자동 세차장 같은 미주누나의 입을 드나드니, 스트레스라는 더러운 먼지가 씻겨 내려가는 느낌이다. 더불어 미주누나의 손이 내 불알을 살며시 잡아, 마사지도 해준다. 목욕탕에서, 목욕관리사가 때를 벗기고 마사지까지 해주는 그림이 머릿속에 떠올랐다. 지금 내 몸가락이 목욕탕 손님이 된 것 같다.

저번에 미주누나가 말한 보도방과 관련된 재미난 이야기가 생각났고 궁금해졌다. 동시에 신호가 왔다.

- 누나, 이제 그만. 고마워요. 나머지는 마누라한테 맡길게요.

미주누나는 내 귀두 부분부터 강하게 흡입하며 천천히 고개를 들었다. "쪽~"소리가 났다. 그 소리가 이별의 뽀뽀소리 같다. 아쉬움은 뒤로 한 채, 궁금한 것을 물었다.

- 누나, 저번에 누나가 재미난 이야기가 생각났다면서 웃었잖아요. 저도 그게 궁금해서 계속 생각나더라고요. 누나, 재미난 것 있으면 이야기해 주세요. 같이 웃으면 좋잖아요.

미주누나는 본인의 맥주잔에 맥주를 따라 마셨다. 그리고 다시 입을 열었다.

- 너도 알다시피, 내가 이쪽에서 오랫동안 종사했잖아. 그러다 보니 내가 거의 고참이야. 우리는 저녁쯤 되어서 보도방 사무실에 출근해. 우리 보도방엔 이제 모난 사람이 없어. 예전에는 소수 있었는데, 다 그만두고 다른 곳으로 가버렸어. 어쨌든 사무실에 모이면 화장 고치며 이런 이야기 저런 이야기를 해. 특히나 본인이 일하면서 겪은 재미난 이야기나 별난 사건, 사고 등을 이야기하지. 그럼 서로 이야기하고, 들으면서 웃긴 이야기는 깔깔대며 웃어. 안 좋은 일이나 슬픈 이야기면 서로를 위로하기도 하지.

- 그렇구나. 누나가 고참으로서 분위기 메이커 역할을 잘해서 그런 것이에요. 제가 일하는 곳도 반장이 어떻게 하느냐에 따라 반 분위기가 바뀌거든요.

- 좋게 봐줘서 고마워.

- 재미난 이야기 중 생각나는 거 해봐요.

\- 알았어.

보도방 동료들

미주는 열 명도 되지 않는 인원이 일하는 보도방에 소속되어 있다. 이번에 새로운 여자가 들어왔다. 30대 후반의 '다희'라는 여자다. 다희는 결혼하기 전, 이런 쪽에 잠시 종사한 경험이 있다. 결혼하고 자식 낳고, 남편과 이혼 후 손쉽게 돈을 벌기 위해 다시 이쪽에 발을 들인 것이다. 다희는 이름처럼 피부가 하얗다. 치마 밑으로 나온 하얀 다리가 "다희"라는 이름과 잘 어울리는 듯하다. 게다가 몸이 많이 가냘프다. 그런 몸으로 청소, 공장의 라인작업 등의 단순노무는 무리일 것 같다. 돈을 벌기 위해서, 발을 들인 유흥 쪽은 선택이 아니라 어쩔 수 없는 필연인 것이다.

미주를 비롯한 여러 도우미들은 다희를 많이 챙겨주었다.

- 옛날에 일해봤으니깐 잘하겠네. 돈 벌려면 어쩔 수 없잖아. 힘든 일 있으면 이야기하고 우리 잘해보자.

다희가 들어온 첫날, 미주가 챙겨주며 용기를 북돋아주었다. 자신의 과거를 보는 것 같은 느낌이 든 것이다.

콜이 들어왔다. 다희는 미주와 같이, 두 명의 손님이 기다리는 유흥업소로 이동했다. 다희는 이동 중, 미주의 옷차림에 의아했다. 미주가 검은색 블라우스와 검은색 긴바지를 입었기 때문이다. 도우미가 치마를 입는 것은 손님에 대한 최소한의 예의이다. 치마는 아니더라도 다리가 보이는 옷을 입어야 했다. "베테랑"이 왜 이러는 것일까? 대신 미주 손에는 파우치 백이 들려져 있었다. 다희가 물어보기도 전에, 미주와 다희를 태운 보도차량은 유흥주점에 도착했다. 둘은 가게 안으로 들어갔다. 유흥주점 사장은 미주와 다희를 보자마자, 인사도 없이 손님이 있는 방 번호를 알려주었다. 들어가려는 순간, 미주가 "잠깐"을 외쳤다. 그리곤 가게 내, 사장이나 직원이 쉬는 휴게실로 들어갔다. 다희는 미주와 같이 룸에 들어가기 위해, 문 앞에서 미주를 기다렸다. 잠시 후 미주가 돌아왔다. 다희는 달라진 미주의 모습에 깜짝 놀랐다. 그 새 짧은 치마로 갈아입고 온 것이다. 치마가 얼마나 짧은 지, 무릎을 조그만 들어도 팬티가 보일 것 같다. 다희는 그제야 파우치 백에 무엇이 들었는지를 알 것 같았다. 미주는 휴게실로 들어가자마자 파우치 백에서 치마를 꺼내 입었다. 치마를 입고 바지를 벗었다. 바지를 대충 접어, 파우치 백과 같이 휴게실 구석에 두고 나온 것이다. 50이 넘는 나이에, 주눅 들지 않는 과감한 패션에 다희는 살짝 놀랬다.

둘은 문에 노크를 하고 들어갔다. 룸에는 2명의 손님이 테이블을 가운데 두고, 나눠서 앉아있었다. 미주와 다희는 눈치껏 손님 옆에 가서 앉았다.

다희는 손님에게 인사를 하고 손님의 술잔에 술을 따라주기 위해 맥주병을 찾았다. 맥주가 넓은 탁자 위에 놓여있었다. 맥주를 집기 위해 몸을 살짝 일으켰는데, 순간 빨간 것이 눈에 띄었다. 미주의 팬티였다. 맞은편에 앉은 미주는 주먹 두 개가 들어갈 정도의 넓이로 다리를 벌린 채, 손님을 비스듬히 바라보며 앉아있었다. 미주는 빨간 팬티를 즐겨 입는 듯하다.

다희는 손님 잔에 술을 따라주고 손님의 얼굴을 관찰했다. 40대로 보였다. 술 마시면 강아지가 될 만큼 성질이 고약해 보이지는 않았다. 손님과 이런저런 이야기 나눠보니, 점잖았다. 손님 두 명은 서로 친구 사이인데, 한잔하고 2차로 이곳에 온 것이라 했다.

도우미 봉사시간이 끝나갈 무렵, 다희의 파트너는 본인의 몸가락을 주무르며 넋두리를 하기 시작했다.

- 어휴, 여자랑 안 한 지도 꽤 되었네. 자지가 간지럽다.

다희는 손님의 말을 받아주었다.

- 어머, 오빠. 마누라랑 안 해?

- 마누라랑 헤어진 지 꽤 오래되었어. 이 걸로 여자 몸 안을 마구 끌고 싶은데. 너 오늘 나랑 2차 갈래? 내가 수고비는 두둑이 챙겨줄게.

다희는 망설여졌다. 근무한 지 첫날이라 부담스럽다. 미주를 쳐다보았다. 미주는 '네 하고 싶은 대로 하라.'라는 표정이다. 다희는 '개같이 벌어서 정승같이 쓴다.'라는 말이 생각났다. 첫날부터 개같이 벌기로 결심했다.

- 알았어. 오빠.

- 고마워. 근데 내 것 사이즈가 조금 커, 괜찮지? 한번 만져보고 결정해.

다희는 손님의 바지를 쳐다보았다. 바지 앞섶에 크게 튀어나온 것이 보이질 않았다.

- 괜찮아. 오빠. 나도 안 한 지 오래돼서 한번 신나게 하고 싶네.

다희는 웃어 보였다. 손님이 다희에게 2 차비 명목으로 돈을 쥐어주었다. 다희는 돈을 구두 속에 넣었다.

시간이 다 되어 둘은 룸에서 나왔다. 미주에게도 2차 신청이 있었던 것 같은데, 미주는 거절한 듯하다.

- 언니는 2차 안 가요?

- 안 가. 나도 너처럼 이혼하고 나서부터 이 일을 했어. 지금까지 하고 있는데, 돈 좀 모아놨어. 그래서 나 끌릴 때만 2차 갈 거야.

- 그럼 언니는 어떤 경우에 2차 가는데요?
- 남자가 젊고 키도 크고 잘생겼으며 친절하다면 같이 2차 가지.

미주는 웃으며 대답했다. 다희는 속으로 비웃었다. 나이 50이 넘어, 60이 다 되어가는 여자가 참 유별나게 보인 것이다. 다희가 보기엔, 미주는 여자로서 큰 매력은 없어 보였다. 나이도 많고 얼굴이 예쁜 것도 아니며 키가 크지도 않다. 단지 가슴만 클 뿐이다.

출근 첫날, 혼자만 2차를 가려니 다희는 다소 긴장되었다. 카운터에서 계산한 남자손님은 다희의 손을 잡고 옆 모텔로 이동했다. 모텔에 가서 방을 배정받고 들어갔다.

남자는 연신 즐거운 표정을 지어 보였다. 다소 긴장한 다희에겐 그런 웃음이 달갑지 않다. 마치 맛있는 먹이를 기다리는 짐승의 환한 미소처럼 느껴졌기 때문이다. 방에 들어가자, 남자는 상의를 벗으며 말했다.

- 나 먼저 씻을게. 딱 기다려.

남자는 여전히 히죽히죽 웃었다. 남자는 계속 옷을 벗었고, 다희는 일부러 쳐다보지 않았다. 낯선 남자와 이런 곳에 있으니, 약간 두렵기도 하고 어색했기 때문이다. 남자는 화장실 안, 샤워 부스에 들어가 샤워기를 틀었다. 물줄기가 내려와, 남자 몸에 부딪히는 소리가 굉장히 크게 들려왔다.

다희는 구두를 벗었다. 구두 밑창엔 손님에게 받은 돈이 들어있었다. 돈을 보며 이 상황을 견디기로, 다시 마음을 다잡았다. 순간 물줄기 부딪히는 소리를 뚫고 흥겨운 휘파람 소리가 들렸다. 샤워부스에서 샤워하는 남자가 내는 휘파람 소리가 틀림없다.

- 도대체 뭐가 저렇게 즐거운 거야? 안 한지 정말 오래되었나?

다희는 약간 소름이 돋았다. 그리고 혹시나 하는 생각도 들었다. 남자가 변태이거나 안에서 무엇인가를 준비하는 것은 아닐까? 다희는 조심스럽게, 고양이 걸음으로 샤워부스로 걸어갔다. 그리고 문을 살짝 열어, 안을 엿보았다. 남자는 여전히 휘파람을 불며 몸을 씻고 있었다. 순간 다희 눈엔 뭔가 크게 덜렁거리며 움직이는 것이 보였다. 남자의 몸가락이었다. 근데 사이즈가 장난이 아니다. 정확히, 가냘픈 다희의 손목굵기 정도의 몸가락이 요동치는 것이 보였다. 길이도 다희의 손바닥보다 훨씬 길어 보였다. 다희는 겁이 났다. 저 물건이 몸 안으로 들어온다면 다희의 구멍은 반드시 찢어질 것이다.

남자는 자신의 몸가락을 한 손으로 잡았고, 다른 손의 손바닥을 가지런히 폈다. 그러더니 몸가락으로 편 손을 마구 내리치기 시작했다. 찰싹찰싹 소리가 들렸다. 본격적인 게임을 하기 앞서, 제대로 하기 위해 본인을 채찍질하는 것 같다.

다희는 등 뒤로 식은땀이 흘러내렸다. 얼른 구두를 벗어, 구두 안에 있던 돈을 탁자 위에 올려놓았다. 빠른 움직임으로 구두를 들고 현관문을 열었다.

- 손님, 죄송해요. 돈은 두고 가요.

다희는 고함치는 듯 큰소리로 말하고 현관문을 세게 닫았다. 그리고 그곳을 빠져나왔다. 2차비 명목으로 받은 돈을 가지고 간다면 도둑년으로 오해받을 것이다. 또한 화가 난 손님이 행여 돌발행동을 할 것이 두려워, 크게 말하며 문을 세게 닫은 것이다.

다희는 그 길로 퇴근해 버렸다. 다음날 출근해, 다희는 어제 겪었던 일을 보도방 동료들에게 이야기했다. 다들 박장대소했다. 다희에게 다소 아찔한 기억이지만, 듣는 동료들에겐 재미난 이야깃거리였다. 경험 많은 미주가 충고를 해주었다.

- 다희야, 2차 가기 전에 최소한 남자 자지 만져보고 가. 나 같은 경우는 살짝 입으로 빨아준다며 남자 팬티 벗겨 봐. 그리고 눈으로 남자 자지 확인해야 돼. 어떤 변태 같은 놈들 중에 자지에 쇠구슬 박은 놈도 있고, 성기확대 수술받은 놈들도 많아. 본인 보지에 맞는지 살펴봐야 돼.

다희는 미주에게 많이 배웠다. 다희는 예전에도 도우미 생활을 했지만 일한 기간이 미주에 비해 턱없이 짧다. 다희는 새겨들었다. 그리고 될 수 있으면 2차는 신중하게 고려하기로 마음먹었다.

다희는 옷차림도 바꿨다. 출근 첫날에는 화려하게 입었다. 하지만 이제 미주처럼 가벼운 블라우스에 바지를 입고 출근했다. 대신 검은 비닐이나 종이가방에 짧은 치마를 넣고 다녔다.

미주가 일하는 보도방에 '진주'라는 도우미도 있다. 진주는 40대 중반의 여자로, 이혼 후 여러 일을 하다가 도우미로 정착했다. 전 남편 사이에 자식은 없다. 게으르고 돈을 모을 생각을 하지 않았다. 미주 같은 경우엔 열심히 돈을 모아, 자식들 뒷바라지하고 단출한 아파트까지 구입했다. 미주에 비할 바는 아니지만, 진주도 도우미 생활을 꽤나 오래 한 편이다. 경제관념이 없어서인지, 지금까지도 자랑할만한 자산도 없다. 게다가 미주처럼 보도방 출근율도 높지 않다. 도우미로 손님 접대하다, 본인이 과음해 출근 못하는 경우도 허다했다.

어느 날, 도우미들이 보도방 사무실에 출근해, 수다를 떨고 있을 때였다. 미주가 진주에게 물었다.

- 진주야, 너 이렇게 자주 빠져서 생활이 되니? 개같이 벌려면 자주 나와야지. 그래야 나중에 정승처럼 돈 쓸 거 아니야.

- 언니. 내 걱정하지 마. 내가 자주 빼먹어도 한 달에 언니보다 많이 벌 거야.

주변의 도우미들이 눈을 반짝거렸다.

- 네가 무슨 수로?

주위의 관심이 본인에게 쏠리자, 진주는 신나게 본인의 vip 단골손님을 이야기했다.

201X 년도에도 진주는 이곳에서 도우미로 활동하고 있었다. 그러다 친한 유흥주점 여사장의 소개로 한 손님을 소개받게 된다. 진주는 손님이 있는 룸으로 들어가기 전, 여사장에게 손님에 대해 물어보았다. 혹시나 정신이 이상하거나 감당 못할 변태라면 곤란할 수 있기 때문이다. 여사장이 짧게 설명해 주었다.

- 한의사야. 규모가 꽤 큰 곳에서 일하나 봐. 이제 막 원장이 되었다네. 원장이라 돈도 잘 버나 봐. 내게 "돈 걱정하지 말고 말 잘 듣는 미씨 한 명 소개해 달래." 때마침 너에게 연락이 닿아서, 널 소개해 주는 거야. 대화 나눠보니깐 점잖

은 것 같아. 아무튼 이상한 사람은 아닌 것 같아. 안에서 이
상한 짓 하면 뛰쳐나오면 되잖아.

- 그럼 나이는요?
- 40대 후반으로 보이더라.

그 당시 30대 후반인 진주에게 10살 차이는 오히려 편안했
다.

- 알았어요. 들어갈 볼게요.

여사장이 룸의 문을 두드리고, 진주와 같이 들어갔다. 여사
장은 진주를 소개해주고 곧바로 룸을 나왔다.

손님으로 온 한의사는 지적으로 보였다. 검은색 뿔테 안경
에 세미정장. 지식인다운 대화만 하다 갈 것 같은 인상이다.
진주는 흰 블라우스에 허벅지에 착 달라붙는 검은색 미니스
커트를 입었다.

- 어서 와요.

한의사는 존댓말로 진주를 안심시켰다. 진주는 한의사 옆에
앉아, 술을 따라주었다. 한의사도 진주의 술잔에 술을 따라주
며 본인의 이야기를 했다. 여사장이 진주에게 한 이야기 내
용인데, 상세했다. 본인은 장인어른의 한의원을 물려받았고
지금은 장인어른 대신 원장이 되었다. 책임질 일이 많으니,
그만큼 스트레스를 많이 받는다고 했다. 한의원 원장이 요구
하는 것이 이야기를 따라 자연스럽게 언급되었다.

- 그래서 그 스트레스를 풀러 왔어. 산책, 명상, 운동, 요가
등으로는 스트레스가 해소되지 않더라.

한의사의 말투가 자연스럽게 반말로 바뀌었다.

- 어. 미안. 초면에 내가 말을 놓아버렸네. 아가씨가 내 말을
너무 잘 듣고 리액션도 너무 좋아서. 친한 여동생으로 느껴

졌나 봐.

- 괜찮아요. 저도 점잖은 오빠 한 명 있으면 좋죠. 말 놓는 게 편해요.

- 그래?

한의원 원장은 상의 안쪽 주머니에서 지갑을 꺼내, 오만 원짜리 지폐 하나를 진주에게 건넸다. 진주의 눈은 한의원 원장의 지갑에 꽂혔다. 만 원짜리, 오만 원짜리가 옆으로 누워, 수북이 채워져 있었다. 얼마나 틈이 없는지, 지폐 한 장 꺼내는 것이 힘들어 보였다. 진주는 속으로 쾌재를 불렀다.

- 진주야. 이 오빠 스트레스 풀려고 이곳에 왔거든. 이 오빠 스트레스 좀 풀어봐. 하는 거 봐서 또 줄 수 있어.

진주는 한의원 원장 바로 앞에서 옷을 벗었다. 팬티만 입은 채로, 말했다.

- 오빠, 초면에 인사드릴게요. 진주예요. 꼭 기억해 주세요.

진주는 한의원 원장 코 앞에서 팬티를 벗고 다리 한쪽을 탁자 위에 올려놓았다. 그리곤 손으로 하체 Y존 밑쪽을 지그시 눌러, 바깥쪽으로 당겼다. 그러자 진주의 음부가 적나라하게 보였다. 한의사 원장은 흐뭇한 미소로 진주를 쳐다보았다. 가슴은 B컵이라 실망스럽지만 배가 나오지는 않았다. 각선미와 적당한 키, 무엇보다 진주의 적극성이 마음에 들었다.

- 진주야, 오빠 마음이 한결 가벼워졌다. 근데 이 오빠는 나이가 꽤 있어. 그래서 시각적으로는 흥분을 잘 못해. 오감으로 자극해야 될 것 같아.

진주는 한의사 원장에게 다가가, 가슴으로 그의 얼굴을 문질렀다. 원장의 표정이 밝지 않다. 원장은 돌부석이 된 것마냥, 손도 움직이질 않았다.

진주는 침착해지기로 했다. 홀딱 벗은 채로 원장 옆에 앉았다. 손으로 바지 지퍼를 열고, 몸가락을 살며시 거머쥐었다. 그제야 원장의 반응이 왔다.

- 진주야, 좀 낫다. 근데 손은 좀 그렇다. 손으로 이것저것 다 만질 텐데.

진주는 원장의 몸가락을 바지 밖으로 꺼냈다. 몸을 숙여 몸가락을 덥석 물었다.

- 우리 진주 뭘 좀 아네.

원장은 다시 지갑을 꺼내, 오만 원 한 장을 탁자 위에 올려놓았다.

계속 건네주는 팁에, 진주는 기분이 좋았다.

- 오빠, 진짜 맛있다. 오빠 축소판인 것 같아.

겉은 점잖은 신사지만, 놀 때는 난하게 노는 스타일이다. 원장은 낮은 소리로 웃었다.

자세가 불안정해 불편한 진주는 구두를 벗고 소파 위에 올라왔다. 소파에서 엎드린 상태로, 원장의 것을 핥고 빨았다. 원장의 손이 진주의 가슴을 어루만지고 엉덩이로 향했다. 원장은 엉덩이를 만지던 본인의 손가락에 침을 발랐다. 그러더니 그 손가락 하나로 진주의 엉덩이 가운데를 지그시 갖다 대었다. 진주는 팁을 조금이라도 더 받으려 참으려 했는데, 손가락이 움직였다.

- 오빠, 지금 뭐 하는 거야? 변태야?

- 미안해. 진주야. 이 오빠가 흥분을 했나 봐.

원장은 다시 지갑에서 오만 원을 꺼냈다.

- 괜찮아. 오빠. 그럴 수도 있어.

화난 진주의 얼굴이 다시 환해졌다.

- 오빠, 한 시간 더 놀다 가면 안 돼?

- 한 시간이 딱 좋은 것 같아. 대신 빡세게 놀면 되지. 진주야. 나 입으로 사정시켜 주라. 그럼 10만 원 줄게.

- 십만 원으로 되겠어?

진주는 슬쩍 간을 보았다. 팁을 조금이라도 더 받기 위함이다.

원장은 헛기침을 하더니 일어나려는 모습이다. 진주는 원장을 잡아, 다시 소파에 앉혔다.

- 오빠, 장난이야. 빨리 앉아. 대신 빨리 싸.

진주는 나체인 상태로, 소파에서 내려왔다. 원장의 다리 사이로 들어가 무릎을 꿇었다. 원장의 몸가락을 정성껏 핥고 빨았다. 손으로 몸가락을 거머쥐고 흔들기까지 했다.

- 진주야. 이제 가만히 있어.

원장은 진주의 입에 아주 시원하게 사정했다. 진주는 탁자 밑에 있던 술받이통에 구토하듯 입안의 것들을 뱉었다. 원장은 약속대로 10만 원을 건넸다.

원장은 진주와의 첫 만남에서, 돈이면 무엇이든 다 할 같은 진주의 모습에 매력을 느꼈다. 그리고 그것으로 인해 단골손님이 되었다. 원장은 1년에 7~8번 정도 유흥업소를 찾았다. 진주를 불러 돈을 주며, 원장의 욕정을 풀기 위해 여러 행동을 주문했다. 그 행동의 강도가 점점 높아졌다.

처음엔 입 안에서의 사정을 원하더니, 이제는 그 과정을 보고 싶다고 했다. 원장은 본인이 사정할 때, 진주가 입을 크게 벌릴 것을 요구했다. 그러면 본인의 몸가락을 손으로 흔들며, 몸가락에서 나오는 정액을 입 중앙에 흘려보냈다. 진주는 당연히 삼키지 않고 술받이통을 찾았다. 침과 함께 술받이통에 토해냈다. 원장은 보답의 대가로 5만 원짜리 지폐 두 장을 꺼내 진주에게 건넸다.

진주는 크게 개의치 않았다. 어차피 맥주나 소주 등으로 입안을 헹구고 몇 잔 마시면 입안이 그럭저럭 괜찮아졌기 때문이다. 그 덕에 10분도 안 되는 시간에 10만 원을 버는 꼴이다.

그날도 한의사원장은 유흥업소를 방문해 진주를 찾았다. 팁에 헤픈 원장의 부름에 진주는 냉큼 달려왔다. 원장이 지금까지 룸에서 진주에게 주문한 것들이 이제는 습관이 되었다. 진주는 원장과 소소한 이야기를 몇 분 동안 나누고, 옷을 벗었다. 나체가 된 진주는 웃으며 원장의 얼굴 앞에서 가슴을 흔들었다.

- 오빠, 몸 인사야. 오늘도 재미나게 놀자.

원장은 진주의 활달함에 함박웃음을 지어 보였다.

- 재미나게 노는 것은 너한테 달렸지. 진주야, 오늘도 잘 부탁해. 근데 너 몸이 참 이쁘다. 군살이 없어.

- 오빠, 나 시간 날 때마다 공원도 걷고 집에서 운동도 해.

몸인사를 끝낸 진주는 구두를 벗고 소파에 올라왔다. 엎드리며 얼굴을 원장의 하체 쪽으로 위치시켰다. 여느 때와 같이, 바지 지퍼를 열고 몸가락을 꺼내 핥고 빨았다. 진주의 머리가 오르락내리락하는 가운데, 원장이 또 다른 것을 요구했다.

- 진주야. 오빠가 요새 심심해서 포르노를 봤어. 거기 보니깐 서양 애들이 아무 거리낌 없이 남자정액을 먹더라. 먹고 난 후엔 웃으면서 "딜리셔스"라고 말하더라. 게다가 입을 벌려 섭취한 것을 확인까지 시켜주더라. 나 그거 보고 충격받

앉잖아. 나도 해보고 싶어. 진주, 넌 오빠 말 잘 들으니깐 실천가능 할 것 같아. 할 수 있지? 물론 그에 대한 응당한 대가를 드릴게.

　원장의 몸가락을 빨던 진주는 몸서리를 쳤다. '어후 저 변태 새끼, 별 지랄 같은 요구를 다하네.' 하지만 원장의 팁(돈)에 중독된 진주는 고려하지 않을 수 없었다. 옛날 학창시절이나 결혼 생활 때 남자들의 정액을 안 먹어본 것은 아니다. 눈 감고 참으면 먹을 수도 있을 것 같다. 그리고 그 요구가 정당하다면 가능도 할 것 같다. 진주는 원장의 몸가락을 뱉으며 말했다.

- 오빠, 별 걸 다 시키네. 포르노는 단지 포르노야.
- 진주야, 이 오빠도 포르노 스타처럼 해보고 싶다. 안 해본 것을 해보는 것이, 내게 큰 쾌락으로 다가올 것 같다. 진주야, 부탁해.
- 그럼 얼마 줄 건데?
- 4장 줄게.
- 알았어. 해볼게.
- 그래. 해보자. 진주 파이팅.

　진주는 다시 원장의 몸가락을 덥석 입에 물었다. 입으로 피스톤 운동을 하며 손으로 원장의 불알을 마사지했다. 잠시 후 귀두를 머금고 한 손으로 몸가락 마디를 거머쥐었다. 혀로 귀두 밑을 간지럽히며 거머쥔 손을 세차게 흔들었다. 그러자 반응이 왔다. 원장이 다급히 외쳤다.

- 진주야. 나온다.

　진주는 원장의 맛을 느끼고 싶지 않았다. 그래서 머리를 원장 몸 쪽으로 바짝 당겼다. 원장의 몸가락이 입안 깊숙이 들어갔다. 원장이 "으~"하며 절규하는 듯한 신음소리를 내었다.

진주의 목 안으로 뭔가가 들어왔다. 성공했다. 진주는 속으로 '다행이다.'라고 생각했다. 막상 해보니 참을만했다. 진주는 일부러 시각적 효과를 더하기 위해, 천천히 얼굴을 뒤로 뺐다. 걸쭉한 침이 진주의 입과 몸가락 사이를 연결하는 듯하다. 진주는 일부러 닦지 않고 힘든 내색을 연기했다.

- 오빠 거, 너무 많이 먹었어. 배 부를 것 같아.

진주의 미소와는 달리, 원장의 얼굴은 실망한 기색이 역력하다.

- 진주야. 오빠가 원하는 것은 이게 아니야. 오빠가 확인해 보고 싶다고 했잖아. 입을 벌리고 있어야지. 그럼 내가 입에다 사정하고, 넌 그걸 꿀꺽하고 삼키면 되는 거였어. 그리고 "딜리셔스"를 외치면 되는데. 왜 내게 안 보여줬어?

진주는 기가 차다. 머리로는 룸을 박차고 나가는데, 돈에 중독된 이성은 침착하다.

진주는 "다시 해보겠다."라고 했다.

- 대신 5만 원 더 줘요.

하지만 원장은 고개를 저었다.

원장은 더 이상 시도하지 않았다. 한번 더 사정하면 양이 적을 것이라며 하지 않았다. 원장은 진주에게 팁을 주었고 그날은 그렇게 일단락되었다.

몇 달이 지나, 또 원장이 진주를 찾았다. 진주는 조금 긴장되었다. 지금까지 살아오면서 적지 않은 남자의 정액을 먹었다. 하지만 맛을 느끼거나 여유를 부리며 섭취하지는 않았다. 항상 남자들이 머리를 바짝 잡아당겨 몸가락을 입안 깊숙이 넣어 억지로 사정했다. 진주 본인의 의도와는 상관없이 강제 섭취가 되는 것이다. 근데 원장은 포르노 배우처럼 하길 원한다. 진주가 입을 벌리고 원장이 입 안으로 정액을 떨어뜨려 흘려보낸다면, 몇 초 사이로 뜨거운 정액이 조금 식을 것이다. 그리된다면 뜨거운 정액이 식으면서 비린 맛이 나지 않을까? 그 맛을 느끼며 "딜리셔스"를 외치라니. 진주는 고민이다.

진주는 TV속 다큐를 떠올렸다. 무인도에 표류된 사람들의 이야기다. 먹을 것이 없으니, 살아있는 개미를 먹거나 뱀을 구워 먹는 장면들. 그때 생존자는 이렇게 이야기한 것이 생각났다.

- 살려면 먹어야죠. 이성적으로 생각은 하지 말고 마음을 내려놓으면 가능해요.

그렇다. 진주는 생존을 위해 이 일을 하고 있다. 다른 일을 하며 살아갈 수도 있지만, 진주는 이 생활 외에 다른 직업을 생각해 본 적이 없다. 그리고 이 일 외에 다른 직장 속에서 버텨낼 수 없을 것 같다. 게다가 원장의 요구를 들어준다면 몇 탕 더 뛰어야 할 것을 생략해도 될 것이다. 그만큼 원장의 돈 씀씀이가 크기 때문이다.

원장의 부름을 받은 진주는 여전히 원장 앞에서 나체인 상태로 몸을 흔들었다. 원장이 자신의 정액을 먹으라고 한다면 시도는 해볼 생각이다.

- 진주야, 너 마침 잘 벗었다. 떡 본 김에 제사 지낸다고 나도 해보고 싶은 것이 있어.

- 뭔데요?
- 네 얼굴에다 사정하고 싶어.

예상하지 못할 상황의 연속이다. 뜻밖의 요구에, 진주는 시원하게 욕을 내뱉고 싶다. 하지만 중독된 이성이 튀어나올 것 같은 욕을 차단했다.

- 그럼 얼마 줄 건데요?
- 6장 줄게.
- 알았어요.
- 우리 진주 파이팅, 잘해보자.

나체인 진주는 소파에 올라갔다. 원장의 몸가락을 꺼내, 서비스해 주었다. 얼마가지 않아 반응이 왔다. 원장의 다급한 목소리가 들렸다.

- 진주야. 소파에 내려가. 무릎 꿇고 고개 들어.

진주는 원장의 말대로 소파 아래로 내려가 무릎을 꿇었다. 고개를 들었다. 몸가락을 잡고 흔드는 것이 보였다. 진주는 본능적으로 눈을 감았다. 짐승이 울부짖는 소리가 들렸다. 진주는 저절로 인상이 찌푸려지고 손이 올라갔다. 원장이 다시 다급히 말했다.

- 안돼. 진주야. 손 내리고 웃어.

진주는 원장의 말대로 웃으며 손을 내렸다. 뜨거운 수프가 얼굴로 쏟아지는 것 같다.

- 진주야. 이제 손으로 내 정액을 끌어모아, 그리고 입에 넣고 삼켜.

진주는 정말로 손가락을 펴서 얼굴에 묻은 정액을 입가로 끌어모았다. 원장 보라는 듯 웃으며 입가를 혀로 핥고 손가락을 빨았다.

- 좋았어. 우리 진주 최고. 기분이다. 4장 더 추가로 줄게.

　해보니 별거 아닌 것 같다. 진수는 속으로 '오늘 일과는 끝이다.'라는 생각이 들었다. 오늘 벌고자 했던 목표액을 뛰어넘은 것이다. 게다가 원장의 정액이 진주의 얼굴과 머리카락에 묻었다. 닦아도 정액 냄새가 나서, 더 이상 일할 수 없을 것이다.

　진주는 물티슈로 얼굴과 몸을 대충 닦았다. 빨리 집으로 가고 싶다. 욕조 안에 뜨거운 물을 담아, 온몸을 적시고 싶다.

- 진주야, 수고했어.

- 오빠도 수고했어요.

- 사정하고 나니깐 소변이 마렵네.

　원장이 옷을 입고 화장실로 향했다. 돌아와서는 이상한 말을 지껄였다.

- 진주야! 나 또 부탁하고 싶은 것이 있는데....... 해줄 수 있어?

- 오빠. 정말 대단하다. 이렇게 진하게 놀았으면 충족되지 않았어? 아무튼 뭔데?

- 네 얼굴에 오줌을 누고 싶어. 내가 네 얼굴에 사정할 때처럼 무릎 꿇고 고개 들고 있으면 돼.

　이번엔 참았던 짜증이 터졌다. 돈의 노예가 된 이성을 누르고, 짜증이 발끈한 것이다.

- 오빠. 진짜 변태야? 정도껏 해라.

- 그렇지? 내가 너무 심했지? 진주야. 방금 내가 했던 말은 못 들은 것으로 해. 미안하다. 진주야.

　진주는 순간 '아차' 싶었다. 손님인 원장에게 너무 세게 나간 것 같다. 이 손님의 기분이 상해, 진주를 찾지 않는다면 진주로써는 큰 낭패다.

- 다시 생각해 보니깐 그럴 수도 있겠다. 오빠는 원장으로서 높은 자리에 있잖아. 책임질 일들이 얼마나 많겠어. 그러다 보니 당연히 남들보다 스트레스가 많겠지. 오빠가 이야기한 대로, 해보지 않은 것들을 실현하면서 스트레스를 해소하려는 오빠 마음도 이해는 가. 근데 오줌은 좀 그렇다. 신체의 쓰레기가 오줌이고 똥인데, 나중엔 똥까지 먹으라고 하겠네?

원장은 크게 웃었다.

- 진주야. 내가 설마 그러겠어?

원장의 표정이 다시 풀리는 듯하다. 진주는 한시름 놓았다.

며칠이 지나, 한의원 원장이 또 찾아왔다. 진주는 원장과 술잔을 부딪히며 담소를 나누었다. 담소가 끝난 뒤, 진주는 옷을 벗고 몸으로 인사를 했다.

- 진주야. 이 오빠 골프 치거든. 이번 주에 필드에 나갈 거야. 근데 꼭 이기고 싶어.

- 오빠. 파이팅.

원장은 메고 온 조그마한 가방에서 무엇인가를 꺼냈다. 골프공이 5개 들어있는 케이스였다.

- 오빠가 이 골프공으로 시합을 할 거야.

- 누구랑 골프 치는데? 친구들?

- 친구라고 할 수 있지. 다 건물주들이야. 나도 상가를 몇 개 가지고 있어. 그러다 보니 나와 비슷한 사람들을 자연스럽게 만나게 되더라고. 관계가 발전해서 모임도 가지고 내기 골프를 치기도 하지.

- 오빠. 파이팅. 가서 이겨요. 이 진주가 열심히 응원하고 기

도할게요.

원장은 뭔가 심각한 표정을 짓더니, 진중하게 말했다.

- 오빠가 들고 있는 이 골프공에 너의 기운을 불어넣고 싶어. 그리하면 내가 이길 것 같아. 그런 확신이 들어.

- 나의 기운?

- 그래.

- 어떻게 내가 기운을 넣어줄까?

진주는 웃으며 말했다. 그러자 원장도 웃으며 입을 뗐다.

- 이 골프공을 네 보지에 넣어보고 싶어. 네 보지 안에 들어갔다 나오면 될 것 같아. 그게 이 골프공에 너의 기운을 불어넣는 거야.

진주는 황당했다. '이 새끼 날이 갈수록 미쳐가네.' 속으로 욕은 하지만 겉은 침착했다.

- 내 기운 값은 얼마 쳐줄 건데?

- 기분이다. 10장 줄게.

- 어머. 오빠. 어떡하면 돼? 물이 없는데? 오빠가 날 흥분시켜 주면 물 나올 수도 있겠다.

원장은 기다렸다는 듯이 가방에서 또 무엇인가를 꺼냈다. '러브젤'이었다.

- 이게 윤활유 역할을 해줄 거야.

원장은 계획하고 왔다는 것을, 진주는 준비물품을 보며 확신했다.

- 진주야, 뭐 해? 탁자 위에 올라가서 앉아.

진주는 천천히 탁자 위에 올라갔다. 진주는 보도방의 도우미 중에 손님의 흥을 돋우기 위해 여러 쇼를 한다는 이야기를 들었다. '~카더라'란 소문이지만, 보지로 담배를 피운다든지, 보지로 달걀을 깬다는 등의 기괴한 이야기들이다. 소문이 지만 아닌 땐 굴뚝에 연기 날 일이 없을 것이다. 과장된 이야기겠지만, 비슷한 쇼를 할 가능성도 있을 것이다.

진주는 탁자 위에서 무릎을 세우고 앉았다. 물끄러미 내려보며 골프공의 크기를 가늠했다. 들어가면 아플 것 같지만, 가능할 것 같다. 원장은 진주에겐 신경 쓰지 않고 골프공에 러브젤을 바르기 급급했다. 다섯 개의 골프공에 수두룩 바르자, 표면에 윤기가 빛났다. 원장이 골프공 하나를 집어 들었다. 진주의 아랫도리에 넣으려다, 놓치고 말았다. 골프공이 바닥으로 굴러갔다.

- 에이. 너무 미끄럽네. 나이 드니깐 손도 떨리고.

원장이 다시 새로운 골프공을 집어 들었다.

- 진주야, 다시 벌려봐.

진주는 다리를 천천히 벌렸다. 그리고 양손을 보지 양 옆면으로 지그시 누른 상태로, 바깥쪽으로 당겼다. 깊이를 알 수 없는 조그마한 동굴이 펼쳐졌다. 원장은 흥미로운 표정으로 천천히 골프공을 입구에 갖다 대었다. 손바닥으로 천천히 밀었다.

진주는 기분이 야릇하다. 들어갈 때 조금 아프면서도 쾌락이 느껴졌다. 게다가 원장이 쳐다보고 있으니 창피스럽기도 하고 긴장과 흥분이 동시에 느껴졌다.

- 진주야. 어때. 괜찮아?

- 몰라.

- 자. 뱉어봐.

진주는 괄약근에 힘을 주었다 뺐다는 반복 했다. 그러자 모습을 감추었던 골프공이 조금씩 보였다. 조류가 알을 낳는 것 같다. 공이 흘러나와 탁자에 떨어졌다. 원장은 얼른 양손으로 골프공을 잡았다.

- 나이스. 진주. 손뼉 치고 싶은데, 손이 모자라네.

 원장이 남은 골프공을 차례대로 집어넣고 뺐다를 반복했다. 진주는 힘들지만 수치스러운 느낌은 들지 않았다. 어차피 밀실 같은 룸에서 원장과 단둘이 있는데, 밖에서는 룸에서 무슨 일이 있었는지 누가 알 것인가? 또한 원장이 유흥업소에서 일어난 일들을 말하고 다녀도, 피해 보는 쪽은 원장일 것이다. 점잖은 한의원 원장이 저리 난하게 노니 말이다. 진주는 본인의 개인기가 하나 늘어난 느낌이다. 다음에 돈 많은 단골손님에게 보여주며, 팁을 더 받아낼 생각을 했다. 진주는 탁자에서 내려와, 원장과 술잔을 기울였다.

- 오빠, 어땠어?

- 신기하고도 대단해. 내가 필드 나가서 내기 골프에 이기면, 다음에 올 때 선물로 20만 원 줄게.

- 고마워. 오빠. 꼭 이겨야 돼. 내가 보짓물에 닿았으니 꼭 이길 거야.

 진주는 갑자기 원장의 재산이 궁금해졌다. 도대체 돈이 얼마나 많으면 오만 원부터 시작해 몇십만 원까지 거리낌 없이 팁으로 준단 말인가?

- 오빠. 궁금한 것이 있는데, 한의원 원장으로 있으면 돈 많이 벌지?

- 별로. 그것보다 내가 가진 부동산으로 더 많이 벌지.

- 얼마 버는데?

- 어허. 그건 영업비밀.

 말해주지 않았지만 돈 씀씀이를 봐서는 달에 천만 원 이상

의 수입이 발생하는 가보다. 진주는 그리 짐작했다. 진주는
둘러서 더 물어보고 싶었는데, 원장이 진주의 말을 막았다.

- 진주야. 이제 우리가 하는 거 해야지.

- 알았어. 오빠.

진주는 원장의 바지 지퍼를 열고 몸가락을 가볍게 물었다.
진주는 예전처럼 열심히 서비스를 해주었다.

- 진주야. 무릎 꿇어.

진주가 아래로 내려가, 무릎을 꿇고 고개를 들었다. 진주는
눈을 감은 채 준비하고 있는데, 코로 뜨거운 것이 들어왔다.

- 진주야. 놀라지 마. 이번엔 네 콧구멍에 분출하고 싶어. 성
공하면 4장 줄게.

진주는 돌부석처럼 가만히 있었다.

원장은 진주의 코로 정액을 분출하며 죽어가는 듯한 신음소
리를 냈다. 곧이어 본인의 몸가락을 진주 입술에 갖다 대었
다.

- 진주야, 춥다. 안에 넣어서 보살펴야 돼.

이미 하관 쪽은 흘러내린 원장의 정액 범벅이다. 턱에 점도
높은 죽처럼 묻어있다. 진주는 본인이 한심하게 느껴졌고 원
장에 대한 짜증도 밀려왔다. 갈수록 내뱉는 위치가 달라지고
있다. 이제는 예측불가다. 어떤 날은 진주 뒤로 이동해 뒤통
수에다 흘어 뿌리고, 다른 날은 정수리 부분, 또 다른 날은
눈 주위에 사정했다. 진주가 많은 팁을 받지만 왠지 장난감
이 된 것 같다. 진주는 여전히 원장의 귀두를 입에 머금고
속으로 침착을 외쳤다. 짜증이 엄청나지만 지금 이 순간만
잘 견디면 괜찮아질 것이다. 반면 원장은 기분이 좋은지 또
그 이야기를 꺼냈다.

- 진주야. 오빠 사정하니깐, 오줌 마렵다. 근데 화장실까지 가기가 귀찮네. 저번에 거절했지만 한번 더 신중하게 생각해. 오만 원권 16장 줄게. 네 얼굴로 오줌 좀 싸자. 고개 들고 입 벌려봐.

진주는 입안에 있던 원장의 몸가락을 거칠게 뱉어냈다.

- 오빠, 지금 날 사람으로 보지 않는 거야. 나 오빠하고 똑같은 인간이야. 오줌은 좌변기에다 눠야지. 왜 내 얼굴에 싸지르려고 그래?

- 진주야. 오빠가 조금 더 줄게.

- 됐어.

진주는 탁자 위에 있던 물티슈로 턱을 대충 닦았다. 원장이 준 돈을 챙기고 옷을 입고 나가버렸다. 뒤에서 한의원 원장이 다급히 부르는 소리가 들렸다.

카운터에 있던 여사장이 화난 진주의 표정을 발견했다.

- 왜? 안에서 무슨 일 있었어?

- 저거 완전 변태새끼야. 언니. 다음부터 저 새끼가 나 부르면 안 갈 거예요.

진주는 그 길로 퇴근해 버렸다. 집으로 돌아온 진주는 욕조에 물을 받아, 몸을 담갔다. 몸을 깨끗이 씻으면서 원장에 대한 기억도 잊어버리기로 했다.

진주는 일주일 동안 쉬고 보도방에 출근했다. 미주가 진주에게 안부를 물었다.

- 그동안 안보이던데, 무슨 일 있었어?

- 그냥. 좀 쉬었어.

- 돈 벌어야지?

- 괜찮아, 언니. 돈 많은 손님한테 팁을 두둑이 받았어.

그러고 보니, 진주가 유흥주점 여사장에게 '원장이 콜 하면 가지 않겠다.'라고 말한 것이 떠올랐다. '그 원장을 만나면 며칠 동안 일 안 해도 되는데.......' 조금 아쉬웠다. 이미 쏟아진 물이나 다름없다. 혹시나 원장이 자신을 찾는다면, 2번 정도는 거절하고 3번째는 마지못한 척하며 만나줄 것이다. 그리되면 자신의 서비스값을 더 높게 부를 것이라 결심했다.

그런 생각들을 하고 있을 때쯤, 콜이 들어왔다. 도우미 2명을 부른다고 했다. 미주와 진주가 같이 가기로 했다. 미주와 진주가 가게에 도착했다. 미주는 도착 후, 파우치 백에서 손수건 같은 치마를 꺼내 바지 위에다 입었다. 그리고 긴 바지를 벗어 카운터에 맡겼다. 그 모습을 지켜보던 진주가 한마디 했다.

- 언니, 또 하체만 변신했네.

둘은 마주 보며 웃었다.

사장의 안내로, 둘은 룸에 들어갔다. 사장은 "재미나게 노세요."란 말을 던지고 문을 닫아버렸다.

젊은 남자 둘이었다. 이제 막 대학을 졸업한 듯한, 어린 얼굴이다. 미주와 진주는 어느 쪽에 앉을까 잠시 고민하고 있는데, 건방진 말소리가 들렸다.

- 너, 여기 앉아.

나이도 어린 남자 손님 한 명이 진주를 가리키며 지시했다. 나이도 어린것들이 반말을 하니, 미주와 진주는 기분이 불쾌했다. 마음을 다잡으며 '일'이라고 생각하기로 했다. 미주와 진주는 평사시처럼 콧소리를 내며 손님 곁에서 애교를 떨었다.

- 오빠. 한잔해.

"오빠"라는 말에 남자 손님들이 크게 웃기 시작했다.

- 딱 봐도 아줌마들이 더 늙었는데.

진주는 예감이 좋지 않다. 이런 예의 없는 손님과 있어봤자 정신적 스트레스만 받다가 퇴장당할 것이라 예상되었다. 미주와 진주는 서로 눈을 마주쳤다.

그런 것도 모르고 젊은 남자 손님들은 천방지축이다. 진주 맞은편에 있는 남자손님은 미주의 치마 안으로 양손을 집어넣었다. 그리고 팬티를 과감히 끌어내렸다. 팬티가 어느새 미주 발목까지 내려왔다. 베테랑인 미주는 침착했다.

- 오빠, 너무 급하다. 오늘 초면인데 너무 예의 없다. 서로 소개도 하고 술도 몇 잔 마시고 분위기를 타야지. 연애 처음 해봐? 잘 생긴 남자가 왜 이래? 여자는 분위기인 거 몰라? 너무 급하면 돈이라도 많이 주던가.

미주는 웃으며 팬티를 완전히 벗어 손목에 둘렀다. 미주의 말에도 남자손님은 아랑곳하지 않았다. 미주의 가슴을 거칠게 만지기 시작했다.

- 삼촌 많이 굶었어?

남자손님은 대답하지 않고 자신의 목표달성에만 혈안이 된 듯하다. 미주의 치마 안으로 손이 들어왔다. 남자 손님의 손가락이 미주의 하체를 거칠게 공략하기 시작했다.

- 아이 좀 그만해. 내가 급하면 돈이라도 더 내라고 했잖아. 내가 봉사하러 왔나?

미주는 짜증을 내며 손님을 세게 밀어버렸다. 성적욕망을 풀지 못하고 소파에 내동댕이쳐진 남자손님은 버럭 화를 냈다.

- 씨발, 싼 맛에 왔더니. 왜 빼고 지랄이야? 얼굴도 못생기고 배도 나온 주제에. 뭐? 분위기? 연애? 너희들이 우리하고 연애할 조건이 되냐? 얼굴에 주름은 자글자글해 가지고. 너희들이 돈 줘야 되는 거 아니야? 우리가 더 영계잖아. 어차피 술값에 너희 도우미비 포함되는데, 뭘 또 받으려고 난리야? 그럼 나를 즐겁게 해봐. 내가 보고 마음에 들면 팁 많이 줄게.

미주는 별말 없이 일어났다. 이런 일을 한두 번 겪은 것도 아니기에, 무덤덤하다. 화난다고 괜히 욕이나 속에 있던 말을 해본들 싸움만 일어날 것이다. 진주는 미주를 뒤따라갔다. 뒤에서 진주를 부르는 목소리가 들렸다.

- 넌 왜 나가?

미주와 진주는 나오자마자, 보도방에 전화를 했다. '퇴짜 당했으니 콜이 생기면 우리에게 연락을 달라.'라는 내용이었다.

진주는 허탈하다. 허탕을 치니 기분이 좋지 않다. 도우미로 돈은 벌어야 되겠고 이런 양아치 놈들은 또 손님으로 만날 수 있기 때문이다.

보도방에 대기하고 있던 진주에게 콜이 들어왔다. 이번에 남자손님 1명이다. 유흥주점에 도착해, 사장의 안내로 룸에 들어갔다. 회사잠바를 입은 중년의 남자가 있었다. 진주는 콧소리를 내며 인사를 했다. 손님 옆에 앉아, 술을 따르며 이야기했다.

- 오빠, 회사일 끝내고 회식하고 왔나 봐.

술을 따르던 진주는 허벅지에서 차가움을 느꼈다.

- 아이고, 부드럽네.

- 어허, 이 오빠가 매너 없게 왜 이래. 첫 만남에 인사정도 는 해야지. 정 급하면 팁이라도 좀 주던가.

 남자는 진주의 말에도 아랑곳하지 않고 진주의 다리를 두 손으로 주물럭거렸다.

- 너 이름이 뭐야?

- 진주요.

- 진주야. 밖에 돈 벌기가 얼마나 힘든지 아냐? 사장 눈치 보면서 먼지 펄펄 나는 공장 안에서 일하는 게 얼마나 힘든 줄 알아? 내가 돈을 이리 힘들게 버는데, 너한테 쉽게 줄 수 있겠냐? 너 하는 거 봐서 적당히 줄게. 그러니깐 이 오빠한 테 잘해봐.

 진주는 기가 막혔다. 허름한 회사잠바와 바지. 깎지 않아 귀를 덮은 머리까락. 진주는 청결과 거리가 먼 것 같은 손님 의 모습에서 팁을 기대할 수 없었다. 그리고 분위기를 보니, 어느 정도 술을 마시고 온 것 같다. 진주의 경험으로, 술 마 시고 온 손님들 중에 홀로 가게를 찾아와 도우미에게 행패를 부리려는 손님도 아주 간혹이지만 있었다. 진주는 좀 더 지 켜보기로 했다. 룸에 들어와, 반시간만 있어도 도우미비를 받 을 수 있다. 손님이 너무 진상짓만 하지 않는다면 견딜 수도 있을 것 같다.

 손님의 손이 분주하다. 반대로 진주는 손님의 손을 막기에 바빴다. 남자손님의 손이 팬티에 닿으면 진주는 손님의 손을 쳐냈다. 가슴을 만지려 상의 위쪽으로 손을 넣으려고 하면 진주는 상의 위쪽을 멱살잡이 하듯 한 손으로 꽉 쥐었다. 남 자손님은 손을 넣지 못하고 옷을 통해 진주의 가슴을 느꼈 다. 남자손님은 진주의 맨살을 느껴보고 싶은 모양이다. 진주의 짧은 치마 밑으로 나온 다리를 실컷 주물럭거렸다.

진주는 짜증이 밀려왔다.

- 오빠, 손은 씻었어?

손님의 손이 거쳐간 피부가 간지럽다. 손이 더러운 것인지, 손에 땀이 많은 것인지 진주는 불쾌했다. 팁이라도 많이 받는다면 위안이라도 될 텐데, 손님의 옷차림과 행동으로 봐서는 단돈 만원도 받기 힘들 것 같다.

손님이 욕을 하거나 돌발행동을 하지 않으니, 참을 만했다. 그래도 쉬지 않고 진주의 몸을 더듬고 벗기려 하는 손님의 행동에, 진주는 지쳤다. 일어나 노래를 하기로 했다.

- 오빠, 나 노래 한 곡 부를게.

진주는 트로트 한곡을 불렀다. 올라오는 스트레스를 정겨운 트로트 한곡으로 보내려는데, 엉덩이 쪽에 무엇인가가 닿는 느낌이다. 쳐다보니 손님의 바지 앞섶이 볼록 나와 있다. 남자손님이 발기한 자신의 몸가락에 잔뜩 힘을 준 상태로, 진주 뒤쪽에 밀착한 것이다.

진주는 노래를 부르며 이동했다. 그 좁은 공간에서 빠른 걸음으로 돌아다니며 노래를 불렀다. 남자손님은 오직 공격이고 진주는 오직 방어였다. 노래가 끝난 진주는 손님에게 노래를 제안했다.

- 오빠, 노래 한곡 불러요. 한 곡 듣고 싶다.

하지만 그 방법은 씨알도 먹히지 않았다. 그 둘은 톰과 제리처럼 공격하고 방어하다, 시간을 다 보냈다. 그리고 진주의 예측대로, 남자손님은 끝까지 진주 앞에서 지갑을 꺼내지 않았다.

진주는 일을 끝내고 보도방으로 오는데, 짜증이 밀려왔다.

그리고 한의원 원장이 간절히 생각났다.

- 아. 씨발. 그 원장 만나면 저런 거지 같은 양아치새끼들 덜 상대해도 될 텐데.

진주는 보도방에 대기하고 있을 때, 본인이 자주 손님을 상대하는 단골 유흥업소에 전화를 걸었다. 이 유흥업소는 한의원을 만났던 장소이기도 하다.

- 언니, 저 진주예요. 예전에 변태짓하던 한의원 원장 있잖아요? 그 원장한테서 연락 없었어요?

- 있었어. 널 찾던데. 네가 더 이상 이런 일 안 한다고 이야기했어. 눈치껏 알아듣겠지.

- 아이고, 언니, 제가 번복해서 죄송한대요. 그 손님이 저 찾으면 다시 연락 주세요.

- 왜? 마음이 바꼈어?

- 네. 제가 잠시 배가 불렀나 봐요. 이 바닥이 다 그렇고 그런데. 아무튼 부탁 좀 할게요.

- 알았어.

진주는 불안했다. 이러다 그 손님이 다른 도우미에게 가는 것은 아닐까? 한의원 원장의 요구를 들어주고 엄청나게 많은 돈을 챙기는 도우미의 모습이 상상되었다. 진주는 자신에게 꼭 다시 연락이 닿기를 간절히 바랐다.

진주가 한의원 원장을 처음 만났을 때가 가을이었다. 근데 겨울이 지나 봄이 다가왔다. 그 사이에도 진주는 여전히 도우미생활을 하며 여러 분류의 손님을 상대했다. 특히나 팁에 소극적인 손님을 만날 때마다 한의원 원장이 더욱 생각났다.

진주의 간절한 소망이 통했는지, 기온이 무척 올라가던 날, 단골 유흥업소의 여사장에게서 연락이 왔다. 그 한의원 원장이 나타났다고.

진주는 재빨리 단골가게를 찾아갔다. 도착하자마자 여사장에게 원장이 앉아있는 룸의 위치를 파악했다. 우선 침착하기로 했다. 휴게실로 들어갔다. 치마 속 팬티를 벗어, 휴게실 구석에 숨겨놓고 한의원 원장이 있는 룸으로 들어갔다. 룸으로 들어가, 원장의 얼굴을 확인하고 환하게 웃었다.

- 오빠, 잘 지냈어요? 진주 안 보고 싶었어요?

- 보고 싶었으니깐 왔지.

- 고마워요.

- 근데 너 일 그만두었다고 들었는데, 다시 하는 거야?

- 네? 뭐 그런 사정이 있었어요.

진주는 통이 넓고 밑단이 무릎 위에 위치한 치마를 입고 있었다. 진주는 소파에 바로 앉지 않고, 원장 앞에서 팽이처럼 몇 바퀴 돌았다. 그러자 치마가 펄럭이며 우산처럼 펼쳐졌다.

- 이야. 진주 그동안 오빠 많이 보고 싶었구나.

- 당연하지. 오빠 저번엔 제가 죄송해요. 내 일이 오빠같이 훌륭한 분 스트레스 풀어주는 일인데, 저도 사람인지라 이 일에 스트레스를 많이 받았나 봐요.

- 괜찮아. 그럴 수도 있지.

- 오빠. 그동안 왜 뜸하셨어요?

- 사실은 말이야.

원장은 머리를 끄적이며, 이곳에 오지 않았던 이유를 말해주었다. 진주의 상상대로 다른 유흥업소에서 본인의 요구를 잘 따라줄 도우미를 찾고 있었던 것이다. 진주는 속으로 쾌재를 불렀다.

- 오빠가 원하는 사람을 못 만났네요?

- 응. 너만 한 아이가 없더라. 젊고 얼굴 반반한 애들은 자존심이 세고, 돈이면 다 들어줄 것 같은 여자들은 내 스타일이 아니고. 네가 딱 좋은데.

원장은 본인이 좋아하는 이상형이 있는가 보다. 진주는 본인의 모습을 생각했다. 긴 생머리, 164cm 키, 군살 없는 몸매, 나이는 40이지만 30대로 보이는 동안. 진주는 본인이 원장의 이상형에 가까운 것이 다행이라 생각했다.

- 근데 진주는 왜 팬티 안 입었어?

- 원래 입었는데, 문 앞에서 벗었어요. 오빠가 어떻게 노는 줄 아니깐.

- 안 본 사이에, 내 생각 많이 했구나.

진주는 너무 반가운 나머지 원장에게 다가가 키스를 하려했다. 그러자 원장이 고개를 살짝 돌렸다. 진주는 당황하지 않고 원장의 볼에 뽀뽀했다.

- 시키지도 않았는데, 근사한 인사. 고마워. 오빠가 보답해야겠네.

원장은 가슴팍에 위치한 주머니에서 지갑을 꺼내, 오만 원 2장을 꺼내 주었다. 진주의 얼굴이 더욱더 환해졌다. 원장은 고쳐 앉으며 진주를 쳐다봤다.

- 우리 진주, 저번하고 많이 다른데, 그때 화를 많이 내더니.

- 오빠. 그건 잊어버려요. 생각이 짧았어요.

원장은 미소를 살짝 머금고 다시 이야기했다.

- 나처럼 팁 주는 사람 많이 없지? 요즘 같은 불경기에 씀씀

이가 야박하겠지.

진주는 더 이상 자존심을 앞세우지 않기로 했다. 이 손님을 단골로 만든다면 진상손님을 덜 만날 것이고 고생도 덜 할 테니깐. 진주는 원장의 말에 대답하지 않았다. 암묵적인 "그렇다."이다.

- 근데 오빠가 계신 곳은 아직 탄탄한가 보네요?

- 아니야. 우리 한의원도 소득이 많이 떨어졌어. 근데 다른 파이프 라인이 있어 괜찮아.

- 부럽네요.

진주는 정말로 부러웠다. 본인도 부동산 여러 채가 있으면 세 받아먹고 살 텐데. 그럼 이런 일도 구태여 할 필요가 없는 것이다. 진주는 원장에게 '을'이 될 수밖에 없다. 그래도 원장이 개망나니가 아닌 것은 정말 다행이다.

- 진주야. 너 이 생활 빨리 접고 싶으면 지금이라도 돈 모아서 저축하며 투자를 잘해야 돼. 열심히 살아야 된다고.

진주는 아무 말하지 않았다. 모르는 것은 아닌데, 원장의 말대로 쉽지 않다. 투자도 할 줄 모르고 열심히 저축할 마음도, 기력도 없다. 원장은 진주의 무표정을 보더니, 말을 변경했다.

- 내가 괜한 말을 했네. 너도 다 큰 성인인데. 본인 일 본인이 알아서 하는 것인데. 그냥 걱정되어서 한 말이니, 기분 나쁘게 받아들이지는 말고.

- 알아요. 오빠.

진주는 다시 환하게 웃었다.

- 진주야. 날도 이제 더운데. 옷 벗지.

- 네. 오빠.

진주는 나체인 상태로 원장 앞에 섰다.

- 천천히 돌아봐.

원장은 소파에 앉아 진주의 몸을 감상했다.

- 너 몸이 참 예쁘다. 내 이상형에 가까워. 좀 더 젊고 키와 가슴만 더 컸으면 좋았을 텐데. 그건 내 욕심이겠지.

진주가 원장을 보며 크게 웃었다. 원장이 진주의 손을 잡아 당겼다. 그러자 자연스럽게 진주는 원장의 무릎에 앉게 되었다. 원장은 손으로 진주의 온몸을 탐색했다. 입으로는 가슴의 유두를 사탕처럼 물었다. 진주는 적당한 신음소리를 내며 2차를 유도했다.

- 오빠, 내 몸 이쁘지? 나도 오빠 몸 구경도 하고 핥고 싶어. 우리 2차 갈까?

원장은 아무 말도 하지 않고 입술로 진주의 유두만 만지작거렸다. 잠시 후 진주의 가슴에서 입을 떼더니 말했다.

- 진주야. 내가 제안 하나 하고 싶은데, 내 제안 들어볼래?

- 뭔데요?

- 내가 좀 전에 말했지? 예쁘고 젊은 것들은 자존심이 세고, 돈만 주면 다할 것 같은 여자들은 내 마음에 안 든다고 말이야. 그래서 난 이런 생각도 해봤어. 젊고 예쁜 아가씨 도우미 만나고 또다시 말 잘 듣는 미씨를 만나는 거야. 젊은 아가씨 도우미에게서 젊음과 외모를 맛보고, 그다음에 요구 잘 들어주는 아줌마 미씨를 만나서 내가 원하는 욕구를 풀고. 근데 이렇게 하려면 시간이 너무 많이 들고 거추장스러워. 또 이 사람, 저 사람 만나다 보면 이야기가 어디로 셀지도 모르는 것이고.

원장은 본론을 말하지 않고 계속 돌려 말하는 것이 감지되었다. 하지만 진주는 본론이 무엇인지 대충 알 것 같았다.

- 그래서요?

- 너한테 제안을 하고 싶어. 네가 터무니없는 돈을 원한다면 난 어쩔 수 없이, 널 포기할 거야. 거추장스러운 쪽을 선택하거나 너랑 비슷한 사람을 찾으려고 노력하겠지.

- 그러니깐 오빠가 원하는 요구 다 들어주는 대가를 말해보라는 건가요?

- 맞아.

- 오빠가 원하는 요구 중에 내 머리에 오줌누기도 포함되어 있어요?

- 응.

진주는 난감했다. 돈의 액수를 너무 높게 말해버리면 단골을 영영 놓칠 수도 있다. 적정선이 얼마인지를 가늠할 수 없었다. 그러다 원장이 원하는 "내 얼굴에 오줌 싸기" 장소가 궁금했다.

- 오빠, 내 얼굴에다 오줌 싸는 건 어디서 할 거예요? 여기 비닐 깔 거예요?

- 글쎄다. 비닐이고 나발이고 사정하고 난 후 바로 네 얼굴에 오줌 누고 싶어. 여기 유흥업소 사장님께 청소비로 돈 좀 더 드리지. 뭐.

- 오빠, 그러다 여기 사장이 결백증이라도 있으면 어쩌려고요. 오빠 홀딱 벗긴 채 쫓겨나고 싶어요?

진주와 원장은 서로 마주 보며 웃었다.

- 오빠, 여기 사장언니하고 저하고 친해요. 오늘은 우선 가시고 다음에 오세요. 사장언니하고 의논 좀 할게요. 오빠 오시면 그때 말씀드릴게요.

- 뭘 의논하는데?

- 오빠가 오줌 쌀 것을 미리 말해놓아야 언니가 놀라지 않잖아요. 그리고 그때까지 '오빠가 원하는 요구 들어주는 대가'도 결정할게요.

- 알았어. 근데 사장님한테는 이야기하지 않는 것이 낫지 않을까? 창피하다. 그리고 내 주변사람 귀에 들어갈까 염려도 되고, 사장님한테 이야기하지 말고 네가 오줌 쌌다고 해라.

- 그럼 내가 오빠 만날 때마다 여기서 오줌 싼다고 욕먹어야 돼요? 그게 더 이상하지 않을까요? 저 언니 돈만 주면 모른 척할 거니깐 걱정하지 말아요. 긍정적으로 시도할게요.

- 그래. 고맙다. 그럼 오늘은 그만 가볼게. 다음 기회를 기대할게.

- 오빠, 오늘은 안 풀고 가요? 진주 얼굴에다 사정해 주세요.

- 걱정 마. 몇 달 뒤에 다시 올게. 그때 네 얼굴에다 사정하고 오줌도 빨리 누고 싶다. 그때를 위해 오늘은 참을 거야. 아무튼 이 오빠 걱정 덜게 해 줘서 고마워.

원장은 다시 지갑에서 오만 원 4장을 꺼내 진주에게 건네주었다. 원장이 가게 밖으로 나가자, 진주는 다음 손님을 받기 위해 보도방으로 가지 않고 그 가게에 머물렀다. 여사장과 의논하기 위해서였다.

진주는 유흥업소 대기실에서 기다리다, 손님이 없는 조용한 순간을 기다렸다. 여사장이 진주가 가지 않고 있는 것을 발견하고 다가가 물었다.

- 왜 안 갔어? 나한테 할 말이라도 있어?

- 언니, 이 바닥에서 종사하는 사람들 마음가짐이 뭐야? "개

같이 벌어서 정승같이 쓰자."잖아.

- 그게 왜?

진주는 드디어 본론을 꺼냈다.

- 내가 다시 만나는 단골 있잖아. 한의원 원장말이야. 그 사람 돈이 많은가 봐. 한의원 원장에다가 부동산도 여러 채 있나 봐. 오늘 이 원장이 나에게 희한한 것을 요구하네. 내 얼굴에다 오줌을 누고 싶다는 거야.

- 완전 또라이네. 멀쩡한 변기 놔두고 왜 네 얼굴에다 싸고 싶다는 거야?

- 요즘 이상한 놈들 많잖아. 본인 말로는 스트레스가 많아서, 남들이 하지 않는 돌발행동으로 위안 삼는다네. 언니와 난 돈만 많이 받으면 되잖아.

- 그래서 얼마 준다는데?

- 언니하고 의논해서 정한다고 했어. 그래서 언니 기다린 거야.

둘은 머리를 맞대고 고민했다. 그러다 가격을 정했다. 혹여나 원장이 너무 비싸다고 한다면 50만 원씩 깎아줄 계획이다. 그리고 2달이 지났다. 한의원 원장이 저녁에 유흥업소를 찾아왔다. 여사장은 원장을 룸으로 들여보내고 진주에게 연락했다. 잠시 후 한껏 치장한 진주가 룸으로 들어왔다.

- 오빠, 반가워요.

- 오. 진주, 오늘도 이쁘네. 반가워.

진주는 손으로 치마 주름을 잡고 일부러 팔랑거렸다. 원장 눈에 진주의 하체 쪽으로 검은색 털이 보였다. 진주는 테이블에 놓인 맥주병을 잡기 위해 몸을 약간 숙이고 엉덩이를 원장 쪽으로 내밀었다. 둔부가 보일 듯 말 듯하는 것이 원장을 설레게 만들었다. 진주는 원장의 술잔에 맥주를 따라주며 말했다.

- 오빠, 사장님하고 이야기했고 결정했어요.

- 그래. 어떻게 하기로 했는데?

- 오빠, 여기 오실 때마다 현금으로 4백만 원만 주시면 될 것 같아요. 여기 사장님 80만 원, 나머지는 내 몫이에요.

원장은 잠시 생각하더니, 고개를 끄덕였다.

- 좋아, 괜찮군.

진주는 작게, 휴~하며 안도의 한숨을 내쉬었다. 원장은 다시 입을 떼었다.

- 근데 사장님이 너무 많이 가져가는 거 아니야? 재주는 진주가 다 부릴 텐데.

- 사장님이 오빠 오실 때마다 양주를 대접할 거예요. 그리고 맥주와 시간은 무한이에요. 오빠가 여기서 오줌 누면, 사장님이 청소할 거예요. 그러니깐 양주 값하고 청소비라고 생각하시면 될 것 같아요.

- 사장님은 나를 이상하게 생각하지 않던가?

- 여기 사장님은 그런 거 전혀 신경 안 써요.

원장은 다시 고개를 끄덕였다.

- 그럼 이제 시작해 볼까?

- 잠시만요.

진주는 룸을 빠져나와, 카운터에 있는 여사장에게 눈빛을 보내고 고개를 끄덕였다. 그리고 다시 룸에 들어가 버렸다. 잠시 후 문을 두드리는 소리가 나더니, 여사장이 양주와 맥주 몇 병과 과일안주를 탁자에 내려놓고 나갔다. 여사장이 나가자, 진주가 옷을 벗었다.

- 오빠, 이제 시작해요.

원장은 바지와 팬티를 동시에 벗었다. 진주가 소파에 엎드린 채 원장의 몸가락을 사정없이 빨기 시작했다. 서비스를 받는 중에도 원장은 양주에 손대지 않고 맥주만 마시기 시작했다. 평소엔, 진주의 서비스를 제대로 즐기기 위해 눈을 감고 오감에 집중하던 원장이었다. 원장이 맥주 마시는 것에 집중해서일까? 원장이 웬일로 사정을 하지 않았다. 진주는 조금 짜증이 났다. 밑에서 이렇게 노력하고 있는데, 사람 성의를 무시한 채 맥주나 처마시고 있으니 말이다.

진주는 턱과 입이 아파오기 시작했다. 오랜 시간 빨고 있으니 목도 말랐다. 맥주 한잔 마시고 싶은 강한 충동을 느꼈다. 하지만 진주는 그러지 않았다. 혹시나 맥주를 마신 입으로 다시 원장의 몸가락을 문다면 가열된 원장의 몸가락이 식을 것이고, 그럼 다시 시작해야 할 것이다. 진주는 애원했다.

- 오빠, 이제 그만. 빨리 사정해. 나 힘들어.

원장은 고개만 끄덕일 뿐 여전히 맥주 마시는 것에 집중했다. 진주는 원장의 귀두를 입술로 물었다. 한 손은 불알을 만지작거렸고 다른 한 손은 몸가락 마디를 거머쥔 상태로 흔들었다.

- 오. 진주. 잘한다. 이제 반응 온다.

원장은 맥주잔을 내려놓았다. 진주의 머리를 잡아, 본인의 몸 쪽으로 바짝 잡아당겼다. 오늘은 얼굴이나 머리에 사정하지 않았다. 원장은 '으으으~'하며 죽어가는 시늉을 냈다. 그리곤 진주의 코를 한 손으로 잡았다. 순간 숨을 못 쉬게 된 진주는 원장이 쏟아낸 정액을 고스란히 삼키게 되었다. 진주는 원장의 허벅지를 손바닥으로 쳤다. 몇 초 후 원장은 모든 신체기관에 힘이 빠진 듯 소파에 널브러졌다.

진주는 '컥컥' 거리며 삼킨 것을 뱉어내려 했지만 아무것도 나오지 않았다. 진주는 원장을 보며 신기하다는 듯 말했다.

- 오빠, 신기해. 오늘은 오빠 특유의 비린 맛이 안 나. 그냥 조금 뜨거운 죽 먹은 것 같아.

- 하하하. 그건 내가 네 코를 막아서 그런 거야. 코 막으면 맛을 못 느껴. 어때? 좋지?

진주와 원장은 서로 크게 웃었다. 웃음이 수그러들자, 원장이 일어나 진주의 입에 본인의 몸가락을 삽입했다.

- 진주야, 뱉고 나니깐 춥다. 보온기능 부탁해.

진주는 뭐라고 말했다. 하지만 진주의 입안에 든 원장의 몸가락 때문에 진주의 말이 명확하게 들리지 않았다. 하지만 그 말은 '오빠 좀 쉬었다 하자.'였을 것이다.

진주는 포기한 채 입안에 있던 몸가락을 따뜻하게 감싸고 혀로 귀두 끝을 간지럽혀주었다. 그러자 원장의 몸이 휘청거리는 것이 보였다.

- 진주야, 좋아. 좋아. 좀 천천히 해.

진주의 혀가 천천히 움직였다. 원장의 몸가락이 조금 부풀어 올랐다. 원장은 침착하게 말했다.

- 진주야. 소파에 튈 수도 있으니 나가자. 나가서 무릎 꿇고 앉아. 준비해.

진주와 원장은 술병과 술잔, 안주가 놓인 탁자와 소파 사이를 빠져나왔다. 진주는 노래방 기기 앞에서 머리를 풀어헤치고 꿇었다.

원장의 얼굴이 상기되어 있다. 원장은 진주보다 반보 이상 떨어진 상태로 본인의 몸가락을 잡았다. 그리고선 진주의 얼

굴을 겨냥해, 오줌을 누기 시작했다. 진주의 얼굴이 일그러졌
다.

- 안돼. 진주야. 웃어. 그래야 오빠가 기분이 좋지. 웃는 얼
굴에 침 못 뱉잖아. 그치?

어이가 없다. 웃는 얼굴에 침은 못 뱉지만 오줌은 눌 수 있
는가 보다. 그래도 진주는 억지로 웃어 보였다.

- 진주야. 좋아. 입 벌리고 크게 웃어.

진주의 이마를 중심으로, 누렇고 따뜻한 오줌이 흘러내렸
다. 진주는 행여나 눈에 들어갈까, 눈을 감아버렸다. 원장의
오줌이 제법 오랫동안 흘러내렸다. 양이 얼마나 많았는지, 진
주의 온 머리가 적셔졌다. 진주는 그제야 원장이 왜 양주 대
신 맥주를 그리 많이 마셨는지 알 것 같았다. 그리고 눈치를
보니 사정 후 바로 오줌을 누고 싶었는데, 참고 참은 것 같
다. 많은 양과 힘 있는 물줄기를 위해서였다.

장총 같았던 원장의 몸가락과 오줌 폭포가 줄어들었다. 오
줌이 그치자, 원장은 "야호"를 외쳤다.

- 이런 느낌이군. 와 너무 개운해. 드디어 해냈어. 쌓였던 스
트레스가 확 날아가버린 기분이다. 진주야 진짜 수고했다.

원장은 진주를 칭찬하며 한 손으로 본인의 몸가락을 잡아
진주의 얼굴 위에다 '탈탈' 털었다. 귀두 끝에 맺힌 오줌을
떨어내는 것이다.

원장은 느긋한데 진주는 바쁘다. 원장은 소파에 편안히 앉
아 양주를 마셨다. 진주는 탁자 위에 놓인 물티슈로 본인의
눈을 닦았다. 그리고 맥주를 찾아 입에 털어 넣었다. 삼키지
않고 한참 동안 가글하다, 술을 버리는 통에 뱉었다. 진주는
이제 눈과 입을 사용할 수 있을 것 같다.

- 오빠, 저 이제 나가볼게요. 이 상태로 오래 있으면 오줌 냄새 배여요.

- 그래. 진주. 오늘 수고했다. 첫날이라 그렇지, 앞으로 더 익숙하고 편안해질 거야.

- 네. 오빠, 조심히 들어가세요.

진주는 다급히 옷을 입고 나갔다. 카운터에는 수건, 방향제가 놓여있었다. "언니"를 외쳤다.

- 언니. 끝났어.

- 어. 그래. 수고했어. 302호야.

여사장은 진주에게 모텔 방 키를 건네주었다. 진주는 카운터 위에 있던 수건으로 대충 머리를 닦아내고, 방향제를 머리에 뿌렸다. 신발도 구두에서 슬리퍼로 바꿔 신었다. 방 열쇠를 건네받고 3층까지 비상계단으로 뛰어가기 시작했다. 여사장과 진주가 계획한 시나리오였다. 진주는 같은 건물 모텔에 1시간 룸을 대여해서 깔끔히 샤워한다. 여사장은 청소도구를 원장이 있는 방의 문 옆에다 가져다 놓았다. 원장이 나가면 계산하고 바로 청소할 심산인 것이다.

잠시 후 원장이 말끔한 차림으로 룸을 나왔다. 본인의 오줌 냄새로 느긋하게 양주를 마실 수도 없는 노릇이다. 카운터에 있던 여사장은 원장이 민망하거나 부끄럽지 않도록 먼저 말을 걸었다.

- 원장님, 오늘 재미나게 노셨어요?

원장은 활짝 웃으며 대답했다.

- 네. 오랜만에 신나게 놀았습니다. 사장님 덕분입니다.

- 재미나게 노셨다니, 다행이네요. 우리 가게 자주 찾아주세요. 진주가 손님을 가려 받아요. 점잖은 사람으로만요. 원장

님이 되게 점잖고 친절하신가 보네요.

원장과 여사장은 서로 즐거운 표정으로 웃었다. 원장은 주머니에서 봉투 하나를 꺼냈다. 미리 준비해 둔 것이다.

- 사장님, 세어보세요.

- 뭘 세어봐요? 맞겠죠.

원장은 다시 방긋 웃으며 가게를 나갔다. 여사장은 봉투를 열어보았다. 진주가 말한 액수의 금액이 5만 원권으로 채워져 있었다.

여사장은 원장이 놀다간 룸으로 가, 청소를 시작했다. 탁자 위에 남은 맥주를 바닥에 붓고, 대걸레로 닦아내었다. 그리고 소주로 한번 더 바닥을 닦아내었다. 여사장이 처음 청소할 때는 쌍욕을 뱉어냈지만, 여러 번이 되고 일상이 되자 콧노래를 부르며 청소를 하게 되었다.

진주의 단골손님 이야기를 듣고, 미주를 비롯한 여러 도우미들은 충격을 받았다. 특히나 나체인 진주의 얼굴에다 오줌을 누는 원장의 행동에 경악을 금치 못했다. 진주의 말로는 지금도 그 원장이 단골손님으로 찾아오고 있다고 했다. 게다가 원장은 룸에서 여전히 가늠할 수 없는 다양한 욕구해소방안을 진주에게 주문하고 있다는 것이다. 그 이야기를 들은, 보도방에 있던 모든 도우미들이 잠시동안 입을 다물지 못했다. 도우미로 일한 지 얼마 되지 않은 신입도우미는 진주에게 속삭이듯 말했다.

- 언니. 이런 거 아무렇지 않게 이야기해도 돼요?

- 뭐, 어때.

도우미 보도방에서 나온 이야기들은 어디 가서 이야기할 것이 못된다. 도우미일 하는 것 자체가 남들 앞에서 자랑할 이야기가 아니기 때문이다. 그런 것을 알기에, 진주는 별 신경쓰지 않았고 다른 도우미들도 머릿속에만 담아두었다가 다른 곳에 발설하지 않았다.

미주가 일하는 보도방에 "성희"라는 도우미도 있다. 성희는 이 일을 한지 올해로 10년 차가 된다. 50대 초반의 나이로, 다른 도우미들처럼 이혼녀이다. 또한 지금은 미주와 친구처럼 지내고 있으며 슬하에 성인이 된 외동딸이 하나 있다. 보도방에서 성희의 가슴 아픈 과거가 전해졌다.

20대 초반에 군인남편을 만나 일찍 결혼을 하게 되었다. 회사 직장 상사의 중매로 남자를 만났는데, 보자마자 성희는 마음에 들었다. 특히 딱 벌어진 어깨와 큰 키, 까무잡잡한 피부가 성희의 눈길을 사로잡았다. 말이 없어 내면을 자세히 들여다볼 수 없지만 행동을 보니 근면성실할 것 같았다.

성희는 군인남자가 하라는 대로 다 응해주었다. 만나자면 만나고, 같이 밤을 보내자고 하면 같이 밤을 보냈다. 성희는 살집이 있는 편이고 키가 160이 되지 않았다. 그런 성희에게 피지컬 좋은 남자는 매력적일 수밖에 없었다. 결혼 전, 모텔에서 밤을 보낼 때, 성희는 군인남자의 다부진 몸매에 만족했다. 모텔 침대에 누워 군인과 몸을 섞을 때 성희 눈에 큰 거울이 보였다. 침대 옆, 화장대 벽면에 걸린 거울이었는데, 피스톤 운동하는 남자의 뒷모습이 적나라하게 보였다. 신체부위 중 유난히 덜렁거리며 요란하게 움직이는 것이 눈에 띄었는데, 남자의 불알이었다. 성희는 군인남자 밑에 깔려 몸 가락을 받아내면서 불알을 유심 깊게 지켜봤다. 덜렁덜렁 격하게 움직이며, 성희의 엉덩이 밑쪽을 때리는 불알. 성희는 손으로 잡아 조물딱거리며 만지고 싶은 강한 충동을 느꼈다.

사실 남자를 처음 상대하는 것은 아니지만, 성희는 남자의 신체부위 중 '불알'이 매력적으로 다가왔다. 고운 보자기로 두 개의 큰 유리구슬을 담은 것 같기도 하고, 먹기도 좋고 모양도 예쁜 인절미 떡을 뭉쳐 놓은 것 같기도 하다. 예전에 남자의 불알을 입에 넣은 적이 있었다. 한입에 쏙 들어가는 것이, 입에 오랫동안 간직해 녹여먹는 상상까지도 했었다. 또한 불알을 입에 넣어 혀로 이리저리 누르면 말캉한 것이 고운 찰흙처럼 느껴졌다. 남자가 여자의 유방을 잡아 빨고 핥 듯이 성희도 남자의 불알을 잡아 빨고 핥는 것이 좋았다.

성희에게 남자 불알은 참 신기한 것이었다. 기온이 차가우면 몸가락 밑으로 착 달라붙어 모양을 유지하는데, 온도가 올라가면 흐지부지되면서 축 늘어졌다. 성희는 그런 남자의 불알을 빨 때 불알 안, 두 개의 방울을 나누어 빨기도 하고 같이 빨아 당기기도 했다. 그리하면 남자들은 마취총을 맞은 것처럼 움직임이 없었다. 성희는 대체로 남자의 차가운 불알을 좋아했다. 한입에 넣어 녹여 핥는 재미가 있는 것이다.

성희는 불알의 매력에 빠져 집착까지 하게 되었다. 남자가 바지를 벗으면 가장 먼저 잡는 것이 불알이었고 입을 갖다 대는 것도 불알이었다. 과거에 남자와 몸을 섞으며 계속 불알을 만졌다. 남자의 피스톤 운동으로 몸이 달아올라, 불알을 과하게 만지다 욕을 먹은 적도 있었다.

　현재, 거울 속에 비친 남자의 불알은 만족스러운 모습이었다. 얼른 입에 넣고 싶지만 결혼을 염두한 탓에 조신한 척했다. 그리해도 성희는 남자의 불알을 간간히 만졌다. 성희는 군인남자의 불알을 매일 밤 만지고 입에 넣어보고 싶었다.
　둘은 그렇게 사귀게 되었고, 군인남자가 결혼을 제안했다. 군인남자는 멋진 프러포즈를 하지 않았다. 성희는 서운했지만 남자의 제안을 수락했다. 성희는 양가 부모님의 도움 없이 남편과 살림을 꾸려나갔다. 군인들에게 빌려주는 기숙사 형식의 아파트에서 신혼을 맞이했다.
　남편은 해군부사관이었는데, 배를 타면 몇 달이 지나 귀가하기도 했다. 배를 타고 돌아오면 곧장 성희를 찾았다. 성희는 힘들게 일한 남편의 성적욕구를 다 받아주고 풀어주었다. 그럴 때면 본인이 좋아하는 남편 불알을 마음껏 가지고 놀기도 했다.
　남편과 속궁합은 잘 맞았지만 생활은 맞지가 않았다. 남편은 군인의 위계질서 및 상명하복을 집에서도 적용했다.
- 밥!
- 숟가락, 젓가락!
- 물 떠 와.
- 옷 벗어.
　처음엔 성희도 잠자코 있었지만 명령식 대화가 스트레스로 변질되었다. 참다못한 성희가 군인남편에게 고충을 토로했다.

- 여보, 말 좀 이쁘게 해요. 내가 당신 와이프지, 시다바리는 아니잖아요.

그럼 남편은 오히려 더 역정을 냈다.

- 아. 여자가 말 많네. 내가 너보다 나이가 많으니깐 그리 말할 수도 있지. 그리고 내 마음은 사랑인 거 알잖아. 말투가 몸에 배여서 그래. 그런 것도 이해 못 해줘?

- 여보. 당신과 난 자란 난 환경도 다르고 성격도 달라요. 그러니깐 당신이 날 위해서 말투 좀 바꿔요.

그렇게 제안하고 부탁해도 군인남편은 변하지 않았다. 급기야 성희도 남편을 고스란히 따라하기 시작했다.

- 여보. 양말 제대로 벗어 놔.

- 나 오늘 생리야. 아무것도 시키지 마.

남편과 똑같은 행동을 보여줌으로써, 남편이 잘못한 것을 되새기게 만들고 반성할 것을 촉구했다. 이런 성희의 노력이 통하지 않았다. 오히려 둘의 관계를 더 악화시켰다. 화가 난 성희는 군인남편에게 반말을 하기 시작했다.

- 나이 많은 것이 자랑이야. 지금인 몇 년도인데, 나이 많다고 대접받으려고 해? 부부는 평등한 거야.

- 이게 미쳤나?

군인남편이 성희에게 조금씩 폭력을 행사하기 시작했다. 처음에는 뺨을 한 차례 때리던 것이 나중에 발로 차기도 했다. 시간이 지나니, 주먹질도 했다. 성희는 맞아도 똑같이 화를 내고 욕을 했다. 그럴수록 군인남편의 구타강도는 더욱 높아졌다.

성희는 몸에 변화가 생긴 것을 감지했다. 임신한 것이다. 태어날 아이와 행복하게 살아야 할 텐데, 성희는 남편의 폭력적인 행동으로 부부생활의 희망을 잃어버렸다. 성희는 아버지를 찾아가, 도움을 요청했다. 남편의 폭행을 이야기하며 눈물을 흘렸다.

- 마누라 때리는 거, 그거 자주 하면 습관 되고 일상이 되어버린다. 그냥 이혼해라.

태어날 아기를 생각해서라도 지금 이혼하는 것이 맞다고 판단했다. 성희 아버지는 군인남편을 만났고, 둘은 담판을 지었다. 서로 합의 하에 이혼하기로 했다.

이혼 후, 몇 개월이 지나 딸이 태어났다. 성희는 부모님의 도움으로 딸을 힘들지 않게 키울 수 있었다. 어린 딸을 부모님에 맡기고, 간호조무사 자격증을 공부했다. 자격증을 획득해, 병원에서 일했다. 시간이 지나 성희 부모님이 차례대로 돌아가시고 성희와 딸만 남게 되었다.

성희는 40대가 되었을 때 병원 일을 그만두었다. 좀 더 수월하게, 돈을 더 벌 수 있는 일을 찾기로 했다. 딸도 이제 갓 20대가 된 성인이라, 크게 신경 쓰지 않아도 되었다. 일자리를 찾던 중, 성희는 오랜 기간 남자와 성관계를 하지 않은 사실을 깨닫게 되었다. 군인남편과 살 때에는 보지구멍에 남편 정액이 마를 날이 없었다. 근데 부모님과 같이 살며, 병원일과 딸을 돌보는 것에 신경 쓰다 보니 남자는 눈에 들어오지도 않았던 것이다. 그러던 중 병원일을 하다 알게 된 지인의 소개로 유흥업소 도우미일을 소개받게 되었다.

도우미 생활의 첫날, 성희는 떨리는 가슴과 긴장감을 주체하기 못했다. 성희는 처녀시절에 버리지 않고 간직해 온 옷들 중, 짧은 치마와 블라우스를 입고 일했다. 유흥업소에서 비슷한 40대의 남자를 만났고, 2차도 가게 되었다. 모텔방

안, 손님과의 잠자리에서도 성희는 남자의 불알을 제일 먼저 입에 넣었다. 그날을 계기로, 성희는 도우미 생활에 있어 긴장감이나 불안감은 없어져버렸다. 성희는 그동안 하지 못했던 남자와의 잠자리를 보상받으려는 듯 유흥업소 룸에만 들어가면 손님들에게 2차를 주문했다. 특히 힘 있어 보이며 젊은 남자들에게 2차를 적극적으로 권유했다.

- 나랑 2차로 모텔 가자, 가면 불알도 빨아주고 천국으로 보내줄게.

- 잘해?

- 한번 믿어봐.

성희는 그나마 젊었을 때, 본인의 욕구도 풀고 돈도 왕창 벌 심산이었다. 그래서 이 남자, 저 남자 상관없이 2차를 자주 즐겼다. 하지만 과도한 욕심이 화를 불렀다. 성병에 걸린 것이다. 성병에 걸리면 보건증을 취득할 수 없다. 그리되면 유흥업소에 출입할 수 없었다. 성병이 낫고 다시 보건소에서 검사를 해야만 한다. 몸에 이상이 없을 시, 보건증을 다시 획득할 수 있는 것이다. 보건증을 검사하는 주기는 일정하지가 않다. 어떤 때는 6개월에 한 번씩 검사를 하기도 하고, 3개월에 한 번 검사할 때도 있었다.

도우미들이 보건소에 가서 검사하는 것은 총 3가지다. 첫 번째는 자궁검사이다. 다리를 벌려 자궁을 육안으로 보고 안에 체액을 채취해 검사한다. 두 번째는 피검사이다. 에이즈에 걸렸는지 알아보는 것이다. 세 번째는 항문 검사인데, 검사받으러 온 도우미를 엎드리게 한다. 긴 면봉으로 항문 깊숙이 찔러 넣어, 첫 번째 검사와 마찬가지로 체액을 채취한다. 검사 발표는 일주일 이내에 나온다. 성병 등의 바이러스가 발견되지 않으면 보건증을 획득할 수 있고, 도우미들은 그 보건증으로 유흥업소를 다시 출입할 수 있는 것이다.

성희는 집에서 한 달 넘게 쉬었다. 성병을 낫고자 먹는 약이 독하다. 몸이 축나는 것을 느낄 수 있었다. 게다가 나이도 40대인지라 회복력도 예전 같지가 않다.

딸에게는 성병이라 말하지 않고 몸이 안 좋아 쉰다고 일러두었다. 성희는 지금까지 딸에게 밤늦게까지 영업하는 식당 일을 도와준다고 말해놓았다.

집에 쉬면서 성희는 딸의 방안을 살펴보았다. 딸은 어느새 성인이 되었고 사회의 일원으로서 일을 하고 있는 것이다. 대기업 내 계약직 서무로 일하고 있다. 아버지 없이도 잘 커준 딸에게 감사하고, '다행'이라 생각했다.

군인남편은 아직 살아있다. 여자를 만나서 살다 파투 났다는 소문을 들었다. '세 살 버릇 여든까지 간다.'고 남편의 버릇은 고칠 수 없는가 보다. 성희와는 연락하지 않지만 군인남편이 딸에게는 간헐적으로 연락을 하는 듯하다. 지가 무슨 아빠노릇했다고 연락을 하는 것인지, 성희는 화가 난다. 딸이 성인이 되기까지 양육비로 매달 45만 원을 보내왔다. 딸이 아기일 때부터 어른이 될 때까지 금액이 똑같았다. 없는 것보다 낫기에 쌍욕은 하지 않았다. 법적으로 따져, 더 받아낼 수도 있지만 성희는 골치 아픈 것이 싫어 시도도 하지 않았다.

이제 딸도 다 컸으니, 예전만큼 돈이 많이 들어갈 일도 없다. 제 몸만 잘 건사하면 되는 것이다. 딸의 방을 둘러보며, 성희는 여유를 가지고 아등바등 살지 않기도 결심했다. 지금까지 열심히 살았으니, 몸을 아끼기로 했다. 그런 이유로, 이제 2차는 줄이기로 했다. 성희는 오랫동안 만나서 잘 알고 있고 검증된 단골손님, 문란해 보이지 않고 잘생기고 젊은 남자들과 2차를 가는 것으로, 본인의 매뉴얼을 정해놓았다.

한 달이란 시간이 지나, 성희는 성병이 완쾌되었고 보건소에서 보건증을 획득할 수 있게 되었다.

성희 사연의 핵심내용은 단골손님과 관련된 이야기다. 성희를 찾는 여러 명의 단골손님 중엔 점잖은 신사분이 한 명 있었다. "태수"라는 사람이데, 나이는 성희보다 10살가량 많았다. 대기업 임원이란 사실만 알고 있다. 처음 성희를 만났을 때는 점잖게 노래만 부르다 귀가했다. 태수는 회사친목을 위한 회식이 끝나면 자주 유흥업소를 찾았다. 그리곤 성희를 불러들였다. 술에 몹시 취한 어느 날, 성희와 2차를 갔다. 그때부터 성희의 특기에 반해버린 것이다.

태수는 예전만큼 발기가 되지 않아 고민이었는데, 성희가 그런 고민을 풀어주었다. 태수의 몸가락을 잡아 위로 젖히고 주야장천 불알만을 입으로 탐닉한 것이다. 성희의 불알 빨기와 핥기, 손으로의 애무가 불알 마사지 또는 자극이 되었는지 몸가락이 서서히 일어나는 것이다. 게다가 심리적으로도 성희가 서두르거나 재촉하지 않으니, 심리적으로 안정이 되었다. 몸을 섞을 때도 성희는 서두르는 법이 없었다.

- 오빠, 다음부터 불알 밑에 있는 털 제모 좀 해요. 불편해요.

성희는 농담 같은 말투로 알려주었다. 태수는 허리를 앞으로 굽혀 본인의 불알을 내려다보았다. 불알 밑에 대감님 턱수염처럼 털이 길게 나와있는 것이 보였다.

- 알았어. 다음에 제모하고 올게.

그만큼 성희는 남자 불알을 애무하는 것에 있어서 진심인 것이다.
 태수는 성희와 몸을 섞으면 쾌락에 도달했다.

얼마 지나지 않아, 태수가 다시 성희를 찾았다. 유흥업소 내 룸에는 술과 안주가 테이블에 놓여있고 둘만 있다. 태수는 소파에서 일어나 바지와 팬티를 같이 벗었다.
 - 짜잔~
 - 오빠, 센스쟁이.
 태수의 불알 밑이 깔끔하다. 성희의 요구대로 불알 밑에 제모를 한 것이다.
 - 털 없으니깐 더 귀엽다.
 성희는 얼른 태수에게 다가갔다. 몸가락을 잡아 젖히고 불알을 입에 갖다 대었다. 입술로 빨아 당기고 혀로 핥기도 했다. 태수에게서 "으~"하는 신음소리가 들렸다. 혀로 불알을 가지고 놀던 성희는 불알 전체를 입에 넣었다. 정말 삼키려는 듯, 뺨이 움푹 패이는 것이 보였다. 태수는 아픔을 느꼈다. 하지만 내색하지 않았다. 만약 "아프다."라는 표현을 한다면 다시는 이런 서비스를 못 받을 것 같았기 때문이다. 성희는 이제 고환을 나누어 빨기 시작했다. 차례대로 입술로 물어 잡아당기며 아픔을 주었다. 잠시 후 미안하다는 의미로 입에 넣은 상태로 혀로 마사지해 주었다.
 태수는 전문가에게 모든 것을 맡기기로 했다. 그리고 그 믿음은 확신이 되었다. 아픔이 따스함이 되고, 따스함이 쾌락이 되어 몸가락으로 힘이 전달되었다. 발기가 된 것이다. 태수는 여자를 엎드리게 하고 뒤에서 몸가락을 삽입하는 자세를 선호했다. 뒤에서 여자의 양쪽 골반을 잡아당기며 세게 삽입하는 것. 그리하면 여자의 엉덩이와 자신의 단전이 닿는 느낌이 좋았고 운동도 되는 것 같아 자주 애용하는 자세였다. 성희는 태수의 요구를 거절하지는 않았다. 처음에는 무슨 짐승이 된 것 같아 기분이 내키지 않았지만, 차츰 성희도 이 자세가 마음에 들었다. 엎드린 자세로 고개를 떨구면 흔들거리는 태수의 불알을 구경할 수 있기 때문이다. 축 처진 불알이 요동치는 모습이 재미있었다. 게다가 그 처진 불알이 성희의 보지를 간지럽혀주면 그 기분 또한 나쁘지 않은 것이다. 성희는 자주 상체를 숙여 손을 밑으로 뻗었다. 태수의 불알을 잡았다 놓았다를 반복했다. 피스톤 운동을 하는 상황에서도, 성희는 불알에 집착했다.

성희는 신음소리를 한껏 내지르면서도 태수의 불알을 만지작거렸다. 태수도 별로 개의치 않는 듯 신경 쓰지 않았다. 성희는 태수의 이런 부분도 마음에 들었다. 다른 손님은 섹스 도중엔 불알에 손도 대지 못하게 했다. 한 번은 불알을 잡았다가 욕먹은 적도 있었다. 둘은 호흡이 잘 맞는 듯하다.

태수가 성희를 만나기 위해 유흥업소를 방문했을 때였다. 성희는 태수의 불알에 새로운 것을 시도해보고 싶었다. 성희가 태수를 만나기 전, 고무줄을 씻어 준비했다. 룸에 들어간 성희는 태수를 일으켜 세웠다. 바지와 팬티를 벗기게 했다. 축 늘어진 태수의 불알이 보였다. 성희는 준비한 고무줄로 태수의 불알 위쪽을 두 번 감았다. 그러자 거짓말처럼 축 늘어졌던 태수의 불알이 공처럼 빵빵해졌다. 성희는 그 모습을 보며 방긋 웃었다. 성희는 바로 입을 갖다 대었다. 한입에 넣고는 식감을 느끼려는 듯 오랫동안 입에 머금고 있었다. 이때 태수는 눈을 감는다. 본인이 보온밥통에 들어온 기분이다. 본인의 불알이 쌀이고 취사밥통이 성희의 입이다. 서서히 밥이 되어가는 느낌이다. 점차 따스해지고 그 온기가 온몸으로 전해졌다. 간헐적으로 밥을 일구듯이 혀가 불알을 휘저었다. 그럼 다시 몸가락에 힘이 들어왔다. 태수는 진심으로 '매일 성희와 잠자리를 하고 싶다.'라는 생각까지 들었다. 이 기분 좋은 따스함을 느끼며 잠들고 싶었기 때문이다.

태수는 완전 발기된 몸가락을 확인하고는 성희를 엎드리게 했다. 뒤에서 몸가락 삽입 후, 서서히 엉덩이를 흔든다. 피스톤 운동을 할 때면 자신이 아직 건강하게 살아있다는 것을 느낀다. 태수에겐 그 느낌은 삶의 활력소이자 낙이다. 이런 기쁨을 제공해 준 성희에게 고맙다.

이런 성희의 특기를 사랑하는 소수정예의 단골손님들이 있다. 그중에 태수가 가장 점잖고 팁도 넉넉히 주었다. 간혹 2차를 갈 때면 몸을 섞는 것 외에도 이런저런 이야기도 많이 나누어, 다른 손님들보다 정이 깊었다. 성희는 같이 살림을 차리고 싶다는 생각도 잠시 가졌었다. 하지만 태수는 유부남이었다. 생각만 잠시 했을 뿐이다.

성희는 유흥업소 도우미로서, 딸의 어머니이자 집안의 가장으로서 역할도 잘해나가고 있었다. 그러던 어느 날, 딸이 "결혼" 이야기를 꺼냈다. 성희는 뛸 듯이 기뻤다. 이제 한시름 놓는 듯했다. 딸이 시집간다면 이제 본인 일만 집중해도 되기 때문이다.

사위가 될 남자는 대기업 기술직으로 일하는 남자다. 딸이 사위될 남자를 집에 데려왔는데, 체격이 다부지고 성실해 보였다. 딸의 신랑감으로 합격이었다. 특히 사위될 남자의 직장이 마음에 들었다. 대기업에서 좋은 복지나 혜택을 받을 것이다. 또한 높은 연봉을 받으니 성희의 딸은 집안일만 해도 될 것 같았다. 물론 본인들이 알아서 할 것이다. 성희는 딸에게 장밋빛 미래만 보이는 듯하다.

성희는 딸에게 일러준 것처럼, 사위될 남자에게도 자신이 저녁에 지인의 가게 일을 도와준다고 말해주었다.

결혼 준비는 아무 차질 없이 순차적으로 진행되었다. 이제 상견례만 남았다. 딸에게 들으니, 예비사위의 집안은 양반가 집안으로, 어른들의 입김이 세다고 한다. 어른들의 입김이 세면 예물 등의 구입이 생각보다 늘어날 수도 있을 것 같다. 성희는 비싼 예물 구입이 신경 쓰였지만, 그동안 열심히 도우미생활을 하며 저축했기에 크게 염려되지는 않았다.

드디어 상견례날이 다가왔다. 이날 예물 준비나, 결혼날짜, 앞으로 결혼해 살아가는 데 필요한 것들을 당사자와 어른들이 의논할 것이다. 중심가에 있는 한식당을 상견례 장소로 잡았다. 신발을 벗고 들어가, 앉는 곳이었다. 성희와 딸은 미리 가서 자리를 잡고 있었다. 성희는 매일 짧은 치마만 입다가, 한복을 입으니 잠시 어색하기도 하고 불편하기도 했다. 하지만 딸을 시집보낸다는 생각으로 뿌듯함만이 존재했다. 성희의 마음은 벌써 결혼식장에 와있다. 딸의 손을 잡아 사위에게 건네주는 것을 상상했다.

드디어 예비사위 식구들이 들어왔다. 딸과 성희는 일어나, 예비사위 식구들을 맞이했다. 식구들이 많았다. 딸의 말로는 가문 있는 집안이라 부모님 외에도 큰아버지, 작은 아버지, 예비사위들의 형제들도 같이 왔다고 했다. 성희는 예비사위의 가족들과 눈을 맞추며 차례대로 인사하다, 낯이 익은 얼굴이 보였다. 화들짝 놀랐다. 가족 중에 성희의 단골손님인 태수가 있었다. 태수도 잠시 놀라는 표정이 스쳐 지나가듯 보였다. 둘은 서로 모른척하며 고개를 숙였다.

태수는 예비사위의 작은 아버지였다. 성희는 목이 바짝 마르고 등에 식은땀이 났다. 정신을 차릴 수가 없었다. 머릿속에 계속 걱정뿐이다.

- 내가 도우미 생활한다고. 이 결혼을 파투 내거나 내 신분을 발설하지는 않겠지.

성희는 이런 걱정 때문에 음식이 입으로 들어가는지, 코로 들어가는지 알지 못했다. 예비사위의 식구들이 말하는 이야기와 질문들이 제대로 들어오지도 않는다. 성희는 살짝 미소 지으며 고개만 연신 끄덕이고, "예"라고만 기계적으로 대답할 뿐이었다. 그러다 건너편에 있는 태수를 곁눈질하며 관찰했다. 태수는 성희와 딸 쪽으로 쳐다보지 않고 술과 안주만 연신 먹고 있었다. 말없이 술과 음식을 먹는 태수의 표정이 어둡다. 어두운 태수의 표정을 보니, 성희의 마음은 더욱더 불안해졌다.

시간은 흐른다. 1초가 1시간 같았던 상견례 자리가 끝이 났다. 태수는 인사도 하지 않고 그냥 나가버렸다. 예물 등의 여러 가지를 이야기를 한 것 같은데, 성희는 생각나지 않았다. 집에 가서 딸에게 다시 물어보면 될 것이다.

성희는 집에 도착해서도 마음이 계속 불안하다. 아무리 우리 사는 세상이 좁다고 해도, 상견례자리에서 성희를 아껴주는 단골손님을 만나다니. 성희는 어이가 없었다. 성희는 태수에게 '전화를 걸어볼까'도 생각했었다. 하지만 그러지 않기로 했다. 이런 일로 전화하는 것이 더 이상할 것 같았다. 아쉽지만 '태수'라는 단골과의 만남은 끝내기로 마음먹었다. 사위 식구들과 몸을 섞을 순 없기 때문이다.

- 엄마, 오늘 표정이 왜 그래?

딸이 물었다.

- 아니. 괜찮은데.

성희는 아무렇지 않은 척했지만 여전히 불안하다. 그리고 그 불안은 다음날 현실이 되었다. 상견례 다음날, 성희는 일을 나가지 않았다. 딸이 울며 성희의 방으로 들어왔다. 최악의 상황이 발생하지 않기를 간절히 바랐는데, 현실로 다가온 것을 성희는 직감적으로 감지했다.

예비남편에게서 결혼파투 소식이 전해진 것이다. 당연히 작은 아버지가 온 가족들에게 성희이야기를 한 것이다. 딸이 울며 들은 것을 이야기했다.

- 엄마 되는 사람은 유흥주점 도우미다. 최근 유흥업소에 방문했는데, 본 적이 있다. 확실하다. 저런 여자의 딸과 사돈관계를 맺을 수는 없다. 다른 여자를 찾아봐라.

딸의 눈물 섞인 토로에 성희는 기가 막혔다. 왜 2차 가서 불알 빤 것도 이야기하지? 성희는 괘씸했다. 아무리 양반집 안이라도, 만나는 남녀 본인만 좋으면 된 것이지, 왜 집안을 들먹인다 말인가? 화가 난 성희는 태수에게 전화를 걸었다. 역시 예상대로 전화를 받지 않는다.

아끼는 예비사위와 단골을 동시에 잃었다. 근데 손님인 태수는 당당하고 도우미인 성희는 죄인이다. 성희 속이 뭉그러지는 것 같다. 근데 이게 끝이 아니다. 딸이 임신을 한 것이다. 예비사위네 집안은 양육비만 매달 건네주고 일단락하는 것으로, 통보를 했다.

　어느 늦은 밤. 성희는 이불을 뒤집어쓴 채, 하염없이 울었다. 지지리도 복도 없는 본인의 인생을 딸이 대물림받은 것은 아닌지, 그리고 그것이 본인 때문에 생긴 결과는 아닌지, 가슴을 치며 통탄했다.

미주의 가스라이팅

미주는 오랜 시간 도우미생활을 하며 어느 정도의 부를 축적했다. 이혼 후 30대 중반부터 시작해서 지금 50대 초반까지, 정말 개같이 벌어서 정승같이 쓰며 돈을 저축한 결과이다. 이제 나이도 있는지라, 손님도 가려 받았다. 50이 넘어서 돈 때문에 손님들에게 비굴해지는 자신의 모습을 더 이상은 보기가 싫었기 때문이다. 추가적으로 본인만의 기준도 생겼다. 손님 받을 때 젊고 키 크며 잘생긴 남자가 들어오면 팁을 억지로 강요하지 않기로 했다. 단 예의 바르고 본인에게 친절해야 했다. 최근 새해 들어 결심한 것이다. 지금까지 아무 손님이나 비위를 맞춰가며 돈을 벌었다면, 이제는 손님과 동등한 입장에서 즐기고 싶은 것이다.

새해, 미주는 딸과 사주를 보러 갔다. 미주는 본인 노년의 운세를 물어보았다. 점쟁이가 '좋은 기운이 넘쳐나는 운세'라며 칭찬했다. 미주는 기분이 좋았다.

미주는 본업으로 돌아와 일을 했다. 보도방 사무실에서 손님 콜을 기다리는데, 연락이 왔다. 도우미 2명이 필요하다고 했다. 미주와 성희가 선택되었고, 손님들이 기다리는 곳으로 갔다. 미주와 연령대가 비슷해 보이는 남자 2명이 룸에 앉아 있었다. 둘 다 체격이 다부진 것이 운동 꽤나 한 사람들 같다. 근데 분위기가 그리 해맑지는 않다.

성희와 미주는 각각 손님 옆으로 가, 인사를 건네며 손님 술잔에 술을 따라주었다. 성희의 파트너는 그나마 성희의 인사를 받고 인사를 건넸다. 성희의 팔을 건드리며 이야기를 나누는 모습이 보였다. 그런데 미주의 파트너는 좀 이상하다. 인사를 해도 반응이 없고 뭔가 화가 난 일이 있는지, 미동도 없었다. 뻘쭘해진 미주는 손님의 화를 달래주려 노력하지 않았다.

- 놀러 왔으면 즐겁게 놀다 가면 되지. 화 풀려고 온 건가?

　미주는 속으로 혀를 차며 가만있기로 했다. 어차피 시간이 지나면 손님의 술값으로, 미주의 도우미비가 포함되어 지급될 것이다. 미주는 시간이 빨리 지나가기를 바라며 본인 술잔에 술을 따라 홀짝홀짝 마셨다. 잠시 후 성희가 노래방 기기에 번호를 입력하고 노래를 불렀다. 미주도 소파에서 일어나, 성희와 같이 노래를 불렀다. 남자손님 두 명이 심각한 이야기를 하는 것이 얼핏 보였다. 미주는 시계만 쳐다봤다. 노래가 끝나자, 미주와 성희는 다시 각각의 파트너 옆에 앉았다. 성희 파트너는 음흉한 미소를 지으며 성희 몸을 만지작거렸다. 성희는 콧소리 내며 앙탈을 부렸다. 하지만 소리만 낼뿐, 손으로 제지하지는 않았다.

　반면 미주는 또 본인 술잔에 술을 따르고 마셨다. 느닷없이 미주 파트너가 고함을 치기 시작했다.

- 야이. 씨발년아. 손님이 왔으면 즐겁게 해 줘야지. 여기 술 처마시러 왔냐? 내 돈으로 술 마시니깐 좋냐?

　처음 인사할 때는 받아주지도 않고 사람취급도 하지 않던 손님이 이런 돌발행동을 하니 당황스럽다. 특히나 쌍욕에 미주는 아연실색했다. 미주는 벌떡 일어났다.

- 나 당신 같은 사람한테 욕먹을 만큼 잘못한 것 없어요. 됐어요. 저 그냥 나갈게요.

- 미친년아, 돈 안 벌 거야?

- 손님한테 돈 안 받아도 돼요.

　미주는 룸 문을 열고 빠른 걸음으로 도우미 대기실로 갔다. 그곳에 미주의 파우치 백이 있기 때문이다. 그것만 들고 재빨리 이곳을 빠져나갈 생각이었다. 근데 이 남자가 계속 고함을 치며 미주를 쫓아왔다. 빨리 걷고 있는 미주의 어깨를 세게 잡았다. 남자는 미주의 옷을 잡은 상태에서, 자신 쪽으로 강하게 당겼다. 미주는 어떻게든 빠져나가려 버텼다. 그러다 미주의 블라우스 어깨 쪽이 찢어지며 미주는 바닥에 엉덩방아를 찧었다. 옷이 찢어져, 브래지어 끈이 보였다. 그 상황을 목격한 남자웨이터가 달려와, 둘의 대치상황을 중재했다.

보도방 사무실로 돌아온 미주는 서럽고 화가 났다. 이 나이 먹어서도 이런 취급을 당한 자신의 상황이 너무 비참하게 느껴졌다. 사람을 우습게 아는 남자손님에게도 화가 났다. 본인이 30, 40대라면 똥 밟았다며 넘겨겠지만 50대가 되니 용기가 생겼다.

- 내가 비록 유흥업소 도우미로 일하지만 죄지은 것은 아니잖아. 나쁜 짓한 것도 아니고 억울해서 못 참겠어.

미주는 그 길로 파출소를 찾아갔다. 눈물을 글썽이며 경찰관에게 본인이 당한 억울한 일을 토로했다. 젊은 남자 경찰관이 미주를 위로해 주었다.

- 아이고. 아주머니. 참 억울하시겠어요. 제가 잘 해결해 드릴게요. 너무 가슴에 두지 마세요. 본인만 힘들어요. 그리고 내일 해결되는 대로 연락드릴게요. 사고는 접수되었습니다.

- 네. 감사합니다.

미주는 친절한 경찰관 덕분에 서러움과 분노를 조금은 덜어 낼 수 있었다.

다음날 늦은 저녁, 정말로 그 친절한 경찰관에게서 연락이 왔다.

- 아주머니. 잘 해결되었어요. 그 진상 손님과 통화했어요. 합의금을 주든 찾아가서 싹싹 빌던지, 무슨 수를 사용하든 합의하라고 했어요. "그렇게 하지 않으면 당신의 직장에 이 사실이 알려질 것이다. 돈 몇십만 원 주며 사과하고 잘 해결하는 것이 좋을 것이다. 집행유예 받더라도 다른 사람 귀에 들어가면 무슨 창피냐?"라며 제가 압박을 가했어요. 그랬더니 무조건 합의 보겠다고 했어요. 본인이 직접 찾아가 용서를 빌겠다고 했으니, 기다리시면 될 것 같아요. 그러니깐 근무처에 다시 그 사람이 찾아오더라도 겁먹지 마세요. 용서를 구하러 온 것이니깐요.

- 네. 경찰관님, 너무 고맙습니다.

미주는 "고맙다."라는 말을 연거푸 했다. 현재 미주에게는 찢어진 옷이나 돈이 문제가 아니었다. 일면식도 없는 남자에게 화풀이 장난감이나 욕받이로 전락한 것이 억울한 것이다. 그 진상 손님이 용서를 구하러 온다고 하니 기다리기로 했다.

경찰관에게 전화받은 그다음 날 저녁, 보도방에서 콜을 기다리는데, 진상 손님을 만났던 그 유흥업소에서 미주를 찾는 전화가 걸려왔다. 예상대로 그 진상 손님이 혼자 와, 미주를 기다리고 있다는 전화내용이었다. 알고는 있었지만 막상 다시 진상 손님을 만나려니 겁이 났다.

미주는 그 진상 손님이 혼자 있는 룸에 들어가기가 두려웠다. 그래서 유흥업소 카운터에서 그 진상 손님을 기다리기로 했다. 미주가 웨이터에게 부탁을 했다. 유흥업소 웨이터가 '미주가 카운터에서 기다리고 있다.'는 것을 진상손님에게 알렸다.

잠시 후 룸에서 나온 진상손님이 미주 앞으로 다가왔다.

- 아이고, 아가씨 저번엔 미안해요. 내가 술기운에 제정신이 아니었어요. 진심으로 사과드립니다.

"아가씨"라는 말에 미주는 크게 웃을 뻔했다. 나오는 웃음을 억지로 참으며 간신히 말했다.

- 네. 알겠어요.

미주는 뒤돌아 가려고 했다. 그러자 진상손님이 호들갑을 떨며 다시 말했다.

- 그냥 가면 어떡해요? 찢어진 옷값 받으셔야죠.

- 아니에요. 돈 때문에 경찰에 신고한 거 아니에요. 그냥 가세요.

진상손님은 바지 주머니에서 지갑을 꺼냈다. 미주는 손을 내저었다. 얼른 그 자리를 떠나려 했으나 진상손님이 미주의 앞길을 가로막은 채 계속 말을 걸었다.

- 에이. 그냥 가시면 안 되죠. 여기 50만 원 받아요.

- 됐어요.

- 옷값하고 넘어진 것하고 심리적으로 불편하신 거 다 포함해서 드리는 겁니다. 받으세요.

한사코 거절하는 미주 손에 돈을 억지로 쥐어주었다. 내키지 않았지만 미주는 돈을 받을 수밖에 없었다.

진상손님은 웃으며 말했다.

- 아가씨. 이제 보니 너무 멋있어요. 강단도 장난 아니게 세고 너무 매력적이에요. 우리 사귈래요?

'미친 새끼' 미주 입에서 험한 말이 나올 뻔했다. 돈만 밝히는 도우미와는 달리, 자존심을 지키는 미주의 모습이 색다르게 다가왔는가 보다. 도도하며 할 말 다하는 모습에 끌렸는지, 진상손님은 미주에게 계속 사귈 것을 요구했다.

진상손님의 이중적 태도. 미주에게 이런 손님은 정말 질색이다. 술 마시면 또 언제 바뀔지 모르기 때문이다. 진상손님은 가려는 미주의 팔을 잡고 놓아주지 않았다. 미주는 팔을 잡은 손을 뿌리치고 진상손님을 세게 밀어버렸다. 그리고는 전속력으로 도망가버렸다.

며칠 뒤, 진상손님이 다녀간 유흥업소 사장이 미주에게 전해주었다.

- 네 옷 찢은, 그 진상손님이 네 전화번호 물어보고 어느 보도방에 일하는 지도 물어보더라. 난 딱 잘라 모른다고 했어. 난 그냥 손님들 오면 보도방에 몇 명 필요한지만 알려주지, 도우미 개인에 대해서 전혀 모른다고 했어.

미주는 유흥업소 사장에게 감사를 전했다. 미주는 불현듯 새해 사주풀이를 했던 것이 생각났다. 운세가 좋은 줄 알았는데, 첫날부터 이상한 손님을 만났다. 점쟁이에게 화가 났다.

- 점쟁이 완전 돌팔이네.

미주는 이상한 손님을 만났으나, 크게 다치지 않고 50만 원 받은 것은 생각하지 않았다.

일준이는 오랜만에 친한 친구와 단둘이 술을 마시고 있었다. 친구가 일준이를 부러워했다.

- 너 내가 진짜로 원하는 게 무엇인 줄 아냐?

- 뭔데?

- 바로 너로 태어나는 거야. 키 크고 얼굴 잘 생겼지. 행정

직 공무원이지. 마누라는 초등학교 선생님이지. 아들 가졌지. 이야~. 넌 정말 다 가졌다.

- 왜 또 지랄이야?

　일준이는 싫지 않은 듯 웃으며 친구를 나무랐다. 친구의 눈에는 일준이의 환경이 완벽해 보였지만, 일준이에게도 사실 조그마한 고민이 있다. 아내와의 잠자리가 그 고민이다. 아내는 초등학교 선생님으로, 적당한 키에 얼굴도 미인형이다. 일준이와 아내는 첫 만남에, 서로 첫눈에 호감을 가졌다. 그리고 둘의 직장이나 나이, 주위환경을 확인하고는 서둘러 결혼을 해버렸다. 결혼 후 아내에 대해 더 깊이 있게 알게 되었다. 아내는 외동딸로, 부모님의 사랑을 듬뿍 받고 자랐다. 그래서인지 상대방에게 호감을 사거나 친해지려고 딱히 노력하지 않았다. 그리고 그런 행동이 잠자리에서도 재현되었다.

　일준이의 아내는 받기만을 원했다. 딥키스를 해도, 아내는 혀를 일준이 입에 집어넣었다. 그럼 일준이가 아내의 혀를 빨며 침을 삼켰다. 애무도 마찬가지로, 일준이가 일방적으로 했다. 일준이가 발기해, 아내의 몸에 몸가락을 삽입하고 피스톤 운동을 해도 아내는 밑에서 느끼고만 있을 뿐이다. 일준이의 엉덩이는 헬스로 인해, 크고 탐스럽다. 아내는 가끔 일준이의 큰 엉덩이를 만지작거리며 '철썩' 소리 나게 때리거나 꼬집는 것이 다였다.

　그나마 아내의 행동 중에 마음에 드는 것은, 몸가락을 입으로 빨아주는 것이다. 하지만 이것도 진정성이 느껴지지 않는다. 왜냐하면 입술을 오므리거나하는 움직임이 없다. 그냥 몸가락에 침만 묻히는 느낌이다. 반면에 일준이는 아내에게 진심이다. 아내의 보지를 물고 빨고 혀로 핥는다. 일부러 "쩝쩝" 소리를 내어가며 아내를 만족시켰다. 그럼 아내는 요란한 신음소리와 함께 고개를 위로 치켜세웠다. 그러면서도 일준이의 행동을 곁눈질하며 만족감을 느꼈다.

서로의 성행위가 끝나면 아내는 완전 만족스러운데, 일준이는 뭔가가 허전하다. 서로 좋아서 하는 행위인데, 일준이 본인만 희생한 것 같았다. 아쉬움이 가득하지만 일준이는 사정한 것으로 만족하기로 했다.

부부생활이 만족스럽지가 않지만, 결혼생활은 괜찮다. 행정직 공무원인 일준이는 월급이 그리 많지 않았다. 오히려 선생님인 아내의 월급이 더 많았다. 일준이는 본인보다 높은 연봉의 아내 덕분에 삶이 그나마 여유로운 것이다.

일준이는 친구에게 아내와의 잠자리에 대한 아쉬움을 토로하고 싶었다. 하지만 말하기도 애매하다. 사랑하는 사람과의 잠자리 문제를 남에게 함부로 이야기할 수 없었다. 이야기해도 이 녀석은 "다 가진 놈이 헛소리 한다."며 오히려 욕할 것이 뻔하다. 그래서 아무 말도 하지 않기로 했다.

일준이의 친구는 대기업 사무직으로 일한다. 대기업 사무직으로 있으면 회식을 많이 할 수밖에 없다고 한다.

- 사무직은 업무시간이 끝이 없어. 업무가 끝나도 상사가 한잔 하러 가자고 하면 가야 돼. 다른 사람 다 가는데, 나만 안 갈 수 없잖아? 사람이 분위기 파악하며 살아야지. 그래야 내게 힘든 일이 들이닥칠 때 어느 누군가에게 도움을 받을 수 있지. 안 그래? 그런 의미에서 네가 진짜 부럽다. 회식도 잘 안 하지?

- 응. 회식은 세 달에 한번 정도.

- 네 시간 많아 좋겠다. 게다가 공무원은 칼퇴근이지.

친구 녀석이 술이 많이 된 것 같다. 일준이는 술자리를 파하고 싶었다.

- 이제 그만 마시자. 너 많이 취했어. 내일 출근해야지.

- 내일 토요일이야. 그러지 말고 나랑 2차 가자. 나 항상 직장상사 따라 2차가면 눈치 보느라 제대로 놀지도 못했다고. 이제는 눈치 안 보련다.

- 됐어.

- 안돼. 무조건 가야 돼. 너 나 따라와. 내가 잘 아는 유흥주점이 있어. 그곳에 아가씨 같은 아줌마가 있어. 몸매랑 얼굴도 이쁜 것이 딱 내 스타일이야.

일준이는 자신을 부러워하는 친구의 부탁을 한 번쯤은 들어주기로 했다. 근데 복장이 마음에 걸렸다. 친구를 만나러 온다고 아무렇게나 입고 온 것이다. 짧은 반바지에 반팔티를 입고 운동화를 신었다. 친구에게 물어보기로 했다.

- 근데 내 옷차림 어때? 예의 없고, 가기엔 너무 안 어울리지 않니? 도우미들이 무시할 것 같기도 하고.

- 너 그런 곳에 처음 가냐? 몸짱인 네가 짧은 반바지 입고 가면, 거기 아줌마들 침 흘리고 난리 날 거야. 그러니깐 신경 쓰지 마.

일준이는 친구말대로 신경 쓰지 않기로 했다. 친구를 따라 유흥업소를 갔다.

친구는 유흥업소에 도착하자, 여사장을 보며 "진주"라는 도우미를 언급했다.

- 네. 진주 포함해서 2명 불렀어요.

여사장은 일준이와 친구를 룸으로 안내했다. 잠시 후 여사장이 맥주와 과일안주를 탁자에 올려놓고 가버렸다. 일준이는 친구에게 "진주가 누구냐?"라고 물었다.

- 직장상사 따라다니다가 알게 된 도우미야. 나보다 누나인데, 액면은 나랑 동갑 같아. 애교도 많고 몸도 참 예뻐. 술 먹으면 항상 보고 싶더라.

친구는 벌써부터 침을 흘리며 '진주'라는 도우미를 기다리고 있었다. 룸의 문을 약하게 두드리는 소리가 들리더니, 도우미 2명이 들어왔다.

- 진주누나!

친구는 소파에서 벌떡 일어나, 진주를 와락 안았다. 진주는 능청스럽게 말했다.

- 왜 이제 왔어? 보고 싶었어. 근데 나한테 너무 관심 주지 마. 여자 만들어서 빨리 결혼해야지. 그때까지만 이 누나가 애인 해주는 거야.

- 고마워요.

친구는 진주랑 죽이 잘 맞는 듯하다. 진주와 친구는 두 손을 잡고 소파에 앉았다. 진짜 애인처럼 짝 달라붙어 이야기를 나누었다. 둘은 일준이 쪽은 쳐다보지도 않았다.

일준이 옆에 앉은 도우미는 미주였다. 일준이는 조금 실망했다. 진주처럼 동안외모와 몸매 좋은 도우미를 기대했는데, 미주는 그렇지 않았다. 단춧구멍 같은 눈에 작은 코, 큰 입. 키도 작아 보였고 배도 아주 살짝 나온 것이 보였다. 하긴 친구를 위해 온 것이니 친구 노는 모습만 지켜봐도 즐거운 것이다. 일준이는 시간만 잘 때우다 집에 갈 것을 예상했다.

미주가 일준이 술잔에 맥주를 채워주었다.

- 삼촌, 반가워요. 날씨가 많이 덥죠? 반바지 입은 것이 시원해 보이네요.

- 아. 네. 저보다 나이가 많으신 것 같은데, 말씀 편하게 하세요. 편안하게 있으면 돼요. 저 진상 부리는 손님 아니에요.
- 어머. 얼굴도 잘 생기고 매너도 너무 좋다. 난 삼촌 같은 사람, 정말 좋아해. 이야~. 내가 오늘 로또에 당첨되었네.
- 네?
- 삼촌은 잘 생기고 몸도 예뻐. 키도 크고 젊지. 삼촌 같은 사람은 길거리에서도 보기 힘든데. 이렇게 내 옆에 앉아있으니, 내가 너무 영광스러워서. 삼촌 같은 얼짱, 몸짱과 술 마실 수 있으니, 내가 로또 당첨된 것이나 다름없지.

 일준이는 입꼬리가 올라갔다. 기분이 좋아졌다. 일준이가 일하는 동사무소 내에서도, 일준이는 외모로 유명했다. '박보건'이라는 배우와 닮은꼴이라는 소리를 간혹 듣기도 했다.

 쑥스러워하며 일준이는 미주의 술잔에 술을 따라주었다.
- 우리 한잔해요.

 미주와 일준이는 잔을 부딪히며, 건배를 했다.

 일준이가 맥주를 마시고 있는데, 옆에 있던 미주의 목소리가 들렸다. 미주는 맥주잔을 벌써 비운 것이다.
- 삼촌, 근육 장난 아니다. 나 한번 만져봐도 돼?

 일준이가 대답도 하기 전에, 미주는 일준이의 허벅지를 어루만졌다. 근데 손으로 만지는 것이 아니었다. 미주는 탁자 아래로 고개를 숙이더니, 일준이의 허벅지를 혀로 핥기 시작했다.

 일준이는 마시던 맥주를 뿜을 뻔했다. 아래서 따스한 것이 느껴지면서 부드러운 빨판 같은 것이 허벅지를 간지럽혀 주는 듯하다. 허벅지에서 찌릿하며 전기가 통하는 느낌도 들었다.

미주는 일준이의 허벅지를 15초 정도 핥았다. 고개를 들더니, 아무 일 없다는 듯 말했다.

- 허벅지 너무 멋지다. 이렇게 멋지고 소중한 것을 손으로 만지는 것은 아닌 것 같아.

- 누나, 나 너무 놀랬어요. 맥주 뱉을 뻔했어요.

- 많이 놀랬구나. 미안해. 삼촌근육이 너무 아름다워서 입으로 느껴보고 싶었어. 나 입으로 하는 거 좋아하거든.

일준이는 '입으로 하는 거'라는 말이 뇌에 박혔다. 일준이는 미주가 본인의 몸가락을 핥고 있는 모습이 저절로 상상이 되었다. 그리고 미주의 모습이 살짝 달라 보이기 시작했다. 검은 블라우스를 입은 탓에 미주의 큰 가슴이 부각되지 않았다. 근데 일준이가 자세히 보니, 미주는 글래머였다. F컵 이상인 듯하다. 입고 있는 치마도 매우 짧다. Y존이 보일 듯 말 듯했다. 그래서일까? 그 순간부터 외모도 그럭저럭 괜찮고 아주 섹시해 보였다.

일준이는 헛기침을 하며 자세를 재정비했다.

- 제가 운동한 보람이 있네요. 오늘 처음 보는 누나에게 극찬을 받다니. 누나가 칭찬하니깐 더 자랑하고 싶네요. 한번 만져보세요.

일준이는 팔을 들어 올려 근육을 자세히 보여주었다. 미주는 일준의 팔을 만지고 배도 만졌다.

- 어머, 나 돌덩어리인 줄 알았어.

미주는 마음 놓고 일준이의 몸을 만졌다. 배의 복근을 만지더니, 가슴을 더듬었다. 그 손길의 속도가 매우 느릿느릿하다. 그 느림의 미학이 일준이를 더욱 흥분하게 만들었다. 일준이의 바지 앞섶이 볼록 튀어나왔다.

- 어머. 이것도 근육이야.

　미주는 일준이의 반바지를 내려다보더니, 작게 탄성을 자아 냈다.

- 얼마나 단단한지 만져도 돼?

　일준이는 수줍은 표정을 지으며 고개를 끄덕였다. 미주가 다시 탁자 아래로 고개를 숙이더니, 반바지 앞섶, 뚝 튀어나 온 부분을 입에 물었다. 그리고는 앞니로 살짝 깨물었다. 뿌 리 부분부터 살짝살짝 깨물면서 조금씩 고개를 들었다.

　일준이의 반바지는 지퍼가 없는, 허리 부분이 탄성밴드인 반바지였다. 미주는 이번에도 손으로 만지지 않은 것이다.

　'이 여자 뭐지? 너무 대단하다.' 일준이는 속으로 감탄했다. 희한한 경험과 구경을 동시에 하는 것 같다. 앞으로의 시간 이 기대되었다. 일준이의 반바지 앞쪽이 축축하다. 미주의 침 때문이다. 미주는 일준이를 쳐다보며 말했다.

- 바지에 너무 신경 쓰지 마. 시간 지나면 저절로 침이 증발 되어서 마를 거야.

　느릿하게 말하는 미주의 여유로운 모습에, 일준이는 더욱더 조바심이 났다. 당장 바지와 팬티를 동시에 벗고, 소파에 앉 아있는 미주 앞에 서고 싶은 마음이다.

　미주가 다시 일준이의 술잔과 본인의 술잔에 맥주를 따랐 다. 그리고 건배제의를 한번 더 했다. 맥주를 들이켜고 있는 일준이의 귀로, 미주의 속삭이는 소리가 들렸다.

- 삼촌, 지금 한번 꺼내 봐. 자지에도 근육 있는지 한번 보 고 싶다.

　일준이는 또 술을 뿜을 뻔했다. 술잔을 내려놓고 본인의 몸 가락을 잡았다. 앞에 친구가 있어, 반바지를 벗을 수는 없었다. 반바지 안 몸가락을 요리저리 밀어, 반바지 밑단 왼쪽 끝쪽으로 밀어버렸다. 그러자 몸가락이 살짝 튀어나왔다. 반바지 밑단 밖으로, 귀두가 보였다. 물론 탁자 맞은편에 있는 친구와 진주의 위치에서는 탁자 때문에 일준이의 몸가락이 보이지 않을 것이다.

일준이는 자신에게서 이런 용기가 어떻게 나왔는지 의아하다. 앞에 친구와 도우미가 있다. 옆에는 오늘 처음 보는 도우미가 있는데, 이렇게 성기를 반바지 밑단으로 꺼내놓은 것이다. 맨 정신이라면 못할 짓이다. 근데 무엇에 홀렸는지 일준이는 오늘 과감하다. 다행히 탁자 건너편에 있는 친구는 상대 도우미와 애무하며 놀기 바쁘다. 친구와 같은 룸에 있지만, 딴 세상에서 노는 듯하다.

미주는 일준이의 반바지 밑으로 튀어나온 몸가락을 함부로 만지지 않았다. 지그시 쳐다보더니 미소 지었다. 몸가락 뿌리 부분을 한 손으로 살며시 잡더니 흔들었다. 미소를 머금던 표정도 잠시, 미주는 슬픈 표정을 지었다.
- 삼촌, 여자친구랑 잘 안 해?
- 저 결혼했어요.
일준이는 왼손의 결혼반지를 보여주었다. 그리고 '아차'했다. 결혼한 남자가 이곳에서 뭐 하는 짓인가? 이럴 거면 결혼이야기를 하지 말았어야 했다. 아내 생각이 나 미안함이 들었고, 결혼반지 탓에 미주가 제대로 해주지 않을 것 같다. 머릿속이 온갖 생각으로 혼잡하다. 하지만 미주는 아랑곳하지 않았다.

- 어머, 결혼했구나. 하긴 삼촌처럼 잘생긴 남자를 여자들이 가만두겠어? 근데 이 녀석은 왜 이리 화가 나 있을까? 마누라가 잘 안 풀어줘?

일준이는 대답하지 않았다. 미주는 다시 말했다.

- 못 먹는 남의 감, 맛이라도 살짝 보자.

미주는 다시 탁자 밑으로 고개를 숙였다. 일준이의 몸가락을 입속 깊숙이 넣었다. 목젖이 귀두에 닿을 정도로 말이다. 미주는 정확히 2초 정도 있다가 다시 고개를 들었다. 손목으로 흐르는 침을 닦으며 맥주를 마셨다.

일준이는 미주의 행동에, 당혹감과 황홀감을 동시에 느끼게 되었다. 본인이 노력하지 않아도 알아서 기분 좋게 해 주니, 말이 필요 없는 것이다.

미주가 다시 말했다.

- 삼촌, 날도 더운데, 내가 실수했네. 방금 덥고 답답했지?

미주는 말이 끝나자마자 다시 고개를 숙였다. 일준이는 시원함을 느꼈다. 방금 미주가 맥주를 마셔서 그런가 보다. 시원함은 금방 사라지고 다시 따스함이 온몸을 감쌌다. 순간 일준이의 몸가락 몸통 쪽에 자극이 왔다. 미주의 혀가 일준이 몸가락 주변을 배회하고 있는 것이다. 일준이는 놀이공원의 회전목마가 생각났다. 지금 회전목마를 타고 있는 듯하다. 미주의 혀가 회전목마를 밀어주는데, 느닷없이 사정감이 밀려왔다. 일준이는 이 순간이 당황스럽다. 처음 보는 여자 입에 사정하는 것도 실례지만, 후에 이 여자가 욕을 하거나 화를 내면 어떡하지? 그리된다면 탁자 맞은편 친구나 진주에게 창피를 당할 것이다. 그런 걱정을 대비할 틈도 없이, 몸이 반응했다. 일준이는 한 손으로 미주의 뒤통수를 지긋이 누르고 다른 한 손으로는 본인의 입을 틀어막았다. 나오려는 괴성을 한 손으로 틀어막은 것이다.

일준이는 시원함을 느꼈다. 이 시원함은 참고 있던 배설물을 배출하는 것의 몇 천배와 비슷한 시원함이다. 사정을 끝낸 일준이는 두 손을 탁자 위에 자연스럽게 올려놓았다. 맞은편을 보니, 친구와 진주는 여전히 이쪽에 신경을 쓰고 있지 않다. 일준이는 미주의 반응이 염려되었다. 화를 내면 어쩌지?

미주는 아무 일 없다는 듯이 천천히 고개를 들었다. 그리고 재떨이를 찾았다. 입에 있던 것을 뱉고는 맥주를 마셨다. 미주의 행동에, 일준이는 가슴을 쓸어내렸다. 다행이었다. 일준이는 미주에게 진심으로 말했다.

- 누나, 고마워요.
- 그래. 근데 양이 너무 많다. 나 조금 먹었어.

"먹었다."는 말에 일준이는 흠칫 놀란 표정을 지었다.

- 누나, 미안해요.
- 괜찮아. 그럴 수도 있지 뭐. 근데 우리 아직 이름도 모르네.

둘은 서로 이름을 알려주고 나이도 물었다. 일준이는 30대 초반, 미주는 50대 초반이다. 거의 20살 차이가 나는 것이다. 일준으로 겉으로 내색하지 않았지만 속으로는 많이 놀랐다. 이모뻘인 여자에게 별의별 짓을 다했다. 그리고 이 여자가 자신을 가지고 논 것 같기도 하고, 처음 보는 여자에게 욕정을 푼 것 같기도 하다. 복잡한 감정이 들었다.

미주는 일준이를 "주니"라고 부르기 시작했다.

- 주니, 다음에 혼자 놀러 와. 그때는 진짜 재미나게 놀자.

핸드폰 줘봐. 내가 연락처 찍어줄게.

 일준이는 거리낌 없이 자신의 폰을 건넸다. 미주가 일준이의 폰으로 자신에게 전화를 걸었다. 그리고 바로 끊었다.

- 연락하고 와.

- 네.

 일준이는 이제 자리가 편해졌는가 보다. 자신의 몸가락을 집어넣지 않은 채, 친구가 보는 앞에서 미주의 가슴을 만졌다. 물론 옷 때문에 맨가슴은 아니지만 묵직한 감촉은 느껴졌다. 그 모습을 본 친구가 일준이에게 말했다.

- 봐! 내 말 듣길 잘했지? 여기 잘 온 것 같지?

 일준이는 대답 대신 고개를 크게 끄덕였다. 미주도 일준이와 마찬가지로 일준이의 허벅지를 어루만지며 근육의 탄탄함을 만끽하고 있었다.

 마칠 시간이 다 되었다. 일준이는 본인의 몸가락을 다시 반바지 안으로 밀어 넣었다. 친구와 진주가 룸을 먼저 나갔다. 미주는 아쉬움을 토로했다.

- 오늘 가면 언제 또 보는 거야? 잘생긴 주니 매일 보고 싶다.

- 다음에 또 올게요.

- 그래. 꼭 와. 가기 전에 포옹이라도 하자.

 둘은 껴안았다. 일준이는 미주를 품에 안았고 미주는 안긴 채 일준이의 엉덩이를 어루만지고 몸가락을 더듬었다. 미주의 돌발행동에 일준이는 흠칫 놀랐다.

- 좀 전에 너무 많이 울어서 죽었나 살았나 살펴 본거야. 아직 살아있네.

 미주는 웃으며 이야기했다.

- 네. 그럼 갈게요.

 일준이는 인사하고 룸을 나가려는데, 미주가 일준이의 얼굴을 잡아당겼다. 그리고 일준이의 입속에 본인의 혀를 집어넣었다. 태풍이 입안을 휩쓸고 간 느낌이다.

- 아이고. 달콤하네.

 미주는 씩 웃으며 먼저 나가버렸다. 일준이는 순간 정신이 나간 상태로, 몇 초간 그대로 있었다. 카운터로 나가니, 친구가 계산을 끝내고 기다리고 있었다.

- 나중에 내 계좌로 입금해.

 둘은 여사장의 인사를 받으며 가게를 나왔다. 헤어져서 각자의 집으로 갔다.

 일준이는 집으로 돌아가는 길에, 미주의 돌발행동이 떠올랐다. 본인이 즐기러 갔는데, 미주가 즐긴 것 같은 느낌이다. 당한 느낌인데 그리 싫지는 않다. 그리고 마지막 키스가 생각났다. 얼떨결에 미주의 혀를 받아들였다. 근데 그 미주의 혀는 깨끗할까? 오늘 처음 보는 자신의 몸가락을 빨고 핥았다. 게다가 자신의 정액을 먹고 키스까지 했다. 다른 손님에게도 그리 했을 것이다. 그런 생각을 하니 미주가 더럽게 느껴졌다.

- 어우. 더러운 년, 걸레 같은 년이.

 일준이는 입 안 침을 모아 몇 번이나 거리에 뱉었다.

- 다시는 그년 만나러 가나 봐라.

 일준이는 자신이 한심하게 느껴졌다. 20살 차이 나는 여자에게 따먹히다니. 자신이 장난감이 된 것 같다. 자존심이 상하고 불쾌했다. 일준이는 본인의 핸드폰을 꺼내, 미주가 발신한 기록을 지워버렸다. 이제 더 이상 미주를 생각하지 않기로 했다.

 얼마 후 코로나가 터졌다. 중국 우한에서 발생된 것이라고 뉴스가 전했다. 코로나로 인해 일준이와 그의 아내는 자택근무를 하게 되었고 운이 없게도, 본인과 가족들도 코로나에 걸려버렸다. 일준이는 선생님인 아내, 유치원생 아들과 함께 집에서 한 달 정도 지냈다. 가족들이 일주일 간격으로 코로나에 걸린 탓이다.

 일준이는 집에 있으니, 아내가 자꾸 눈에 들어왔다. 특히 밤에 아들을 재우면 아내와 몸을 섞으며 땀을 흘리고 싶은 마음이 간절했다. 근데 아내는 싫은 티를 팍팍 냈다.

- 자기, 짐승이야? 한 지 얼마나 됐다고 또 하려고 그래?

 짐승! 일준이는 '짐승'이란 단어에 기분이 몹시 상했다. 남자가 건강해서, 딴 여자도 아니고 사랑하는 아내와 잠자리를 하려고 하는데, '짐승'이라니? TV를 보면 개나 돼지 같은 짐승은 사람이 보는 앞에서도 아무 거리낌 없이, 시도 때도 없이 성관계를 맺었다. 그런 짐승과 본인을 비교하다니. 일준이는 화를 버럭 내었다.

- 뭐? 짐승. 내가 짐승으로 보이냐?

 아내는 일준이의 화난 모습을 보고는, 그제야 사태가 파악된 듯하다.

- 여보. 그게 아니고, 내 말은 너무 자주 하는 것 같아서. 나 지금까지 서서 수업한다고 허리도 아프단 말이야. 그래서 그렇게 말한 거야. 내가 말 실수했어. 미안.

 아내가 사과했지만 일준이는 이미 마음이 상해버렸다. 그 뒤로 둘의 부부관계는 그전보다 더 뜸해졌다.

 그 후로 일준이는 밤마다 미주가 생각났다. 몸둘 바를 모르게 본인을 칭찬해 주며, 정신적으로나 육체적으로 위로해 주던 미주. 특히나 일준이가 사정할 때, 일준이의 정액을 입으로 받아주고 정액을 다시 재떨이에 뱉던 모습. 조금 먹었는데도 불구하고 '괜찮다.'라며 대수롭지 않게 여기던 표정. 그런 모습들이 계속 떠올랐다. 그럴 때마다 몸가락이 최대치로 팽창되었다. 빨리 이 코로나가 끝나, 다시 그 가게로 찾아가 미주를 만나고 싶은 마음이 굴뚝같아졌다.

일준이는 코로나가 터졌을 때, OTT시청으로 시간을 때우고 운동은 하지 않았다. 미주가 미치도록 보고 싶었던 날, 다음 날부터 일준이는 다시 몸을 만들기 시작했다. 그 이유는 미주에게 더 잘 보이기 위함이었다. 그런 것도 모르고 아내는 일준이를 칭찬했다.

- 여보, 참 부지런하다. 다른 친구들 남편들은 운동을 하지 않아, 허리에 튜브 하나씩 달렸다던데. 우리 여보가 너무 자랑스럽다. 상으로 오늘밤 나랑 땀 좀 빼자.

남편에게 "상"이랍시고 한번 허락해 준다는 것인가? 일준이는 속으로는 어이가 없었다. 짐승이라고 할 때는 언제고. 어쨌든 밤이 되었고 아내는 아들을 재웠다. 아내와 일준이는 거실로 나와, 서로 옷을 벗었다. 그동안 오래 시간 참아왔던 터라, 일준이는 급했다. 아내의 가슴을 빨고 엉덩이를 어루만졌다. 그리고 바로 삽입하려고 했다. 그때 앙칼진 아내의 목소리가 들렸다.

- 여보, 뭐 해? 여자는 분위기인 거 몰라? 아직 물도 안 나왔어. 좀 더 애무하거나 분위기를 달궈야지. 자기만 허리운동하다 사정하면 끝이야? 내 입장은 생각 안 해줘?

순간 일준이의 가슴 속, 짜증이 일렁거렸다. 일준이는 아무 말하지 않고 다시 아내의 몸을 천천히 애무했다. 아내와 키스를 하고 입술과 혀로 아내의 몸전체를 더듬기 시작했다. 아내의 단전 부분에 다다랐을 때 몸의 자세를 바꿨다. 69 자세로, 몸가락을 아내의 얼굴에 위치시킨 채, 위에서 아내의 보지를 양손으로 벌렸다. 일준이는 혀를 날름거리며 열심히 아내의 성기 부분을 빨았다. 혀를 깊숙이 집어넣기도 하고 입으로 주변 살들을 흡입하듯 당기며 흥분하게 만들었다. 근데 아내는 일준이 밑에서 불알을 만지작거릴 뿐이다. 답답한 일준이가 속상한 듯 부탁했다.

- 여보, 뭐 해? 입에 내 자지 좀 넣어줘.
- 안돼. 자기 고추는 예민해서 지금 자극 주면 빨리 싸잖아. 내가 어디 한두 번 해봤어?
- 입에 넣기 싫은 것은 아니고?

아내는 대답하지 않았다. 잠시 침묵이 흐른 뒤 아내가 입을 뗐다.

- 여보, 오줌 누고 고추 깨끗이 씻었어? 정말 한번 빨아줄까?

일준이는 짜증이 났다. 계속 짜증내면 부부싸움으로 번질 것 같다. 섹스하다 관계가 서먹해지는 것이 싫었다.

일준이는 대답하지 않고 아내의 하체 쪽으로 고개를 처박았다. 분노의 혀놀림을 보여주었다. 아내의 탄성이 흘러나왔다.

- 아~. 좋아. 여보. 그거야. 그렇지. 너무 좋아. 당신 혀가 조금만 더 길었으면 좋겠다.

일준이는 혀놀림을 끝내고, 아내의 보지에 침을 뱉었다. 일준이는 다시 정자세로 바꿨다. 그리고 천천히 아내와 배꼽을 맞추며 몸가락을 삽입했다. 흥분한 아내의 목소리가 또 터져

나왔다.

- 아~. 여보, 빨리 싸면 안 돼. 쌀 것 같으면 빼. 잠시 흥분 가라앉히고 다시 넣어도 되니깐. 조절 잘해. 그리고 너무 못 참을 것 같으면 내 배에 싸.

일준이는 자신도 모르게 한숨이 새어 나왔다. 부부관계를 맺는데, 아내가 계속 배 놔라 감 놔라 지시만 하니 즐겁지가 않다. 순간 일준이는 또 미주가 생각났다. '미주'라면 어땠을까?

알아서 자신을 만족시켜 주던 미주. 미주라면 일준이가 빨리 사정을 하든지 말든지 신경 쓰지 않을 것이다. 그리고 빨리 사정한다면 능숙한 솜씨로 다시 일준이의 몸가락을 일으켜 세울 것이다. 일준이는 아내와 몸을 섞는 중에도 미주가 너무 보고 싶었다. 일준이는 아내의 몸 위에서 엉덩이를 흔들며 눈을 감았다. 그리고 미주를 떠올렸다. 미주의 입에 한 없이 사정하는 자신의 모습을 상상하면서, 아내의 배꼽에 사정을 했다.

드디어 코로나의 행진이 끝날 기미가 보였다. 정부는 서서히 거리 두기를 완화시켰다. 그러니 사회적 분위기는 코로나가 곧 종식될 것처럼 보였다. 그리고 유흥업소를 포함해 다른 업소의 출입도 가능해졌다. 시간이 더 지나자, 가게 출입을 확인시키기 위해 더 이상 폰을 꺼내지 않아도 되었다.

일준이는 아내에게 일러두었다. '오늘 오랜만에 친구와 밥 한 끼 먹기로 했다.'라고. 사실은 미주를 만날 계획이었다. 일준이는 칼퇴근해서 헬스장으로 갔다. 2시간 정도 운동하고, 집에서 싸 온 도시락을 먹었다. 길고 긴 코로나가 끝나니, 초여름이다. 일준이는 얇은 재킷을 걸치고 미주를 만나러 유흥업소로 갔다.

 복합상가였는데, 유흥업소는 지하에 있었다. 혹시나 아는 사람들에게 본인이 유흥업소 출입하는 것을 들킬세라, 주변을 살피며 들어갔다.

 현관문을 여니, 여사장이 나왔다.

- 어서 오세요. 아이고 잘생긴 총각이 혼자 왔네. 혹시 만날 도우미 있어요?

- 네. "미주"라고.

- 아~. 미주. 알았어. 내가 연락할게.

 일준이는 속으로 안도의 한숨을 내쉬었다. 혹시 일을 그만 두었거나 다른 일로 못 만나면 어쩌나? 하고 걱정하고 있던 터였다. 여사장은 일준이를 모퉁이 구석 룸으로 안내했다.

 일준이가 소파에 앉자, 여사장이 말했다.

- 심심하면 노래 좀 부르고 있어. 잘생긴 총각.

 가려던 여사장을 일준이가 불러 세웠다.

- 저....... 사장님. 혹시 미주누나 전화번호 알 수 있을까요? 실수로 지워졌어요.

 여사장은 친절하게 미주의 연락처를 알려주고 룸을 나가버렸다.

 일준이는 소파에서 일어나 화장실을 한번 더 다녀왔다. 소변이 마려우면 사정감이 더 빨리 찾아올 것이기 때문이다. 즐기려면 몸 안에 있는 노폐물을 최대한 빼야 될 것이다. 화장실을 다녀오니, 자그마한 열난로가 소파 옆에서 룸의 온도를 높여주고 있었다. 아직 아침, 저녁으로 날씨가 쌀쌀하기에 여사장이 배려한 것이다.

 소파에서 열을 쐬고 있으니, 미주가 룸 문을 열고 고개를 빼꼼히 내밀었다.

- 어머, 이게 누구야. 주니구나. 날 찾는 잘생긴 남자손님이 있다고 해서 누구일까? 생각했더니, 주니밖에 없더라고. 딱 내 예상이 맞았네.

일준이는 벌떡 일어나, 팔을 벌렸다. 그러자 미주는 달려와 그대로 일준이의 품에 안겼다. 일준이는 미주를 꽉 안음으로써, 미주 가슴의 묵직함을 느꼈다. 미주는 일준이 품에 안길 때, 하체 쪽으로 딱딱한 것이 느껴졌다. 미주는 싱긋 웃으며 손으로 딱딱한 것을 확인했다.

- 뭐야? 이거. 마누라가 잘 안 해주니? 왜 이리 화났어? 쓸데없이 화 내면 혼나야지. 울어야 제정신을 차리지.

- 네. 빨리 혼내주세요.

- 잠시만.

미주는 일준이의 품에서 벗어났다. 그러고 보니 미주는 검은색 긴 바지에 검은색 블라우스를 입고 있다.

- 나 옷 좀 갈아입고 바로 올게.

미주는 바로 나가버렸다. 미주의 손길을 느낀 일준이의 몸가락은 좀처럼 누그러지지 않았다. 바지가 답답한 일준이는 일어났다. 바지를 벗어 소파 구석에 접어두고, 트렁크 팬티 앞섶 통로로 몸가락을 빼어냈다. 그제야 답답함이 사라졌다.

- 미주야. 빨리 와라.

미주가 빨리 와줄 것을 바라는 간절한 마음이 입 밖으로 새어 나왔다. 그때 느닷없이 룸 문이 열리면서 여사장이 들어왔다.

- 총각, 저번에 왔었지?

깜짝 놀란 일준이는 얼른 앉았다. 그리고 탁자 쪽으로 몸을 바짝 붙였다. 그리하면 하체가 보이질 않을 것이다. 일준이는 아무렇지 않게 대답했다.

- 네. 사장님. 그동안 잘 지내셨어요?

- 코로나 때문에 손님이 없어서 힘들었어. 이제 코로나도 끝난 것 같으니깐 우리 가게에 자주 놀러 와. 미주가 또 재미나게 놀잖아.

- 아. 네.

여사장은 들고 온 술과 과일안주를 탁자에 내려놓고 룸을 나갔다. 일준이는 창피함이 몰려왔다. 재빨리 탁자 쪽으로 몸을 당겨, 하체를 숨겼지만 여사장이 본인의 몸가락을 본 것 같다.

미주가 문을 열고 들어왔다. 상의는 그대로인데, 하의만 다르다. 짧은 치마인데, 허벅지에 딱 달라붙는 치마다. 스판이 꽤 좋은지 미주가 걸을 때마다 치마 밑단이 잘 늘어났다.

- 주니. 이 힘든 코로나 시기에 무사히 잘 지냈구나. 다행이다.

미주는 일준이 옆에 앉았다. 그리고 팬티 밖으로 튀어나온 일준이의 몸가락을 발견했다.

- 어머. 코로나를 견뎌내고 더 튼튼해진 것 같다. 확인해 봐야겠어.

미주가 일준이의 몸가락을 한 손으로 살포시 거머쥐었다. 잠시 후 허리를 틀고 고개를 숙여 일준이의 몸가락을 입에 넣었다. 하체에 따스함이 느껴졌고 일준이는 넋을 놓고 미주의 행동을 지켜보았다. 미주가 머리를 위아래로 흔들자, 따스함이 황홀감으로 변했고 사정감이 몰려왔다.

- 누나. 이제 그만.

미주는 고개를 들었다. 일준이의 술잔에 맥주를 따라주고 본인의 술잔에도 술을 따랐다. 일준이는 팬티를 벗었다. 미주는 술잔을 들이켜고, 일준이를 바라보며 말했다.

- 이 누나 신경 쓰지 말고, 싸고 싶으면 싸.

- 누나, 나 좀 더 오래 즐기고 싶어요. 근데 누나 입에만 들어가면 금방 쌀 것 같아요.

- 그럼 시원하게 싸. 쉬었다 한번 더 하면 되지. 뭐가 문제야?

미주는 일준이의 대답을 기다리지 않고 다시 일준이의 몸가락을 물었다. 방금 맥주를 마신 미주 덕분에 시원함이 느껴졌다. 냉탕과 온탕을 겸으니 다채로운 것이, 더 높은 쾌락을 느끼는 듯하다. 일준이는 속으로 애국가를 부르고, 슬픈 영화 장면을 생각하기로 했다. 그리고 과거의 아픈 기억과 기억하기 싫은 장면도 떠올렸다. 그리해도 오래 버틸 수 없었다. 좀 더 오래 미주의 입맛을 즐기고 싶었지만 결국 또 사정해 버렸다. 사정할 때, 일준이는 강한 손힘으로 미주의 머리를 아래로 꾹 눌렀다.

- 흠. 흠. 흠.

이상한 기합소리가 밑에서 들렸다. 일준이는 미주의 머리를 놓아주며 용서를 빌었다.

- 누나, 미안해요. 나도 모르게 팔에 힘이 들어갔어요. 그리고 감사합니다.

미주는 재빨리 재떨이를 찾아, 입에 있던 것을 뱉었다. 일준이의 말에 대답하지 않고 엉뚱한 말을 했다.

- 안 삼키려고 용쓰다가, 그만 코로 넘어가 버렸네.

미주는 휴지를 찾더니 코를 두어 번 풀었다. 일준이에게는 그런 미주의 모습이 감동으로 다가왔다.

 미주는 다시 자신의 술잔에 맥주를 따랐다. 과일안주로 딸기, 배, 사과, 단감 등의 조각이 보기 좋게 배열되어 있었다. 미주는 그중에 딸기를 이쑤시개로 꽂아, 일준이의 입에 넣어주었다.

- 다시 체력보충 해야지. 영양소 보충해서 다시 힘내야지. 그래야 이 누나 입에 한 번이라도 더 싸지.

 헐~. 미주의 말에 일준이는 너무 놀라, 말이 나오질 않았다. 감동을 넘어 황송할 따름이다.

- 누나, 고마워요.

 일준이도 미주와 똑같이 딸기조각을 집어 미주의 입에 넣어주었다. 미주는 딸기를 씹으며, 다시 일준이의 몸가락을 쳐다보았다.

- 울고 나더니 금방 줄어들었네. 아까 기세 좋게 화낼 때는 언제고. 오늘 이 누나가 계속 혼내주고 울려줄 거야.

 미주는 일준이의 몸가락을 살며시 거머쥐었다. 귀두 끝에서 소량의 정액이 흘러나왔다.

- 진짜 우는 것 같다. 방금 눈물 한 방울 흘렸어.

 일준이와 미주는 몸가락을 쳐다보며 크게 웃었다.

 둘은 술잔에 술을 채우고 한잔 마셨다. 미주는 '코로나 때 어찌 지냈냐?'라며 일준이의 지난 생활을 물었다. 일준이는 코로나 때 있었던, 힘든 일들을 토로했다.

- 진짜 고생 많이 했다. 저번에 직업이 공무원이라고 했지? TV 보니깐 코로나 때 공무원들 정말 바쁘더라. 주니 같은 사람들 때문에 이 나라가 돌아간다니깐.

 일준이는 미주의 칭찬에 기분이 좋아졌다. 지금까지 맡은 바, 열심히 일해도 돌아오는 시선은 곱지 않았다. '주민들의 세금으로 사니깐 당연한 것 아니냐?'라는 비아냥 같은 시선들 뿐이었다. 근데 미주는 그런 시선으로 오는 아픔을 치유해 주는 듯하다.

- 주니, 고생 많이 했네. 우리들의 영웅이야. 소파에서 일어나 봐. 그리고 이 누나 앞에 서봐. 우리 영웅에게 상 줘야겠어.

일준이는 벌써부터 미주가 줄 상이 기대되었다. 일어나 소파에 앉은 미주 앞에 섰다. 어차피 상의만 걸친 상태다.

- 한번 사정했으니, 두 번째는 오래가겠지? 계속 침 흘려서 목마를 테니깐, 목 좀 축여야겠네.

미주는 본인의 술잔에 맥주를 가득 따라 부었다. 벌컥벌컥 마시더니, 금방 술잔을 비웠다. 술잔을 내려놓고 손등으로 입가의 물기를 닦았다. 손등으로 한번 더 쓰윽하더니, 바로 일준이의 몸가락을 덥석 물었다.

일준이는 미주가 남자의 조바심을 잘 이해하고 있을 것이라 추측했다. 지체 없이 바로 행동으로 실천하니 고마울 뿐이다. 보통의 도우미들은 시간계산하며 침대축구 하듯이 시간 끌기를 한다. 줄듯 말 듯하며 시간을 지체하며 '버틴다.'라는 심정으로 일하는 도우미들이 태반이다. 근데 미주는 별종인 듯하다. 오히려 이런 상황을 즐기는 것 같다.

미주는 입안에 몸가락을 넣었다 뺐다 하며 일준이의 하체를 손으로 쓰다듬었다.

- 음~.

맛있는 음식을 먹었을 때 나는 탄성을 자아냈다. 미주의 칭찬에 일준이는 다리에 힘을 "빡"하고 잔뜩 주었다. 그러자 엉덩이가 반쪽 사과처럼 봉긋 올랐다.

- 음, 음.

놀란 미주의 감탄사가 새어 나왔다. 말을 하고 싶은데, 일준이의 몸가락 때문에 신음 같은 탄성만 지르고 있는 것이다. 미주는 일준이의 엉덩이를 잡으려 했다. 하지만 똘똘 뭉친 근육으로 잡히지가 않았다. 그런 탄탄한 엉덩이 근육이 미주를 더욱더 흥분하게 만들었다. 그리고 그 흥분에 보답이라도 하려는 듯 미주의 뺨은 더욱 수축되었다.

일준이의 느낌상 꽤 오랜 시간이 지난 것 같다. 처음보다 미주의 흡입하는 압력이 높아졌다. 일준이에게 아픔으로 다가왔다. 하체에 힘을 주고 버텼는데, 몸가락이 마비된 것 같다. 어릴 적 포경수술 할 때의 느낌이다. 포경수술은 고추에 주사를 놓아 마취시킨다. 의사와 간호사 선생님이 "절대 밑을 보지 말라."라고 한다. 포경수술을 받고 있으면, 마취 때문에 아프지는 않지만 고추를 당기는 느낌은 확실히 난다. 살이 끌려가는 느낌, 지금 딱 그 느낌이다.

미주는 일준이의 허벅지와 엉덩이를 원 없이 만졌다. 만지면서 일준이의 몸가락을 힘 있게 빨았다. 미주는 본인이 너무 흥분한 것을 깨달았다. 남자의 몸가락을 강하게 빤다고 남자가 일찍 사정하지는 않는다. 강약조절이 필요한 것이다. 미주는 흡입강도와 머리를 흔드는 속도를 줄이며 손으로 일준이의 불알을 거머쥐었다. 마사지하듯 느린 속도로 만지작거렸다. 그런 상태를 유지하고 있는데, 일준이가 중얼거리는 소리가 들렸다.

일준이는 지구를 떠나 우주에 붕떠 있는 느낌마저 들었다. 누군가 계속 밑에서 자신을 당기는 것 같다. 근데 따뜻한 온기와 허벅지를 자극하는 것이 쾌락으로 다가왔다. 일준이는 평소 아내와의 부부관계가 떠올랐다. 아내에게서 오는 불만이 입 밖으로 살며시 흘러나왔다.

- 우리 마누라는 이런 것도 안 해주는데....... 마누라는 내 자지에 침만 바르는데. 미주는 진짜 맛있는 아이스크림처럼 빨아준다. 마누라는 빨리 사정하면 허탈해하는데, 미주는 침착하게 내 자지를 일으켜 세워준다. 마누라는 항상 애무를 받기를 원하는데, 미주는 솔선수범해서 나를 만족시켜 준다. 마누라가 내 근육을 보면 주변사람들에게 과시하는 용도로만 여기지만, 미주는 내 근육들을 촉각과 미각으로 느낀다. 마누라가 내게 자주 짜증을 내지만, 미주는 내 몸을 보며 나를 칭찬한다. 마누라는 내 자지에 오줌이 묻었는지를 확인하지만 미주는 짜증도 없이 내 정액을 삼킨다.

　미주는 자세히 들으려고 했지만 들리지가 않았다. 본인 입 안으로 반복해서 출입하는 일준이의 몸가락 마찰소리 때문에 제대로 들을 수가 없었다.

　일준이는 아내 생각을 떨쳐버리고 몸가락에 집중하기로 했다. 드디어 느낌이 왔다.

- 미주야.

　미주의 이름을 부른 것인지, 낮은 괴성인지 모를 소리를 지르며 일준이는 본인의 머리를 감싸 쥐었다.

　미주는 머리 끄덕임을 멈추고 일준이의 사정을 입으로 받을 준비를 했다. 귀두 밑부분에 입술을 위치시키고 한 손으로 몸가락 몸통을 가볍게 거머쥐고 흔들었다. 정확히 5초 후,

미주는 혀로 일준이의 귀두 끝부분을 닦아주었다. 그제야 일준이를 놓아주었다. 일준이는 마취총을 맞은 것처럼 소파에 털썩 주저앉았다.

미주가 이번엔 재떨이를 찾지 않았다. 본인의 술잔에 맥주를 붓더니, 시원하게 들이켰다. 일준이는 순간 놀랐다. 본인의 성액을 먹은 것이다.

- 누나. 그거 왜 먹었어?

- 양이 너무 많으면 뱉는데, 두 번째잖아. 두 번째는 양이 적잖아. 그래서 그냥 맥주와 같이 삼켰어. 주니처럼 잘생긴 정자를 버리기엔 너무 아까워. 내가 네 마누라라면 밤마다 네 정자 받는다. 그래서 네 자식 한 20명 정도 낳았을 거야. 아까 재떨이에 뱉은 네 정자 너무 아깝다.

미주가 내뱉은 말은 칭찬인데, 은근히 야하고 관능적이다. 그리고 비유를 되게 잘하는 것 같다. 일준이는 미주의 말에 고마움을 느끼고 감동도 받았다. 일준이는 자신도 모르게, 본능적으로 미주의 입에 키스를 했다. 꽤 긴 시간 서로의 혀를 주고받았다. 마치 부부사이나 연인처럼 키스를 한 것이다. 키스가 끝나고 잠시 침묵이 흘렀다.

일준이는 본인도 모르게 나온 자신의 돌발행동에 조금 놀랐다. 놀란 일준이는 잠시 멍한 표정을 지었다. 미주가 과일조각을 일준이 입에 넣어주었다.

- 다시 영양소 채워야지.

미주의 웃는 얼굴이 보였다. 미주 본인도 과일을 집어서 먹으며 말했다.

- 주니, 좀 전에 뭐라고 이야기하던데, 뭐라고 한 거야?

일준이는 뒤통수를 만지작거리며 사실대로 이야기했다. '자신의 아내는 부부관계에서 받기만을 바란다.'며 적극적이지 못한 자세에 불만을 토로했다.

- 어이구. 어이가 없네. 내가 마누라였으면 아침, 밤으로 빨겠다.

미주의 말에 일준이는 크게 웃었다. 그리고 또 미주의 입에 키스를 했다. 또다시 둘 사이에 혀가 오고 갔다.

- 주니, 나 부탁이 있는데, 네 몸 한번 보고 싶다. 너의 전신근육 보고 싶다고.

- 알았어요. 대신 누나 것도 보여주세요.

- 말만 해.

미주는 소파에서 일어나 치마 밑단으로 손을 넣었다. 팬티를 벗더니, 오른 손목에 팬티로 감았다. 그리고 소파에 다시 앉아, 다리를 접어 소파에 올렸다. 다리를 벌린 상태로, 양손으로 둔부 밑에 있는 살을 바깥쪽으로 당겼다. 미주의 음부가 적나라하게 보였다.

- 어때? 마누라 것보다 못하지? 마누라는 젊어서 싱싱할 텐데, 그래도 쓸 만은 하지?

- 네.

일준이는 미주의 것을 감상했다. 검은 털 사이로 어두운 살이 보였고, 그 안쪽으로 분홍빛을 내는 살들이 보였다. 마치 그라디언 같았다. 미주는 일준이의 감상이 끝날 때까지, 둔부 밑 살을 계속 잡아당기고 있었다.

- 이제 제가 보여드릴게요.

일준이는 소파에서 일어나 옷을 하나씩 벗었다. 자신을 쳐다보는 미주의 눈길에 묘한 흥분이 느껴졌다. 다 벗고 피트니스 대회에서 취한 포즈를 취했다. 미주가 크게 웃었다.

- 이야. 멋있다.
- 누나, 괜찮아요? 대회에 나가서 수상은 못했지만 언젠가는 수상할 거예요.

발가벗고 근육을 과시하는 일준이의 모습은 멋있으면서도 섹시했다. 보고 있던 미주가 벌떡 일어났다. 일준이의 가슴근육을 결 따라 혀로 핥기 시작했다. 잠시 후 아래로 내려가 복근을 핥았다.

- 우와, 완전 빨래판이네. 이야~.

미주는 계속 탄성을 지르며 일준이의 몸을 혀로 핥었다. 미주는 무릎을 꿇고 일준이의 허벅지 앞쪽을 핥았다.

- 이제 뒤돌아봐.

미주의 말대로, 일준이는 뒤돌아섰다. 미주는 기다렸다는 듯이 일준이의 엉덩이를 핥기 시작했다. 입술로 뽀뽀도 하고 살짝 깨물기도 했다. 양손으로 일준이의 엉덩이를 벌리고 혀를 집어넣기도 했다. 일준이는 몸가락에 다시 힘이 들어가는 것을 느꼈다.

일준이는 다시 미주 앞에 정면으로 섰다. 미주는 일준이의 몸가락을 입 속 깊숙이 넣었다. "쪽" 소리가 날만큼 힘차게 한번 빨고는 고개를 들었다.

- 이제 그만, 이러다 나 턱 빠지겠다. 오늘은 여기까지 하자. 다음에 오면 아랫입으로 한번 하자. 물론 콘돔 끼고. 주니, 너 콘돔 안 끼고 나랑 하면 앞으로 마누라 하고 못할걸? 내가 너무 잘해서 말이야.

미주는 의기양양했다. 때마침 시간이 마친 것을 알리는 기계음이 들렸다. 일준이는 시간이 흐르는 것도 느끼지 못했다. 순식간에 지나간 것 같았다. 미주는 아쉬운 표정을 지으며 말했다.
- 주니, 너 남자 피트니스 대회에 나갔다고 했지?
- 네.
- 그럼 다음에 올 때는 대회 때 입었던 경기복 입을 수 있어? 내 앞에서 말이야. 너의 이 멋진 근육을 감상해보고 싶어.
- 네. 정말 대회 나간다고 생각하고 준비해서 올게요. 그때는 오일도 바르고 할게요.

미주와 일준이는 다시 입을 맞추고 룸을 나왔다. 일준이는 카운터에서 계산을 했고, 미주와 여사장은 현관문까지 일준이를 배웅했다.

집으로 귀가하는 길에, 일준이는 자신의 행동에 혼란스러웠다. 다른 남자들의 자지도 입에 넣어 빨았을 미주였다. 자신은 왜 미주와 키스를 했을까? 그런 미주에게서 설렘이 느껴졌다. 코로나 시기에는 미주가 너무 보고 싶었다. 그리고 미주와 몸을 섞거나 미주의 입에 자신의 몸가락을 집어넣는 상상을 자주 했었다. 아내가 옆에 있는데도 말이다. 곰곰이 생각해 보니, 아내와의 잠자리에서 풀지 못하는 욕망과 아쉬움을, 미주가 다 들어주고 해결해 주어서 그런 것이라 여겼다. 일준이는 아내에게 미안하고 죄를 짓는 것 같아 괴로웠다.

한편 미주는 속으로 정말 기뻤다. 미주가 그토록 바라던 것을 이루었기 때문이다. 또한 단골손님을 한 명 더 확보한 듯하다. 50이 넘은 미주에게 한 가지 소원이 있었는데, 그것은 근육질의 젊은 남자와 연애를 하는 것이다. 미주는 어릴 적부터 키가 크고 잘 생겼으며 근육질의 남자가 이상형이었다. 근데 유유상종이라고, 미주에게는 그림의 떡이었다. 미주는 키가 160도 되지 않고, 외모도 뛰어나지 않았다. 가슴이 큰 것을 제외하고는 내세울 것이 없었다. 물론 도우미 생활하며 운 좋게 이상형에 가까운 남자와 뜨거운 밤을 여러 차례 보내기도 했었다. 하지만 보통, 술에 취한 남자가 대부분이고 계속 만남을 이어가고 싶어도 성격이 문제인 남자가 다수였다. 다시 말해 이상형에 가까운 남자손님들과의 만남이 오래가지 못했다.

미주는 올해 운세가 떠올랐다. 운세가 맞는 것 같다. '주니'라는 이상형의 남자와 긴 연애를 할 수 있을 것 같다. 미주는 오랜 도우미 생활로, 섹스에 굶주린 남자를 사로잡는 방법을 알고 있었다. 그리고 일준이는 본인에게 빠져있다는 것을, 미주는 확신했다. 앞으로 계속 일준이를 만날 것을 생각하니 기쁘고 기대되었다.

며칠이 지났다. 일준이는 일이 끝나면 헬스장에 운동하러 갔다. 요즘 운동하는 것에 집중이 잘 된다. 사실 그것은 미주 때문이다. 자신의 몸을 과시할 상대가 있다고 생각하니, 운동이 잘 되는 것이다. 게다가 상대는 칭찬도 관대하고 호응도 좋다.

운동을 끝낸 일준이는 집으로 돌아왔다. 아내가 챙겨놓은 밥을 먹었다. 유치원생인 아들과 놀다 보니, 잠 잘 시간이 다 되었다. 아내는 아들을 씻기고 재웠다. 일준이가 거실에 있으니, 아내가 방에서 나왔다. 그러고 보니 아내와 부부생활을 안 한 지 꽤 된 것 같다. 예전에 아내가 꿩이라면, 이제는 미주가 꿩이다. 미주를 당장 만나지 못하니, 아쉬운 대로 아내에게 욕정을 풀어야 할 것이다. 일준이는 아내에게 부부 관계를 제안했다.

아내는 거실에 깔아놓은 매트에 팬티만 입은 채, 편안하게 누웠다. 일준이가 아내의 팬티를 잡으면 아내는 허리를 든다. 아내는 눈을 감고 있다. 일준이가 다가가 아내의 몸 구석구석을 혀로 핥는다. 목에서부터 발끝까지 천천히 애무한다. 하고 난 후, 아내의 보지를 약간 벌려본다. 털이나 입구에 물기가 보이면 자신의 몸가락을 삽입할 것이고, 보이지 않으면 다시 처음부터 애무한다. 이런 패턴이 일상이 되었다. 일준이는 아내의 몸 위에서 엉덩이를 흔들며 미주를 떠올렸다. 생각해 보면 참 말이 되질 않는다. 아내가 훨씬 더 젊고 예쁘다. 게다가 키도 크고 몸매도 좋다. 직업도 초등학교 선생님이다. 이런 보석을 집에 놔두고 다른 곳에서 욕정을 풀다니....... 일준이는 예전에 TV를 보다 연애뉴스를 접한 적이 있다. 미국의 연애가 소식이었는데, 유명한 모델의 남편이 바람을 피웠다는 내용이다. 이 남편이 남들 다 부러워하는 모델 아내를 놔두고 바람피운 상대는 키 작고 외모도 평균이하의 여자였다는 것이다. 그 후의 내용은 안 봐도 뻔할 것이다. 지금 일준이는 모델 아내를 둔 남자의 마음을 충분히 알 것 같았다. 일준이는 미주가 자신의 엉덩이를 핥는 모습을 떠올리며, 아내의 배 위에다 사정을 했다.

미주를 안 만난 지 3개월이 지났다. 일준이는 다시 미주를 보러 가기로 마음먹었다. 요번에도 아내에게 친구와의 술 약속을 언급하며, 미주가 있는 유흥업소로 향했다. 복합상가 지하로 내려가, 현관문을 열었다. 종소리와 함께 여사장이 나왔다.

- 안녕하세요. 미주누나 만나러 왔어요.

- 잘 왔어요. 미주도 "우리 잘생긴 주니가 언제 오려나?"라고 노래를 부르던데.

 여사장은 일준이를 룸으로 안내했다.

- 잠시만 기다려요. 불러올게요.

- 사상님, 죄송한데 슬리퍼 좀 빌려주세요.

- 그래요.

 일준이는 화장실로 가, 소변을 보고 다시 룸에 들어왔다. 소파 옆에 슬리퍼가 준비되어 있었다. 일준이는 신발을 벗어, 슬리퍼로 갈아 신었다.

 저번에 미주가 말한 것을 준비했다. 지금 일준이 바지 안으로, 속옷 대신 '피트니스 대회 때 입었던 삼각형 피트니스복'을 착용했다. 드디어 미주가 룸으로 들어왔다. 손에는 술잔이 들려있었다.

- 까꿍! 나 보고 싶었지?

- 네. 누나.

 미주는 술잔을 탁자에 올려놓았다. 일준이는 일어나 미주를 격하게 껴안았다. 둘이 소파에 앉자마자, 미주가 일준이의 허벅지를 더듬기 시작했다.

- 뭐야? 오늘은 왜 이리 조용해?

- 안에 피트니스 경기복 입었어요. 지금 되게 불편해요. 누나한테 잘 보이려고 운동 되게 열심히 했어요.

- 정말로? 그럼 그 대가로 이 누나가 상 줘야겠네.

- 무슨 상 인데요?

- 나중에 알려줄게.

 노크도 하지 않고 여사장이 과일안주와 맥주를 들고 왔다.

미주는 여사장을 보며 말했다.

- 언니, 우리 주니가 운동 정말 열심히 하나 봐. 몸이 돌덩어리 같아.

- 그래? 미주는 좋겠네.

여사장은 웃으며 룸을 나갔다. 여사장이 나가자, 일준이는 서둘러 옷을 벗기 시작했다. 쫙쫙 갈라진 근육이 일품이다. 일준이는 근육을 좀 더 과시하기 위해, 어깨에 메고 온 작은 가방에서 조그마한 오일통을 꺼냈다. 일어나 온몸에 바르기 시작했다. 그리하니 정말 피트니스 대회 참가자 같다. 게다가 룸에서 비추는 형형색들의 등이 일준이의 근육을 더욱더 도드라지게 보여주었다. 미주는 입을 감싸며 감탄을 했다.

- 이야~ 정말 멋져. 주니야. 너 내 꿈이 뭔지 아니?

- 뭔데요?

- 근육질의 남자가 날 안은 채, 몸을 섞는 거야. 그러니깐 내가 남자 목을 양팔로 감싸고, 남자의 팔에 내 다리를 걸고 하는 것이지. 한마디로 내가 남자한테 매달려서 해보고 싶다고. 남자가 힘이 좋아야 가능한 것이지. 넌 힘이 좋니?

일준이는 대답 대신 팔에 힘을 주었다. 이누와 삼두에 힘을 줌으로써, 대답 대신 근육으로 답한 것이다. 미주는 다시 일준이의 몸을 가볍게 쓰다듬으며 관찰했다. 가슴골을 느끼고 복근을 만졌다. 그리고 일준이를 뒤돌아 세웠다. 큰 엉덩이 탓에, 삼각형의 경기복 밖으로 일준이의 둔부 밑부분이 튀어나온 것이 보였다. 미주가 살며시 둔부 부분을 꼬집었다. 일준이가 다리에 힘을 주었다. 그러자 꼬집었던 미주의 손이 튕겨 나왔다. 멋진 구경을 하던 미주가 살며시 웃기 시작했다.

- 주니, 여기 잠시만 기다려. 나만 보기엔 너무 아까워.

미주는 싱글벙글 웃으며 룸을 나갔다. 일준이가 말릴 틈도 없었다. 룸 밖으로 대화소리와 웃음소리가 들렸다. 여사장과 미주의 목소리일 것이다. 잠시 후 예상대로 미주가 여사장의 손목을 잡고 룸으로 들어왔다. 여사장은 일준이의 근육 덩어리 몸을 보며 외마디 비명을 질렀다.

- 어머나!

미주는 여전히 싱글벙글 웃으며 여사장에게 설명했다.

- 선주 언니, 어때? 주니 굉장하지? 근육질 자랑하는 대회에서 상도 탔어. 정말 멋지지? 나만 보기 아까워서, 언니 불렀어.

여사장의 이름이 "선주"인가 보다. 순간 일준이는 불쾌하면서도 당황스럽다. 본인의 허락도 없이 타인이 본인의 몸을 구경하니 수치스럽기까지 했다. 일준이는 그 자리에서 미주를 나무랐다.

- 누나, 왜 이래? 내 허락도 없이!

- 나만 보기 아까워서 그래.

미주는 살며시 일준이에게 다가와, 귀에다 대고 속삭였다.

- 선주 언니가 네 자지 봤다던데.

일준이는 창피함이 몰려왔다. 이 유흥업소, 두 번째 방문 때일 것이다. 미주를 만날 생각에 본인의 몸가락이 너무 흥분해 있었다. 그래서 바지를 벗고 팬티 앞쪽 입구 쪽으로 몸가락을 꺼내놓은 채 소파에 앉아있었다. 그때 여사장이 들어왔고, 자신은 탁자 쪽으로 몸을 바짝 갖다 대며 몸가락을 숨겼다고 생각했었다. 하지만 여사장이 이미 다 본 것이다.

일준이의 마음을 아는지, 미주는 선주사장이 들으라는 듯이 크게 말했다.

- 주니, 그냥 즐겨. 여기서 이렇게 노는 거 우리 세명밖에 몰라. 언니랑 내가 어디 가서 말하겠어. 우리도 이런 곳에서 일하는데. 그리고 주니 몸 너무 보기 좋아. 다른 사람이면 선주언니한테 말하지도 않았어. 몸이 너무 예쁘고 완벽하니깐 이렇게 자랑하는 거야. 주니 몸은 자랑해야만 돼.

일준이는 본인의 몸을 "자랑"이라고 말한 부분에 새로운 감정이 일어났다. 수치심이나 분노는 온데간데없고 뿌듯함이 자리 잡았다. 그리고 선주사장의 리액션과 눈빛이 뿌듯함을 더욱더 증폭시키게 만들었다.

- 이야. 몸이 진짜 멋지다. 내가 살아생전에 이렇게 멋진 몸을 어디서 봐. 지금 바로 내 눈앞에서 구경하다니....... 오늘 미주 덕분에 좋은 거 구경하네. 총각 마누라는 진짜 행복하겠다. 키 크고 잘 생겼지. 몸까지 좋은 남편 두어서 말이야. 그리고 미주, 너도 부럽다. 이런 손님 만나서 재미나게 놀고 말이야.

선주사장의 말에 미주는 살짝 웃었다.

미주와 선주는 이름 뒤에 '주'가 들어가는 공통점이 있고 마음도 잘 맞아 친하다. 미주가 보도방에 출근해 첫 손님을 받은 후, 선주 사장의 가게에 머물러 있는 경우가 다반사다. 미주가 본인의 단골손님을 선주사장가게로 부르기 때문이다. 선주사장도 미주의 단골손님이 오면 술값을 낮춰준다거나 서비스를 더 준다. 둘이 상부상조하는 것이다. 둘이 이렇게 친하긴 하지만, 간혹 가다 선주사장의 말들이 미주를 짜증 나게 만드는 경우가 있다. 다 같이 늙어가는 처지에, 유흥 쪽에 일하면서, 선주사장은 미주와 차별을 두려고 했다. 예를 들면 이런 경우다.

- 너랑 나랑 이런 유흥업소에서 일하지만 엄연히 다르지. 나는 경영이고 넌 쉽게 말해서 몸으로 때우는 것이지.

서로를 챙겨주며 친하게 지내도 미주는 선주의 이런 발언들 때문에 짜증이 난다. 게다가 그런 말들을 자주 하니, 가슴에 상처로 각인되었다. 굳이 안 해도 될 말들이다.

미주는 이번 기회에 일준이를 이용해보고 싶었다. 키 크고 근육질 미남의 일준이의 몸을 보여줌으로써, 부러움을 사고 싶었던 것이다. 그런 미주의 계획이 통했다.

미주는 일준이를 뒤돌게 했다. 일준이의 삼각형 경기복안에 손을 넣어 엉덩이를 만졌다.

- 어머~ 정말 탱글탱글하고 묵직해. 매끈한 돌덩어리 만지는 것 같아. 장난 아니야. 언니도 와서 만져봐.

선주사장은 한걸음 뒤에서 지켜만 봤다. 미주는 도우미이기에, 일준이와 육체적 친밀감이 존재하겠지만 본인은 그럴 수가 없었다. "사장"이라는 직급이 있기에 손님의 몸을 함부로 만질 수 없었다. 혹여나 손님 몸이 멋져서 만지다가, 손님이 본인의 몸을 더듬을 수도 있을 것이다. 선주사장은 도우미 취급을 받기 싫었다.

미주는 다시 일준이를 바로 서게 했다. 그리고 몸가락 때문에 볼록해진 경기복 앞쪽을 한 손으로 살며시 거머쥐었다.

- 누나, 왜 이래?

일준이는 부끄러운지, 미주의 손을 뿌리쳤다. 하지만 미주는 일준이를 달래며 다시 거머쥐었다.

- 괜찮다니깐.

　미주는 일준이의 몸가락을 만지작거리며, 선주사장을 다시 쳐다봤다.

- 언니, 뭐 해? 언니도 와서 만져봐. 괜찮아. 나만 만지기 아까워서 그래. 이런 멋진 몸을 어디서 구경하고 만지겠어? 대신 술값 좀 깎아줘!

　몇 분 동안 일준이의 몸을 쳐다보던 선주사장은 한마디 하고 룸을 나갔다.

- 난 됐어. 둘이 재미나게 놀아요.

　선주사장이 나가자, 일준이는 미주의 돌발행동을 지적하고 따지려 했다.

- 누나, 왜 내 허락도.......

　일준이는 미주의 행동에 말을 잇지 못했다. 미주가 일준이의 삼각형 경기복을 내리고, 몸가락을 입에 넣은 것이다. 입에 일준이의 몸가락을 넣고, 빨며 고개를 뒤로 젖힐 때마다 오목하게 들어가는 미주의 뺨이 환상적이다. 일준이는 불만이나 화가 금세 사그라져버렸다.

　일준이는 다리에 힘을 잔뜩 주었다. 허벅지에 손을 지지한 채, 빨고 있던 미주가 흠칫 놀랐다. 일준이의 허벅지가 돌처럼 단단해졌기 때문이다. 그러거나 말거나 일준이는 보란 듯이 대회 때 했던 포즈를 취했다. 양팔을 위쪽으로 동그랗게 말았다. 어깨에 코코넛을 달고 있는 것 같다. 그런 포즈를 취한 채, 미주의 입놀림을 만끽했다.

　일준이는 미주의 머리통을 잡아 몸 쪽으로 바짝 당겼다. 그리고 시원한 표정을 지으며 사정했다. 미주가 일준이의 허벅지를 손바닥으로 쳤지만 일준이는 미주의 머리를 놓아주지 않았다. 사정이 끝난 후에야, 미주 머리를 잡았던 손의 힘을 천천히 풀었다.

미주는 재떨이에다 입에 있던 것을 뱉었다. "캬~"하며 목안에 낀 가래를 뱉는 것처럼 다시 침을 모아 재떨이에 침을 뱉었다.

- 어휴~. 진짜. 마누라가 뭐 하니? 남편 이런 것도 안 풀어주고.

미주는 집에 있을 아내를 비판하기 시작했다.

- 남편을 만족시켜 주어야, 남편이 다른 곳에 가서 딴짓 안하지. 아직 어려서 마누라가 그런 것을 잘 모르나 보다. 전에 마누라가 무슨 일 한다고 했지?

- 초등학교 선생님이요.

- 아이고. 마누라가 머리도 좋고 능력도 있네. 정말 서로 잘 만났다. 주니, 앞으로 나 보려면 나한테 연락해. 오늘은 내가 일하러 나와서 만날 수 있었지만, 간혹 내가 가사로 보도에 출근 못 할 경우도 있거든. 그러니깐 내 연락처 저장해.

사실 일준이와 미주는 서로의 연락처를 알고 있다. 하지만 미주는 일준이가 선주사장을 통해 자신을 부르는 것이 탐탁지 않은 것이다. 더불어 선주사장에게 '일준이가 자신의 손바닥에 있다.'라는 것을 은연중에 보여주고 싶은 것도 있었다.

미주와 일준이는 또다시 서로의 연락처를 공유했다. 순간 일준이는 '미주가 실수로 밤에 술 먹고 전화하는 등의 돌발행동을 하지 않을까?'라는 생각이 들어 걱정이 되었다. 역시 경험이 많은 미주는 일준이의 마음을 훤히 들여다보고 있었다.

- 밤에 전화하거나 내가 먼저 전화하지는 않을 거야. 혹시나

내가 전화 못 받으면 문자 해. 나도 전화 못 받을 수 있는 상황도 종종 생기니깐.

일준이는 다시 경기복을 입으려 했다. 하지만 미주가 제지했다.

- 입지 마. 말려야지. 그리고 자지에서 정액이 샐 수도 있으니, 밑에 휴지 깔아놔.

일준이는 미주 말대로 했다. 미주는 이쑤시개를 이용, 과일 안주를 일준이 입에 넣어주었다. 일준이도 똑같이 미주의 입에 과일을 넣어주려 했다. 그러자 미주가 거절했다.

- 괜찮아. 네 거 많이 먹어서 배 부르다.

미주의 말에 미주와 일준이는 동시에 크게 웃었다. 미주는 작아진 일준이의 몸가락을 한 손으로 거머쥔 채, 일준이와 대화를 나누었다.

- 근데 마누라가 선생님이라, 노후걱정은 없겠다. 게다가 너도 공무원이고. 자식 다 크면 아무 걱정 없겠다. 노후에 둘이 오순도순 잘 살면 되겠어.

미주는 일준이의 밝은 미래를 이야기했고, 일준이는 미주의 앞날을 걱정했다.

- 난 괜찮아. 그나마 지금까지 돈 열심히 벌어서, 이 지역에 아파트 하고 촌에 조그마한 주택 하나 샀어. 그리고 매달 개인연금도 하나 넣고 있어. 이 일 그만두면 아파트 팔아서 촌에 들어가 살 거야. 몸이 불편한 엄마를 내가 데리고 살 생각이야. 그래서 요양사 자격증도 공부하고 있어. 내 나름대로 노후를 준비해 놨어. 나 죽을 때까지 내가 큰 병에 걸리지 않는 이상, 큰 걱정은 없을 것 같아.

일준이는 미주의 노후계획을 칭찬했다. 미주는 일준이와 대화를 나누며 손으로 계속 일준이의 몸가락과 불알을 자극시켰다. 어느 정도 시간이 지나자, 일준이의 몸가락에 힘이 다시 돌아왔다. 미주는 손의 촉감으로 알고 있으면서도, 새삼스럽게 놀라는 표정을 지었다.

- 어머. 언제 이렇게 켜졌어? 나 이제 턱 아파. 못하겠어.

일준이는 능글스러운 표정을 지으며 대답했다.

- 누나 윗입이 아프면 아랫입으로 먹으면 되지.

- 야. 너 겁 안 나니? 나하고 해서 성병이라도 걸리면? 그리되어서 나중 마누라한테 성병이라도 옮기면, 너 나중에 어떻게 감당하려고 그래?

일준이의 능글스러운 표정이 굳어졌다. 미주 말이 맞다. 혹시나 성병이 걸려 아내에게 옮긴다면, 최악의 상황엔 이혼까지 갈 수도 있다. 미주는 일준이의 굳은 표정을 보며 박장대소했다.

- 호호호, 겁먹은 것 봐라. 왜 나랑 하기 싫어? 난 하고 싶은데.

- 누나, 혹시 콘돔 있어요?

- 나 깨끗해. 그래도 만약을 위해 내가 준비했지.

미주는 치마에 조그마한 주머니가 있는지, 치마에서 콘돔을 하나 꺼냈다. 콘돔의 포장지를 입으로 뜯더니, 입에 넣었다. 그리고 그 상태로, 고개를 숙여 일준이의 몸가락에 입혔다.

미주가 일준이를 소파 등받이로 밀었다. 그리고 앉아있는 일준이 위로 올라탔다. 일준이의 몸가락을 한 손으로 잡아 고정시키고, 천천히 앉으며 본인의 몸에 집어넣었다. 미주는 양팔로 일준이의 목을 감싸고 허리를 돌렸다. 미주는 든든함이 느껴졌다. 보통 몸무게가 적게 나가거나 힘이 없는 남자라면, 허리를 돌렸을 때 남자의 몸통이 흔들려 제대로 허리를 돌릴 수 없었다. 근데 일준이 근육 코어가 발달했는지, 미주가 위에서 허리를 돌려도 몸의 미동도 없었다. 미주는 자신의 큰 가슴이 일준이의 얼굴과 어깨에 부딪히는 것이 재미있었다.

일준이는 미주의 큰 가슴 중, 하나는 손으로 잡아 고정시키고 다른 하나는 입에 넣었다. 유두를 핥고 깨물기도 했다. 미주는 성에 차지 않는지, 널뛰기하듯이 몸을 위, 아래로 흔들었다. 일준이는 흐뭇했다. 아내와 달리 미주가 본인의 몸 위에서 이렇게 열심히 몸을 쓰니 즐거운 것이다. 일준이는 제대로 느끼고 싶었다. 여유롭게 소파 등받이에 양팔을 올려놓고 미주를 올려다보았다. 피스톤 운동에 집중하려는 듯, 미주는 눈을 감고 살짝 인상을 찌푸리고 있다. 그러다 흔들던 엉덩이를 멈췄다.

- 주니, 너 느낌 나니?

솔직히 느낌이 크게 나지는 않았다.

- 살짝 허전하네요.

- 그렇지. 나 제대로 느껴보고 싶은데. 너도 그렇지. 내 속살 제대로 느끼려면 콘돔 벗어야 해. 사실 나 보건증 가지고 있어. 며칠 전에 검사했는데, 안에 바이러스가 발견되지 않았어. 그러니깐 깨끗해. 나 더럽게 아무 놈하고 막 하고 그런 사람 아니다.

일준이가 묻지도 않았는데, 미주는 자신의 청결함을 강조했다.

- 그럼 벗고 할까요?

- 네가 원하다면. 너 나 번쩍 안을 수 있어? 나 몸무게가

50kg 넘는데. 이 근육 장식용 아니지?

　미주는 일준이의 자존심을 살짝 건드렸다.

－ 누나 정도는 거뜬히 들 수 있어요.

－ 좋아. 그럼 나 안고서 한번 해보자. 나 그거 너무 해보고
싶어.

　미주가 엉덩이를 크게 들었다. 일준이가 콘돔을 벗기는 것
이 보였다. 미주가 엉덩이를 들어 몸이 접히자 그녀의 배가
도드라져 보였다. 하지만 미주의 그런 똥배도 일준이에겐 귀
여운 애교에 지나지 않았다.

－ 음~.

　깊은 속에서 울려 나오는 탄성을 얕게 지르며 미주는 다시
일준이의 몸가락을 집어넣었다. 이제는 일준이 차례다. 일준
이는 미주의 다리를 양팔에 걸었다. 그리고 심호흡을 하고
서서히 일어났다.

－ 어머!

　미주는 공중에 뜬 자신을 보며 외마디 비명을 지르며 좋아
했다.

－ 이야. 주니 정말 힘 좋다. 나 이제 그네 태워줘.

　일준이는 팔에 힘을 주었다. 미주는 양팔로 일준이의 목을
감싼 채 하체에 반동을 주었다. 일준이도 몸을 움직여 조금
씩 반동을 가했다. 미주와 함께 리듬을 타며 피스톤운동을
했다.

　미주는 이 순간이 너무 즐겁다. 그토록 원하던 꿈이 이루어
진 것이다. 잘생긴 장신의 근육질 남자와 이런 자세로 즐기
고 있으니 말이다. 공중에 매달린 채로 하니 색다르다. 놀이
기구를 탄 것 같기도 하고 특별접대를 받는 것 같기도 하다.

처녀 때나 젊었던 시절에도 이렇게 하질 못했다.

일준이는 미주를 들고 계속하려니 몸이 버거웠다. 금방 온 몸이 땀으로 범벅이다. 날도 더운데 50kg가 넘는 여자를 안고, 피스톤운동을 하려니 보통 힘든 것이 아니다. 미주에게 본인의 힘을 계속 과시하고 싶다. 몇 분이 흘러, 결국 쪼그려 앉았다. 엉덩이가 바닥에 닿지는 않았다. 미주는 여전히 일준이의 목을 감싼 채 매달려있다. 일준이는 탁자 다리를 잡고 이 상태로 버텼다. 미주가 천천히 허리를 돌리기 시작했다.

- 어머, 땀나는 거 봐.

미주는 일준이 이마에 맺힌 땀방울을 손바닥으로 닦아주었다. 서로 눈이 마주치자, 약속이라도 한 것처럼 딥키스를 나누었다.

일준이가 마지막 힘을 짜냈다. 미주의 허리를 양팔로 감싸고 엉덩이를 세차게 흔들었다. 둘은 동시에 짧은 외마디 비명을 질렀다. 일준이가 급하게 말했다.

- 이제 나올 것 같아.

그 소리를 들은 미주는 일준이의 허리를 감았던 다리를 풀어 바닥에 내려놓았다. 그리곤 무릎 꿇고 허리를 꼿꼿이 세운 후 입을 벌렸다. 알려주지도 않았는데, 일준이는 벌떡 일어나 자신의 몸가락을 미주 입에 집어넣고 머리를 몸 쪽으로 바짝 잡아당겼다. 일준이는 사정 후 미주의 머리를 놓아주었다. 미주는 일어나 재떨이는 찾지 않고 본인의 술잔에 맥주를 따랐다. 그리고 한잔 마셨다. 일준이는 소파에 넘어지듯

앉으며 이해되지 않는 미주의 행동들에 대해 질문했다.

- 누나, 왜 마지막에 윗입으로 내 정액을 받은 거예요? 임신이 두려운 거예요?

- 임신?

미주는 호탕하게 웃었다.

- 나 젊었을 때만큼 생리가 원활하지 않아. 이제 애 못 가져. 안에다 싸지르면 닦기 귀찮아서 그랬어. 깨끗이 닦아도 나중에 걸어 다니다 보면 조금씩 흐르는 경우가 있거든. 입으로 받는 것이 제일 깔끔하지. 양이 많으면 재떨이에 뱉으면 되는 것이고, 양이 적으면 "약이다." 생각하고 맥주랑 들이키면 되고.

미주의 웃음에 일준이도 따라 웃었다.

- 누나, 근데 왜 자꾸 첫 번째 정액은 재떨이에 뱉어요? 탁자 밑에 있는 술받이 통도 있잖아요? 거기다 뱉고 맥주 부으면 완전범죄잖아요.

- 선주언니, 놀리는 거야.

- 네?

- 내가 여기서 너랑 이런 것 한다는 것을 보여주거나 말하지는 않아. 대신 추측할 수 있도록 증거물을 살짝 남기는 것이지.

- 왜 그런 짓을 해요?

- 방금 말했잖아. 놀린다고. 내가 젊고 잘생긴 남자랑 이렇게 노는 거, 저 언니 되게 부러워해. 본인도 너랑 연애하며 놀고 싶은데, 못하지. 본인이 사장이니깐. 그렇다고 도우미 일과 겸업할 수도 없고. 본인이 유흥주점 사장으로 일하는 걸, 남편과 자식이 뻔히 알고 있어.

- 내가 누나랑 이렇게 놀다가, 사장님한테 들키면 어쩌죠? 누나 혼나는 거예요?

- 손님이 놀고 있는데, 사장이 함부로 문을 열고 엿볼 수 없어. 그리되면 사장이 욕먹어.

- 아하~.

일준이는 미주가 '참 재미난 사람'이라는 생각이 들었다. 그리고 의문이 하나 더 생겼다.

- 미주누나, 나랑 룸에서 이런 거 해도 돼요? 나랑 2차가면 누나가 돈 좀 더 벌 수 있는 거 아니에요?

- 여기서 이렇게 놀면 당연히 돈을 덜 버는 것이지. 나한테 불리한 것이 많아. 경제적인 것도 그렇지만 여기서 하다가 선주사장한테 걸리면 한소리 들을 거야. 왜냐하면 너랑 이렇게 섹스하다가 단속 나온 경찰한테 걸리잖아. 그럼 우리뿐만 아니라 가게도 피해를 입어. 만약 걸리면 선주언니 입장에서 기분 나쁘지. 그런데 내가 나이가 드니깐 겁이 없어지네. 경찰관이 여기 단속 올리도 없지만, 걸린다고 해도 그리 걱정이 안 돼. 내가 선주언니 피해금액만큼 보상해 주면 되잖아. 50대가 되니깐 조급하게 생각하지 말고 여유롭게 살고 싶어. 지금까지 자식 키우고 나 노후준비, 부모, 형제 걱정하느라 여유가 없었거든. 이제는 그나마 여유롭게 살 수 있다고 자부하는 것은 노후자금 때문이야. 그렇게 준비했기에 돈에 집착하지 않는 거야. 나이도 이제 먹을 만큼 먹었으니 체면도 차려야지. 결정적으로 우리 주니를 배려하는 거야. 너랑 나랑 같이 모텔에 가다가 지인에게 걸리거나 사진이라도 찍히면 어떻게 될까? 생각만 해도 끔찍하지?

일준이는 상상만으로도 끔찍했다.

- 네. 누나, 고마워요.

- 여기서 하고 나면 못 씻어서 아쉽지만, 다양한 방법이 있어. '맥주로 중요부위만 씻는다던가 입으로만 네 정액을 받는다던가'하는 방법들이지.

일준이는 미주의 배려가 고마웠고, 그녀가 '생각이 깊은 사람'이라 느꼈다.

'시간이 다 되었다.'라는 기계음이 들렸다. 미주와 일준이는 옷을 입었다. 둘은 아무 일 없었다는 듯 룸을 나왔다. 미주가 휴게실에서 쉬고 있는 선주사장을 불렀다. 일준이가 카운터에서 계산하고 미주와 선주사장의 배웅을 받으며 귀가했다.

일준이는 귀가 중에, 본인이 '제정신이 아니다.'라는 생각이 들었다. 방금 룸에서 미주를 들고 성행위를 했다. 아내와도 해보지 않은 자세였다. 근데 아내보다 나이도 많고 키도 작으며 못생긴 미주와 몸을 섞은 것이다. 방금 그녀에게서 최고의 즐거움과 쾌락을 느꼈다. 일준이는 자신의 현 모습이 이해되지 않았다.

시간이 흘러, 미주를 안 본 지 한 달이 지났다. 일준이는 다시 미주가 생각나기 시작했다. 미주와 선주사장에게 본인의 근육을 과시했던 기억을 떠올리니, 이상하게 흥분이 되었다. 게다가 미주가 선주사장이 보는 앞에서 본인의 몸을 더듬고 만질 때를 상상하니, 그 흥분은 배가 되었다. 그 당시는 잠시 수치스러웠는데, 이제는 더 보여주고 싶은 욕망이 생겼다.

일준이는 일하다 화장실로 들어가, 인터넷 검색으로 야한 남자 속옷을 검색했다. 정말 희한한 것들이 많았다. 코끼리 모양의 팬티가 보였다. 남자의 남근을 부각시켜주는 것 같다. 하지만 일준이의 취향은 아니다. 너무 장난감 같아 보였기 때문이다. 이런 것을 입고 미주와 선주사장 앞에 선다면 웃음거리만 될 것 같다. T팬티가 눈에 들어왔다. 더 검색하니 그물로 된 망사팬티도 보였다. 본인이 입는다면 큰 엉덩이 탓에 그물이 늘어나 엉덩이가 더 부각될 것이다. 그래서 T삼각형 팬티, 삼각형 드로즈 망사팬티, 사각형 드로즈 망사팬티를 각각 하니씩 인터넷으로 구입했다.

일주일이 지나지 않아, 주문한 것들이 택배로 집에 도착했다. 아내가 택배 안에 든 것을 보고 "뭐야?"라고 물었다. 일준이는 거짓말을 했다.

- 당신한테 나의 색다른 모습을 보여주고 싶어서. 이거 입고 자기 흥분시킬 거야.

아내는 크게 웃었다. 아내는 세탁하기 위해 빨래통에 넣었다.

아들이 잠든 날 밤, 일준이는 실제로 아내 앞에서 T팬티와 망사팬티를 차례로 입어보았다. 그리고 아내의 반응을 살폈다. 아내는 웃으며 엄지척을 보여주었다. 그날, 일준이는 아내와 부부생활을 했다. 일준이는 아내 몸안을 출입하면서도 미주와 선주사장 앞에 야한 속옷을 입고 있는 자신을 상상했다.

늦은 저녁, 일준이는 미주를 보러 가기로 결심했다. 이제 완연한 여름날씨다. 일준이는 짧은 반바지와 반팔티를 입고 운동화를 신은 채 집을 나섰다. 물론 이번에도 아내에게 친구를 만나러 간다는 핑계를 대었다. 집을 출발하기 전, 아내는 일준이의 의상에 대해 불만을 이야기했다.

- 여보, 반바지가 너무 짧은 거 아니야?

- 자기, 나 운동하는 거 알잖아. 허벅지가 굵어지니깐 긴 바지가 불편해. 특히 땀나면 살에 달라붙어서 거추장스러워.

- 하긴, 그렇지. 자긴 다리가 예뻐서 짧은 바지가 잘 어울려.

아내는 일준이가 친구를 만나러 가기에 무슨 옷을 입든, 중요하지 않았다. 반면에 일준이는 미주를 만날 때 짧은 반바지가 편했다. 처음 미주를 만난 날, 바지 밑단으로 돌어노는 미주의 손길을 잊을 수 없는 것이다.

일준이는 오늘 속옷으로 T팬티를 입었다. 처음 입어보는데, 엉덩이가 되게 불편하다. 걸을 때마다 항문에 자극을 주는 것이 뒤가 신경 쓰였다. 그래도 미주와 선주사장에게 자랑할 것을 생각하니, 이런 불편은 아무것도 아니다. 벌써부터 흥분되었다. 이제 일준이는 미주의 전화번호를 알기에, 전화를 걸어 '지금 가게에 간다는 것'을 알렸다.

- 응. 알았어. 조심해서 와. 나도 그 가게로 출발하고 있어.

미주가 콧소리를 내며 일준이의 기분을 좋게 만들었다. 일준이는 유흥업소에 도착해, 선주사장에게 술 취한 연기를 했다. 몸을 조금 비틀거리며 말했다.

- 사장님, 반갑습니다. 오늘 술 좀 과하게 마셨더니 어지럽네요. 그런데도 사장님 보고 싶어서 왔어요.

- 어머! 애교가 늘었네. 미주가 보고 싶어서 온 것이겠지. 지금 미주는 도우미 대기실에서 옷 갈아입고 있어. 준비되면 나올 거야. 룸에서 기다려요.

선주사장이 일준이를 룸으로 안내했다. 이미 슬리퍼며 술이 준비되어 있었다. 미주가 선주사장에게 미리 이야기한 것이다. 하지만 일준이는 아직 과일안주가 탁자에 없는 것을 확인했다. 일준이는 비틀거리며 선주사장에게 미리 말해두었다.

- 사장님, 저 오늘 많이 취했어요. 취하니깐 열이 많이 나네요. 좀 시원하게 있어도 되나요?

- 당연하지. 우리 집이라 생각해. 홀딱 벗고 있어도 돼. 어휴~. 키도 크고 날씬한 것이 보기 좋다. 그래, 남자도 관리를 해야 돼. 여기 오는 아저씨들, 대부분 배가 완만하게 나와가지고, 보기 싫은 데. 삼촌은 몸이 참 예쁘다. 다리에도 근육이 보이네.

선주사장은 칭찬을 쏟아내고 룸을 나갔다. 일준이는 서둘러 반바지를 벗어 탁자 위에 접어놓았다. 잠시후면 미주가 들어올 것이고 선주사장도 과일안주를 들고 올 것이다. 그들에게 T팬티를 입은 자신의 모습을 노출시킬 것을 상상하니, 벌써부터 몸가락이 들썩거렸다.

미주가 노크도 하지 않고 문을 열고 들어왔다.

- 주니, 잘 지냈어?

일준이가 소파에서 벌떡 일어났다. 미주의 시선이 일준이의 T팬티에 고정되었다. "푸하하" 미주는 크게 웃으며 룸의 문을 닫지도 않고 뒤돌아갔다. 잠시 후 선주사장과 같이 룸으로 들어왔다. 예상대로 선주사장 손에 과일안주가 들려있었다. 선주사장과 미주는 일준이의 하체를 보며 크게 웃었다. 일준이는 다리를 약간 벌리며 허벅지에 힘을 가득 주었다. 그러자 다리 근육이 모양새를 갖추며 뚜렷하게 보였다.

미주가 일준이에게 달려가, 상의를 빼앗다시피 벗겼다. 일준이는 T팬티만 입고 있는 것이다. 이미 술 취한 설정이기에, 민망함은 없다. 나중에 술 취해 발생한 실수라며 변명해도 될 것이라 생각했다.

일준이는 다시 피트니스 대회 때 선보였던 포즈를 취했다. 미주가 웃으며 외쳤다.

- 주니야. 뒷모습 보여줘.

일준이는 뒤돌아 뒷모습을 보여주었다. T팬티의 끈 하나만이 일준이의 엉덩이 한가운데를 가리고 있을 뿐이다. 선주사장은 과일안주를 탁자에 내려놓았다. 내려놓으며 가까운 거리에서 일준이의 근육들을 관찰했다. 선주사장은 본인도 모르게 "꿀꺽"하며 침을 삼켰다.

미주가 다가왔다. 선주사장의 손을 잡아, 일준이 근육들을 어루만지게 했다.

- 어머, 너 왜 이러니? 그러지 마.

말은 만류하면서도 미주의 손을 뿌리치지는 않았다. 미주의 안내로 선주사장은 일준이의 가슴근육, 어깨근육, 엉덩이, 허벅지 근육, 종아리 근육 등을 차례대로 만졌다. 미주는 선주사장의 손을 일준이 몸가락 앞쪽에 놓아주었다. 선주사장은 뭔가에 홀린 듯한 표정으로 일준이의 몸가락을 꼬집듯이 만졌다. 그리고 불알도 살포시 잡으며 촉감을 만끽했다.

- 언니, 뭐 해? 옷 때문에 제대로 못 느끼잖아. T팬티 안에 손 한번 넣어봐.

선주사장이 망설이던 찰나에, 일준이와 눈이 마주쳤다. 술 취한 눈이 아니다. 선주사장은 순간 민망한지, 다른 곳으로 화제를 돌렸다.

- 이렇게 손바닥만 한 팬티 입고 있으니깐 섹시하네. 근데 털이 안 보이네. 제모했어?

사실 일준이는 제대로 제모하지 않았다. T팬티를 입어보고, 비집고 나오는 털들만 가위로 자른 것이다. 일준의 실제상황

도 모르는 미주가 대답했다

- 당연하지. 밖으로 튀어나오는 털은 무조건 제모해야 돼. 그래야 이런 거 입었을 때 예쁘지. 근데 배꼽 밑 털이 없으니깐 아쉽네. 남자들 팔 높이 들어 올리면 상의 밑쪽으로 구레나룻 같은 털이 보이잖아. 그 털이 자지털과 연결되어 있다고 상상할 때마다 되게 섹시하고 흥분되더라. 나 고등학교 때부터 그랬어. 특히 남자들이 농구하면 그 털이 자주 보이더라. 보기 좋은데 주니가 그 털도 제거해 버렸네.

 미주는 자신의 아쉬움을 토로했다. 잠시 정적이 흘렀고 선주사장이 미주에게 역정을 내었다.

- 어휴, 미주 너 때문에 내가 손님 노는 시간 빼앗았네. 이러다 단골손님 놓칠라 걱정된다. 미주야! 구경 잘했으니깐 내 몫까지 재미나게 놀고 잘해드려.

- 언니. 제대로 만져보고 가.

 선주사장은 미주의 말에 대꾸도 하지 않고 룸을 빠져나갔다

- 호호호.

 미주가 "앗싸~"하며 좋아했다. 선주사장을 살짝 약 올린 것에 재미를 느끼는 모양이다.

 일준이는 미주에게 서운한 감정을 토로했다.

- 누나. 나 방금, 내가 장난감처럼 느껴졌어요. 누나 때문이에요. 내 허락도 없이 남이 내 몸 만지게 할 거예요?

 일준이는 미주에게 살짝 삐진 모습을 보였다.

- 미안해. 난 주니를 장난감으로 생각한 적이 1도 없어. 주니 몸이 너무 멋있어서, 자랑하고 싶었던 것뿐이야. 사실 내 마음 같아서는 주니처럼 몸 좋은 남자들은 다 벗고 다녔으면 좋겠어.

- 누나도 참.

일준이는 어이없다는 표정을 지었다.

미주는 소파에 앉았다. 그리고 본인의 술잔에 맥주를 따르고 한잔 시원하게 마셨다. 일준이에게 계속 서 있을 것을 주문했다. 미주는 자신의 다리를 벌리고, 그 안에 일준이를 위치시켰다. T팬티 밑부분으로 일준이의 불알이 살짝 삐져나왔다. 미주는 삐져나온 살에 혀를 갖다 대었다. 그러자 희한하게 위쪽에서 반응이 왔다. 일준이의 몸가락이 팽창되었다. 용수철처럼 당장이라도 튀어나올 것 같다.

미주는 일준이의 허리 부분에 위치한 T팬티 끈을 잡아 내렸다. 정확히 엉덩이 밑까지만 내려, 엉덩이를 더 부각시키게 만들었다. 양손으로 엉덩이를 만지며, 미주를 가리키는 일준이의 몸가락을 입속 깊숙이 밀어 넣었다. 미주는 머리를 앞뒤로 흔들기 시작했다. 일준이는 양손으로 깍지를 낀 채, 본인의 머리에 위치시켰다.

사실 일준이도 선주사장의 손길과 침 삼키는 모습에 몹시 흥분했었다. 속으로 자신의 경기복 안에 손을 넣어주기를 바랐다. 아쉬웠지만 자신의 근육을 더듬은 것만으로도 큰 쾌락이었다.

미주가 한참을 신나게 일준이의 몸가락을 빨다 멈추고 고개를 들었다. 무엇이 떠오른 모양이다.

- 주니, 너 그거 아니?

- 뭘요?

- 나와 아내 말고 또 다른 애인 없지?

- 네. 근데 왜요?

- 혹시나 이런 유흥업소 가더라도, 담배 피는 여자에게는 빨

리지 마.

- 왜요?

- 담배 피우면 입안과 목에 세균 번식하는 거 알지? 그게 커지면 후두암 등으로 변질될 수도 있어. 그런 균들이 많은 입속에 네 자지가 들어간다고 생각해 봐. 어떨 것 같아?

- 어떻게 되는데요?

- 자지에 균이 들어가는 것이지. 그럼 자지가 잘 안 설 수도 있어. 더러운 침이 귀두 안으로 들어가, 자지를 병들게 하는 거야. 젊은 나이에도 자지 안 서는 남자들, 더러 있더라. 그게 원인일 수도 있어.

- 누나는 담배 안 피우죠?

- 당연하지. 난 깨끗해. 방금 네 자지 빨기 전에도 맥주 한 잔 마시며 입을 헹궈잖아. 난 그만큼 주니를 배려한다고.

- 누나, 너무 고마워요. 마누라도 잘 안 빨아주는 제 자지를, 청결까지 신경 쓰면서 이렇게 정성껏 빨아주니 너무 고맙네요.

- 넌 충분히 그럴 자격 있어.

미주와 일준이는 서로 싱긋 웃었다. 미주는 다시 일준이의 몸가락을 입에 넣었다. 손으로 일준이의 엉덩이 근육을 만지며 마음껏 촉감을 만끽했다. 일준이도 미주의 입술과 혀로 인해 쾌락에 다다랐다.

일준이는 저번과 같이 미주의 머리를 단단히 붙잡고, 입 속에 진득하게 사정했다. 5초 정도 미주의 머리를 잡아당긴 후에야, 머리를 놓아주었다. 일준이가 손을 놓았음에도, 미주는 일준이의 몸가락을 바로 뺄지 않았다. 혀로 귀두를 깨끗이 청소 후, 머리를 천천히 뒤로 젖혔다. 미주는 재떨이를 찾아, "왈칵"하며 뱉었다. 양이 꽤나 많았다. 일준이는 미주의 술잔에 맥주를 따라주었다. 미주는 술잔을 잡아 한번에 들이켰다. 손등으로 입가를 닦으며 인상을 썼다.

- 뭐야? 왜 이리 찐득해. 얼마나 참고 안 한 거야? 얼마나 찐득한지 맥주를 마셨는데도 입안이 아직도 찐득해. 어릴 적 개구리알 생각나네. 나 촌에 살 때 봄철 개울가에 놀러 가면 개구리알이 그렇게나 많았어. 물 위에 떠 있는 개구리알에 보니, 장난을 치고 싶은 거야. 나뭇가지 꺾어서 찌르고 흔들어도 찐득하게 뭉친 것이 잘 흩어지지도 않았어. 지금 내 입안이 딱 그런 것 같아. 입안에 물엿 바른 느낌 하고도 비슷해.

일준이는 미주의 표현에 크게 웃었다.

- 누나, 표현력 정말 좋다. 나도 한번 느껴보고 싶다.

일준이는 미주에게 다가가, 입을 마주쳤다. 미주 입안에 혀를 넣어 구석구석을 훑고 지나갔다. 미주의 입안을 맛본 일준이가 씩 웃어 보였다.

- 에이. 거짓말쟁이. 물엿 같은 느낌 전혀 없잖아.

- 방금 맥주 마시고 여러 번 침 삼키면서 목안으로 다 넘어갔어. 벌써 다 소화되었어.

둘은 크게 웃으며 다시 딥키스를 나누었다.

미주는 기분이 되게 이상하다. 일준이와 룸에서 연애를 하니, 이팔청춘으로 돌아간 것 같다. 게다가 묘하게 흥분되고 매혹적이다. 미주는 일준이를 만날 때마다 속으로, '젊고 아름다운 초등학교 선생님의 남편을 따먹는다.'라고 생각한다. 나이, 외모, 지적능력으로는 상대가 안되지만 본인만의 매력과 기술로 남의 남편과 이렇게 사랑을 나누니, 재미난 것이다. 사실 미주는 일준이 아내의 얼굴을 봤다. 저번에 미주와 일준이는 서로의 전화번호를 공유했다. 미주의 핸드폰에 일준이의 전화번호가 저장되어 있다. 요새 타인의 전화번호를 저장하면, 저장한 전화번호 주인의 카X으로 들어갈 수 있다. 그럼 전화번호 주인이 설정해 놓은 사진들을 볼 수 있다. 일준이도 자신의 카X에 본인사진과 가족사진을 배열해 놓았다. 거기엔 일준이 아내의 얼굴도 있었다. 미주는 단번에 '이 사람이 일준이의 마누라구나.'라고 알아봤다. 젊고 아름다운 미인이었다. 이 여인이 흡사 여고시절 때 같은 반의 반장과도 이미지가 비슷했다. 미주는 학창 시절 담임 선생님이 정해놓은 청소당번을 깜박 잊고 청소를 하지 않은 적이 있다. 그때 반장이 선생님에게 달려가 일러바쳤다. 미주는 반 학생들이 모인 곳에서, 담임 선생님께 된통 혼났다. 반장이 담임 선생님이 아니라, 미주에게 이야기했다면 미주는 청소를 했을 것이다. 그럼 혼나는 일은 없었을 것이다. 그 일로 미주는 반장에게 일절 말도 걸지 않고, 얼굴도 쳐다보지 않았다. 그 도도하고 차가운 이미지인 반장과 일준이 아내의 이미지가 겹쳐 보인 것이다. 미주는 옛 복수를 한 것 같은 기분도 들었다. 그보다 미주는 "넘사벽" 선생님의 남편을 '지금도, 앞으로도 계속 따먹을 것이다.'라는 사실에 묘하게 흥분되고 즐거웠다.

일준이는 미주의 이런 속마음을 모른 채, 미주에게 빠져있다. 아내와의 성생활에서 발생하는 불만을 토로하면, 미주는 같이 호응해 주고 무조건적으로 일준이편을 들어주었다. "내가 네 마누라라면, 두말하지 않고 하겠다."라는 식으로 말이다.

미주는 일준이와 소소한 대화를 나누면서도, 한 손으로 일준이의 불알을 계속 만지고 있다. 조금씩 조물딱거리며 마사지처럼 압을 가하고 있는 것이다. 그 압이 힘을 불어넣어 다시 발기하기를 유도하는 것이다. 미주의 바람대로 일준이의 몸가락이 서서히 회복되었다. 미주는 귀여운 아기나 고양이를 본 것처럼, 일준이의 몸가락을 향해 사랑스럽게 말했다.

- 이제 슬퍼하지 마. 아까처럼 크게 울 일은 없을 거야.

미주는 허리를 숙여, 다시 일준이의 몸가락을 물었다. 일준이는 미주에게 애원했다.

- 누나, 이제 아랫입으로 먹어주세요. 아랫입에 양보해 주세요.

- 호호호, 알았어. 다시 해보자. 아랫입으로 먹을 테니깐 쌀 것 같으면 말해. 윗입으로 받아줄 테니깐.

미주는 팬티와 치마만 벗고, 브래지어도 풀었다. 블라우스만 입은 채, 소파 위에 다리 벌여 누웠다. 일준이가 미주를 바라보며 누웠고 둘의 몸은 포개졌다.

- 누나, 너무 잘 맞아요. 칼이 칼집에 들어간 것 같아요.

- 그러네. 어쩜 이렇게 속궁합이 잘 맞지?

일준이는 살짝 걱정이 되었다. 일준이와 안 만난 사이에, 미주가 다른 남자와 2차를 간 것은 아닐까? 그로 인해 성병이라도 걸렸다면 큰일이다. 용기 내서 물어보았다.

- 누나, 나 걱정 안 해도 되죠?

- 걱정하지 마. 나 보건증 받고 보지 벌인 건 네가 처음이고 다른 놈 자지도 안 들어왔어. 아내한테 성병 옮길 일 없어.

일준이는 장난기가 발동했다.

- 나 임신될까 봐 걱정한 건데요.

미주와 일준이는 서로 허리를 움직이며 웃었다.

- 나 생리하긴 하는데, 젊었을 때만큼은 아니야. 양도 적어. 안에 싸도 임신은 안될거야.

- 알았어요. 그냥 누나 입에 다 쌀게요. 나도 누나 입에 싸는 게 편해요.

 미주는 일준이 몸에 깔린 채, 엉덩이를 어루만졌다. 일준이의 큰 가슴근육이 미주의 몸에 닿을 때마다 그 단단함이 느껴졌다. 일준이는 오롯이 정자세로 미주 몸 위에서 엉덩이를 흔들었다. 미주의 살결을 파고들 듯이 미끄러지며 삽입되고 빠져나오는 그 느낌에만 집중한 것이다.

 일준이는 더욱더 집중하기 위해 눈을 감았다. 허리반동 속도를 줄였다. 둔탁한 자신의 몸가락이 좁은 구멍사이를 헤집고 들어간다. 따스한 동굴 같은 미주의 몸 안에서 잠시 휴식을 취한다. 그러자 케겔운동 하듯이 몸가락에 연거푸 힘을 주었다.

- 누나, 느껴져?

- 응. 이 느낌 너무 좋아. 안에서 뭔가 꿈틀거리는 거.

 일준이는 천천히 엉덩이를 뺐다. 그러자 귀두 테두리 주변으로 미주의 내부살결이 스치는 것이 느껴진다. 엉덩이를 빼면 자신의 엉덩이에 위치한 미주의 손이 다시 몸 쪽으로 잡아당겼다. 쉴 틈을 주지 않았다.

 미주에게 일준이의 몸가락은 막대사탕 같다. 겉은 단단하지만 속은 시럽으로 가득 찬 과자 같기도 하다. 아랫입으로 빨아먹고 있는 듯하다. 한참을 빨아먹으면 안에 들어있는 시럽이 터져 나올 것 같다. 미주는 시럽을 윗입으로, 맥주와 함께 받아먹을 것이라 마음먹었다.

미주도 이제 나이를 먹은 모양이다. 아랫도리에서 조금씩 아픔이 전해졌다. 물이 잘 나오질 않는 것이다. 몇 년 전만 하더라도 남자의 몸가락이 몸 안에 들어오면 시냇물처럼 졸졸 흘렀다. 남자가 오래 하면 오래 할수록 몸과의 마찰이 잦아지며 하얀 거품이 성기 주변으로 발생했다. 남자의 불알을 적시고 본인의 허벅지까지 하얀 거품이 묻어 나올 정도면 꽤나 오래 한 것이다. 미주는 오늘도 그 하얀 거품이 일어나기를 바라며 일준이를 쳐다보았다.

미주의 아픔도 모른 채, 일준이는 눈을 감고 엉덩이를 흔드는 것에 집중하고 있다. 어느새 땀을 뻘뻘 흘리고 있다. 미주는 예전만큼 샘솟지 않는 애액 때문에 고민이 되었다. 마음 같아서는 당장 멈추고 싶다. 하지만 키 크고 몸매 좋은 미남에게 실망감을 주긴 싫다. 미주에게 좋은 방안이 떠올랐다.

- 주니~. 너무 좋아. 근데 이 누나가 윗입으로 한번 느껴보고 싶다. 누나 입에 네 자지 넣어줘.

일준이는 눈을 떴다. 일준이가 몸을 빼고 일어나자, 미주도 소파에 앉았다. 미주가 입을 벌렸고, 일준이가 다가왔다. 일준이가 미주의 머리를 잡아 고정시켰다. 그리고 입에 삽입 후 엉덩이를 앞뒤로 흔들었다. 미주는 일부러 침을 삼키지 않았다. 일준이가 쉬면 미주는 혀를 움직였다. 혀가 지구 위를 도는 인공위성처럼 일준이의 몸가락을 맴돌았다.

- 누나, 나 다시 돌아갈래요. 백 미터 달리기처럼 누나 몸 안에서 전력질주 하고 싶어요.

- 음음.

미주는 입안의 몸가락 때문에 제대로 말을 할 수 없다. 일준이가 미주의 머리를 놓아주고 엉덩이를 뺐다. 몸가락과 함께 침이 왈칵 쏟아졌다. 그 모습을 본 미주는 바로 누워, 다리를 최대한으로 벌렸다. 턱으로 흘러내리는 침을 손으로 훔치더니, 자신의 보지에 발랐다. 기다렸다는 듯이 일준이가 미주의 몸 안으로 들어갔다. 일준이는 상체를 세우고, 양손으로 미주의 큰 가슴을 손잡이인 양 꽉 잡았다. 그리고 허리를 세차게 흔들었다. 얼마나 세게 흔드는지, 소파가 들썩거렸다. 미주는 마음껏 소리치고 싶지만, 선주사장의 가게에서 함부로 그럴 수 없었다. 손님과 간접적인 애정행위는 허용되지만 진짜애정행각은 곤란하다. 선주사장에게 들키면 호되게 혼날 것이다. 간접적인 증거만 남김으로써, 선주사장이 상상하고 추측하게만 만들고 싶은 것이다. 미주는 자신의 입을 억지로 틀어막았다. 대신 일준이가 "으~"하는 옅은 괴성은 질렀다. 잠시 후 분출할 신호가 왔다.

- 누나, 준비해.

 일준이는 벌떡 일어났다. 미주도 재빨리 상체를 세워, 일준이의 몸가락을 입에 물었다. 빨리 나오기를 유도라도 하듯이 일준이의 불알을 어루만졌다.

 일준이가 다시 미주의 머리를 잡아당겼다. 또다시 "으~"하는 옅은 탄성을 내지르며 몸을 부르르 떨었다. 미주는 가만히 일준이의 쾌락을 받아주었다. 일준이의 몸가락에서 더 이상 나오는 것이 없자, 미주는 혀로 귀두를 쓱싹쓱싹 하며 문질러주었다. 일준이를 놓아주더니, 미주는 본인의 술잔에 맥주를 부었다. 그리고 시원하게 한잔 들이켰다. 일준이는 소파에 털썩 주저앉으며 외쳤다.

- 미주누나, 진짜 최고다.

미주는 손등으로 턱을 닦으며 엄지 척을 보여주었다.

어느덧 마칠 시간이 다 되었고, '시간이 다 되었다.'라는 기계음이 들려왔다. 미주와 일준이는 천천히 옷을 입었다.

일준이는 카운터로 나와, 계산하고 미주와 선주사장에게 작별인사를 건넸다. 미주와 선주사장은 현관문까지 일준이를 배웅했다.

두 달 뒤, 일준이는 다시 미주가 보고 싶어졌다. 근데 아내에게 계속 미안한 마음이 들었다. 큰 죄를 짓는 것 같고, 해서는 안될 불법적인 일을 저지르는 것도 같다. 하지만 사람도 포유류 동물이라는 것을 깨닫는다. 욕정이 차오르면 미안함과 반성은 상쇄되고 만다. 아내에 대한 감정을 뒤로한 채, 일준이는 또 미주를 만나러 간다.

어느덧 초가을 날씨가 되었다. 그래도 조금 덥다. 일준이는 짧은 반바지에 망사드로즈 팬티를 입었다. 오늘은 망사팬티를 입고 미주와 선주사장에게 본인의 건강미를 과시할 계획이다.

미주에게 연락하고 선주사장의 유흥업소로 갔다. 룸 안에는 슬리퍼와 술이 놓여있었다. 미주가 선주사장에게 '손님 받을 준비'를 주문한 것이다. 잠시 후 현관문에 달린 종소리가 들리고, 미주가 룸의 문을 열고 들어왔다.

일준이는 미주를 보자마자 인사를 생략한 채 반바지를 벗었다. 그리고 일어나 미주를 반겼다. 망사팬티 안으로 일준이의 몸가락과 불알이 보였다. 망사 때문에 튀어나온 부분이 도드라져 보여, 더욱더 시각을 자극시켰다.

- 어머, 이게 뭐냐? 이제 재미 들었네. 나 보여주려고 이렇게 입고 온 거야?

- 네. 누나하고 선주사장님한테도 보여주고 싶어요.

- 너무 섹시하다. 못 참겠다. 한번 꺼내봐. 빨리 빨아보자.

미주는 소파에 앉아 입을 벌렸다. 일준이는 드로즈팬티를 둔부 밑까지 내리고 몸가락을 입에 넣었다. "음~음~"하며, 맛있는 음식을 먹을 때 나오는 행동을 보였다.

미주가 소파에 앉아있는 방향은 룸의 문을 바라보는 방향이고, 반대로 일준이는 룸의 문을 등진 채 서있다. 노크도 없이 문이 열렸다. 문이 열리자마자 미주는 일준이의 몸가락을 뱉으며 얼굴을 돌렸다. 일준이는 미주의 입놀림을 감상하느라 인지도 못한 상태다.

- 어머, 오늘도 재미나게 노네. 나 신경 쓰지 말고 놀아요. 삼촌, 엉덩이가 참 탐스럽다.

선주사장이 들어온 것을 늦게 알아챈 일준이는 깜짝 놀라며 팬티를 입었다. 하지만 발기된 몸가락 탓에 제대로 입을 수가 없었다. 임시방편으로, 일준이는 쪼그려 앉았다. 선주사장은 과일안주를 탁자에 내려놓으며, 웃는 얼굴로 말했다.

- 나 이미 다 봤지룽, 감추지 마. 미주한테만 보여주고 싶은 거야? 나도 가끔씩 좀 보자. 이런 물장사하는 것도 지겨운데, 삼촌 몸매 보며 웃고 즐기면 좋은 것이지.

선주사장이 일준이 위에서 물끄러미 내려보았다. 미주도 거들었다.

- 일어나 봐. 어때? 이미 다 봤는데. 시원하게 보여줘.

사실 일준이도 과감한 노출을 즐기고 싶다. 하지만 윤리적 이성이 그런 모습을 숨기고 막고 있을 뿐이다.

일준이는 천천히 일어났다. 놀란 탓에 몸가락이 많이 줄어든 상태다. 일준이는 선주사장 앞에서 망사팬티를 올렸다. 선주사장은 한 손으로 본인의 입을 가리며 "어머~"하고 탄성을 자아냈다.

- 삼촌, 자지가 마치 그물에 걸린 새끼 구렁이 같다.

선주사장의 비유에 그 장소는 웃음바다가 일렁거렸다.

- 주니야. 뒤돌아 서.

미주는 일준이의 뒷모습을 보여주고 싶었다. 일준이의 큰 엉덩이 탓에, 망사가 늘어진 것처럼 보였다. 또한 망사 밖으로 살들이 튀어나올 것 같다. 미주는 선주사장에게 계속 만질 것을 주문했다.

- 언니, 침만 흘리지 말고 촉감으로 느껴봐.

선주사장은 마지못해 만지는 것처럼 망사팬티 안에 손을 넣었다. 뒷면에서 큰 엉덩이의 매끄럽고 부드러운 질감을 느꼈다. 앞면에서는 일준이의 몸가락과 불알을 차례대로 살포시 거머쥐었다.

일준이는 묘한 기분이 들었다. 아내와 미주 외의 다른 여자가 본인의 몸을 더듬으니, 또 다른 흥분이 솟구쳤다. 미주에게 했던 것처럼, 선주사장의 몸도 만지고 싶고, 입에 본인의 몸가락도 집어넣어 보고 싶은 충동이 일어났다.

선주사장은 손으로 일준이의 몸을 다 느끼고선, 사장의 위엄을 되찾으려는 듯 정색했다.

- 난 보기만 하려고 했는데, 이게 다 미주, 너 때문이야. 다들 재미나게 놀아요. 내가 노는 거 방해한 것 같아.

선주사장은 빠른 걸음으로 룸을 나가버렸다. 미주와 일준이는 서로 보며 웃었다. 일준이는 왠지 아쉬웠다. 포르노처럼 두 여자가 본인의 몸가락을 나눠서 빨고 핥는 것을 잠시 상상했다. 아쉬움을 달래 보려, 망사팬티를 다시 둔부 밑까지 내렸다. 그리고 소파에 앉아있는 미주 앞에 당당히 섰다.

미주는 알고 있다는 듯이 말했다.

- 알았어. 하던 거 마저 하자.

미주가 일준이의 몸가락을 잡아 위로 젖히더니, 불알을 한 입에 잔뜩 넣었다. 혀로 이리저리 굴리며 자극을 주고, 부분적으로 입술로 빨아 당기기도 했다.

- 아까 너 망사팬티 입으니깐 네 불알이 색다르게 보이더라. 망에 넣은 양파 같기도 하고, 시루떡처럼 보이기도 하더라. 나 좋은 아이디어가 떠올랐어. 아무튼 하던 것 마저 끝내고 이야기하자.

미주는 다시 일준이의 몸가락을 입에 물고, 머리를 거칠게 앞 뒤로 흔들었다. 얼마가지 않아, 일준이가 미주의 머리를 잡아당기며 시원하게 사정했다. 늘 하듯이 미주는 일준이의 귀두를 혀로 여러 번 닦고 나서야 일준이를 놓아주었다. 미주는 재떨이에 입안에 있던 것을 쏟아내며 늘 하던 말들을 늘어놓았다.

- 마누라가 안 해줘? 양도 많고 점도도 엄청 강해. 방금 입에 접착체 넣은 것 같다.

미주의 이런 불만, 불평이 이젠 즐거움으로 다가왔다. 미주는 맥주를 한 잔 마시고, 일준이 옆에 딱 붙어 앉았다. 일준이의 몸가락 끝에서는 아직도 정액이 질질 새어 나왔다. 미주는 티슈로 일준이의 귀두를 닦아주었다. 그리고 다시 일준이의 몸가락을 한 손으로 만지작거리며 대화를 시작했다.

- 나 아까 생각났는데, 우리 보도방 동료 중에 '성희'라는 애

가 있어. 이 친구는 특이하게도 남자 불알을 엄청 좋아하는 거야. 그래서 단골손님이 오잖아. 그럼 머리 묶는 머리끈으로 남자 불알 위쪽을 묶어버려. 그래놓고선 빨고 핥고, 별 지랄을 다 한다니깐. 오늘 너 망사팬티 입은 거 보니깐 나도 해보고 싶다. 선주언니한테도 한번 더 보여주고.

 일준이는 미주의 제안에 웃음이 쏟아져 나왔다.

- 웃지만 말고. 한번 해보자. 일어나.

 일준이는 미주의 말대로, 나체인 상태로 일어났다.

- 네 자지 잡고 있어.

 일준이가 본인의 몸가락을 잡아 올렸다. 그러자 축 늘어진 불알이 보였다.

- 남자 자지는 착 달라붙어있는 것이 보기 좋아. 이렇게 개불알처럼 축 늘어져있으면 보기 싫어.

 미주는 치마 안 주머니에서 머리끈을 꺼냈다. 일준이는 신기했다. 미주는 파마 끼가 있는 단발머리다. 그래서 머리를 묶을 일이 없을 것이다.

- 누나, 머리끈 준비한 거예요? 누나 머리에는 필요 없을 것 같은데.

- 아주 가끔 필요해. 라면 먹을 때나 앉아있는 남자 자지 빨 때 필요해. 보통 젊은 사람들은 서 있거나 내 머리카락 잡아주는데, 중년은 그런 센스가 없어. 항상 소파에 편히 앉아서 받으려고만 하지. 그럴 때 필요해.

 미주는 말해놓고 조금 민망해했다. 본인이 여러 남자의 몸가락을 입에 물고 있을 거라는 상상을 심어준 것 같아서일까? 부연설명을 덧붙였다.

- 한참 나 젊었을 때 이야기야. 지금은 그렇게 하지 않아.

저번에 이야기했듯이 너 말고 이렇게 해주는 사람 없어. 네가 미남에다 키도 크고 몸매 좋고, 친절해서 이렇게까지 해주는 거야.

미주는 머리끈으로 일준이의 불알 위쪽을 두어 번 감아 묶었다. 그러자 축 늘어져보기 흉했던 불알이 동그란 모양으로 변했다. 보기 좋았다.

- 네 찹쌀떡 먹어보자.

미주가 일준이 밑에서 한 입에 불알을 넣었다. 일준이는 장난기가 발동했다. 그래서 일부러 몸가락을 놓았다. 그러자 몸가락이 미주의 이마를 내리쳤다. 미주는 여전히 웃으며 일준이의 불알을 입으로 느끼고 있었다. 무엇이 생각났는지, 미주는 불알을 뱉으며 말했다.

- 나 혼자 보기 너무 아까워.

미주가 룸의 문쪽으로 후다닥 뛰기 시작했다. 룸의 문을 닫지도 않고 나가버렸다. 잠시 후 선주사장의 목소리가 문 밖에서 들렸다.

- 난 괜찮아. 안 봐도 돼. 너하고 손님하고 재미나게 놀아. 나 부르지 마.

미주가 선주사장의 팔에 본인의 팔을 낀 채, 데려오고 있었다. 순간 일준이는 창피함이 몰려왔다. 그래서 뒤돌아섰다.

- 언니, 저 엉덩이 봐. 엄청 크고 멋지다. 그렇지?

일준이가 고개만 뒤돌려 보니, 미주와 선주의 시선이 자신의 엉덩이에 꽂혀있었다. 둘 다 눈이 동그란 것이, 뭔가를 기대하는 표정이다. 두 여자의 표정에 창피함은 없어졌다. 일준이는 과감하게 뒤돌아섰다.

머리끈으로 묶인 일준이의 불알을 보자, 미주와 선주사장은 박장대소했다. 순간 일준이는 걱정이 되었다.

- 누나, 그렇게 크게 웃으면 어떡해요? 게다가 문까지 열려
있잖아요? 옆 방에 다른 손님이 놀라서 찾아오면 어떡해?

선주사장이 대신 답했다.

- 삼촌, 괜찮아. 지금 자기 말고 다른 손님 없어. 그 상태로
이곳을 누비고 다녀도 돼.

선주사장의 말에, 미주와 선주사장은 한번 더 크게 웃었다.
두 여자는 가까이 다가와, 일준이의 묶인 불알을 감상했다.
미주가 선주사장에게 또 만질 것을 주문했다.

- 어머, 참 예쁘다. 역시 젊음이 좋다. 모양이 참 잘 잡혔
다.

- 왜? 언니 남편은 좀 이상해?

선주사장은 일준이의 불알을 만지작거리며 대답했다.

- 남편 거, 안 본 지 오래되었어. 저번에 한번 봤어. 근데
남편이 벗도 다녀도 이제 눈에 들어오지도 않아.

일준이는 다시 묘한 감정이 들었다. 본인이 상품이 된 것
같아, 민망하다. 근데 자신의 육체를 어루만지며 감탄을 하
니, 은근히 쾌감과 재미가 있다. '에라이 모르겠다.'라는 심
정으로, 일준이는 다리를 어깨너비로 벌리고 열중쉬어 자세
를 취했다.

미주가 쪼그려 앉더니, 다시 일준이의 불알을 입에 넣었다.
그러다 다시 뺐다.

- 주니, 다음부터 불알 밑에 제모 좀 하자. 입에 털이 같이
들어가. 제모하면 살이 반들반들해져서 입에 넣기도 좋고 만
지기도 좋아.

선주사장이 옆에서 "까르르" 웃었다. 그리곤 "재미나게 놀아

요.”라는 말을 남기고 나가버렸다.

미주가 다시 일어서며 말했다.

- 머리끈 하나 더 있었으면 좋았겠다. 네 자지 밑부분에도 묶어버리게.

- 네? 왜요?

- 그렇게 하면 자지에 피가 쏠려 모양새가 더 예뻐지지. 귀두도 반들반들 윤기가 나고, 더 커 보여.

- 이야~. 누나 정말 고수네요.

- 호호호, 나랑 같은 보도방에 있는 성희가 말해주었어. 그년은 남자물건 묶는 것을 좋아하더라. 특히 남자 불알.

일준이는 미주의 말에 ‘성희’라는 도우미가 궁금해졌다. 일준이의 생각을 읽기라도 하듯이 미주가 다시 말했다.

- 성희가 남자 물건 묶는 것만 좋아하지. 남자 욕구 충족시키는 것은 나와 비교가 안되지.

미주는 불알 위부분에 묶여있던 머리끈을 풀었다. 그 머리끈으로 일준이 몸가락 안쪽을 두 번 감아 묶었다. 그러자 좀 전에 미주의 말처럼, 발기된 몸가락이 더 커져 보이고, 귀두가 매끈하다. 대신 피가 쏠린 탓에 조금 빨개졌다.

- 다시 먹어보자.

미주가 쪼그려 앉아, 일준이의 몸가락을 한 손으로 잡고선 거칠게 빨기 시작했다. 머리를 앞 뒤로 끄덕이더니, 잠시 후 몸가락을 뱉었다. 느닷없이 치마 안으로 손을 집어넣어 본인의 팬티를 벗겼다. 탁자 위에 아무렇게나 올려놓고, 소파에 드러누웠다.

- 아까 네 자지 많이 빨았더니, 턱이 아프다. 이제 아랫입으로 먹어보자. 빨리 들어와.

일준이는 미주의 말이 끝나기도 전에, 무섭게 미주의 몸 안으로 파고들었다.

- 너 터프하다.

미주가 야릇한 미소를 지어 보였다. 일준이는 자신의 몸가락 삽입 후 엉덩이를 앞뒤로 거칠게 흔들었다.

- 잠깐만.

미주가 중단을 시켰다. 일준이가 뒤로 빠졌다. 미주는 치마 주머니에서 뭔가를 꺼냈다. 알약이나 물약을 담을 수 있는, 조그마한 약통이다. 뚜껑을 열었다. 약통의 주둥이를 자신의 보지 입구에 갖다 대고 약통을 짜기 시작했다. 약통에 있던 물컹한 액체가 미주 보지 안으로 흘러들어 갔다.

일준이는 그것이 무엇인지 알 것 같았다. 아마 "러브젤"일 것이다. 일준이는 '혹시나'하는 마음에 물어보았다.

- 누나, 그거 뭐예요?

- 젤이야. 이거 뿌리면 네 자지가 출입하기가 손쉬울 거야. 다시 들어와.

미주는 약통을 탁자 위에 올려놓고, 다시 누워 다리를 벌렸다. 일준이가 들어왔다.

- 아흐~, 좋다.

일준이는 정자세로, 미주 몸안을 드나들었다. 일준이가 미주를 위해 망사를 준비했듯이, 미주도 일준이를 위해 준비한 것이다.

일준이의 몸에서 땀이 배출되기 시작했다. 이마에서 땀이 떨어지기도 하고, 몸을 타고 흘러내리기도 했다. 또한 몸에 힘을 주며 피스톤 운동을 해서일까? 벌크업이 살짝 되는 것 같다. 땀 때문에 일준이의 근육이 더 도드라져 보였다. 미주는 일준이 밑에서 일준이의 몸을 감상하며 만족감을 느꼈다.

- 주니, 너 너무 맛있다.

그것은 일준이도 마찬가지였다. 미주 위에서 미주의 큰 가슴을 움켜잡고, 엉덩이를 세차게 흔들었다. 사정감이 밀려왔지만 조금 더 즐기고 싶었다. 일준이는 몸을 뺐다.

- 누나, 일어나서 엎드려 봐. 뒤쪽에서 박고 싶어요. 이제 거의 다 왔어. 마지막 전력질주를 하고 싶어요.

미주는 탁자 위에 있던 러브젤을 다시 집어 들었다. 본인의 보지에 남은 러브젤을 몽땅 흘려보냈다. 일어나, 허리춤에 두른 치마를 벗었다. 치마를 집어 입에 물고 큰 탁자를 잡은 채 몸을 숙였다. 일준이가 미주 뒤쪽으로 갔다. 몸가락 삽입 후 미주의 골반 바깥쪽을 야무지게 잡았다. 젤 때문에 삽입이 너무 잘 된다. 출입할 때의 느낌이 덜하다. 미주의 보지가 더 넓어진 듯하다.

몸가락을 박치기하듯 강하게 집어넣고 다시 빠져나왔다. 골반을 잡은 손은 튕겨나가는 미주의 몸을 지탱해 주었다.

미주는 어쩔 줄 몰랐다. 몸으로 박치기하듯 들어오는 일준이의 몸가락이 본인의 몸을 마구 파고든다. 자궁으로 잠시 감싸고 느끼려고 하면 사라졌다. 그리고 다시 거칠게 들어왔다. 몸이 중심을 잡지 못할 정도로 흔들리지만, 빠르고 거칠게 들어오는 일준이의 몸가락에 만족을 했다. 마음껏 기쁨의 괴성을 지르고 싶지만, 여기는 선주사장의 가게다. 미주의 입을 막고 있는 치마가 미주의 데시벨을 낮춰주었다.

환희의 탄성이 크게 들리지는 않지만, 미주의 엉덩이와 일준이의 몸이 부딪치는 소리는 어마어마하다. 일준이의 힘이 얼마나 좋은지, 미주가 잡고 있는 탁자도 들썩거렸다. 밖에까지 이 소리가 들릴까? 그럼 선주사장이 이 소리를 들었을까? 이런 소리를 들었다면 선주사장은 어떤 심정일까? 정확히 알아보기 위해 귀를 쫑긋 세우고 있을 수도 있다. 어쩌면 지금 미주와 일준이가 있는 룸의 문 밖에 귀를 대고 듣고 있을 수도 있다. 젊은 남자와의 연애를 부러워하고 있을 수도 있다. 미주는 이런 상황들을 상상하니, 흥분이 배가 되는 듯하다.

미주는 그런 상상을 하면 즐기고 있는데, 일준이가 고함치듯 다급히 말했다.

- 누나, 받아줘.

미주는 얼른 뒤돌아, 일준이의 몸가락을 입에 물었다. 일준이가 미주의 머리를 잡아당기지도 않았는데 미주가 알아서 했다. 이마를 단전에 박치기하듯, 얼굴을 몸 쪽으로 바짝 밀착시켰다. 엉덩이를 움켜쥐며, 입 안의 몸가락 꿈틀거림과 귀두 끝에서 흘러나오는 정액의 뜨거움을 느꼈다.

일준이가 시원하게 사정하고 한숨을 길게 내쉬었다. 미주는 혀로 귀두를 닦아주고 고개를 몇 번 더 끄덕였다. 그리고 나서야 몸가락을 놓아주었다. 하나였던 것이 둘로 분리되었고, 각각 제 일들을 했다. 일준이는 소파에 널브러졌고 미주는 맥주를 찾았다. 일준이는 다시 정신을 차리고 본인의 몸가락에 착용한 머리끈을 풀었다. 몸가락이 빨갛다. 피가 잘 통하지 않아 그런가 보다. 미주는 소량의 정액과 맥주를 마셨다. 일준이는 머리끈을 미주에게 건네주었고 미주는 다음을 생각하며 치마주머니에 넣었다. 둘은 다시 마주 보았다.

- 누나, 고마워요. 이렇게 잘 받아줘서.

- 나도 좋았어.

둘의 눈이 마주치자, 또 딥키스를 나누었다. 사실 일준이는 딥키스까지는 하고 싶지 않았다. 시원하게 2번이나 사정을 하니, 미주가 그렇게 사랑스러워 보이지는 않는 것이다. 둘은 남은 맥주와 과일안주를 나눠먹으며 담소를 나누었다.

어느덧 시간이 다 되었다. 일준이는 카운터로 가, 계산을 했다. 선주사장이 일준이의 반바지 사이로, 길게 뻗어 나온 다리를 보며 칭찬했다.

- 아이고, 삼촌, 남자 다리가 참 예뻐. 튼실한 것이 건강해 보인다.

미주는 싱글벙글 웃으며 선주사장 보라는 듯이 일준이의 엉덩이와 몸가락을 번갈아가며 만졌다.

- 누나, 왜 이래?

- 어머. 너야 말로 왜 이러니? 나하고 언니 앞에서 다 보여주었으면서?

미주와 선주사장 앞에서 발가벗고, 생쇼를 했을 때는 고환 안에 정액이 가득 차 있는 상태였다. 하지만 좀 전에 미주에게 2번이나 사정하니, 지금의 미주 행동이 거슬렸다. 다음에 또 올 것이기 때문에, 기분 좋게 헤어져야 했다. 일준이는 다시 환한 얼굴로 미주와 선주사장에게 인사를 하고 가게 밖으로 나왔다.

일준이는 빠른 걸음으로 집까지 걸어갔다. 미주가 얼마나 빨았는지, 몸가락이 뻐근하다. 누가 자신의 몸가락을 잡아당기는 느낌도 들었다. 그래도 제대로 마음껏 성욕을 푼 것 같아, 만족스럽다. 미주는 일준이의 몸가락을 입에 넣고, 엉덩이와 불알까지 빨고 핥아주었다. 심지어 두 번째 사정할 때에는 일준이의 정액도 기분 좋게 먹는 모습을 보여주었다.

정말 어디 가서 해볼 수 없는 진귀한 경험이다. 미주의 나이와 외모는 마음에 들지 않지만 정성을 다해 일준이의 성적욕구를 만족시켜 준다. 본인이 '포르노를 촬영하는 느낌'도 들었다. 아내에게 절대 기대할 수 없는 행동들이다.

 아내를 떠올리니, 일준이는 미안한 마음이 들었다. 그리해도 시간이 흘러 고환에 정액이 꽉 차면 미주가 미치도록 그리울 것이다. 이런 패턴을 알기에, 일준이는 본인의 짐승 같은 성적욕구가 짜증 난다. 양심에 걸리는 일은 안 해야 되는 것을 잘 알고 있다. 하지만 다시 미주를 찾는 것을 멈추지 못할 것 같다. 한마디로 미주에게 중독된 것이다.

 일준이는 자신의 이런 모습이 싫다. 누군가에게 자신의 이런 행동과 마음을 허심탄회하게 이야기해주고 싶다. 또 그에 따른 충고나 조언도 듣고 싶다. 하지만 마땅히 이야기할 상대가 없다. 친구들에게 이야기한다면 "누구냐?"라고 반문하며 미주를 찾아가려고 할 것이다. 놀림감이 될 수도 있고, 최악의 상황엔 약점 잡힐 수도 있다. 아무리 친한 친구라도 이런 성적인 것에 대해 마음 편히 이야기할 수 없다. 일준이는 답답하기만 하다.

 인생을 오랜 산 사람에게 물어보고 싶다. 주변에 인물을 계속 생각하니, 딱히 떠오르는 사람이 없다. '미주'는 어떨까? 미주에게 중독되었는데, 미주에게 본인의 고민을 이야기한다? 그건 아닌 것 같다. 하지만 의외로 옳은 충고를 해줄 수도 있을 것 같다. 지금까지 미주의 행동을 지켜봤다. 자신을 이용하는 모습도 보였지만 많이 배려해주고 있다. 특히 일준이의 사생활과 가정의 행복을 지켜주려고 노력하는 미주의 행동과 말들이 생각났다.

예전에 일준이는 미주가 '자신의 온갖 욕구를 다 들어주고 정액까지 삼키는 모습'을 보고 감동했다. 일준이는 그때 쾌락의 절정에 달해, 그 순간을 기록하고 싶었다. 그래서 미주에게 제안을 했다.

- 미주누나, 우리 같이 사진 한 번만 찍어요!

- 안돼. 그러다가 마누라한테 들키면 어쩌려고.

- 괜찮아요. 안 들키면 되죠. 지금 우리들이 발가벗고, 같이 있는 모습을 사진으로 남기고 싶어요.

- 미쳤나 봐. 마누라한테 쫓겨나고 싶어? 사람 일이 어떻게 될지 모르는 거야. 가정의 평화를 지키려면 그런 짓 해서는 안돼.

미주는 단호하게 거절했다. 그 당시에는 많이 서운했다. 또한 어떤 날은 미주가 일준이의 자지를 빨다 흥분해 이빨로 살짝 깨문 적이 있다. 물론 아팠지만 일준이는 견딜만했다. 그때 미주는 매우 미안해하며, 일준이를 걱정했다.

- 어머. 미안. 네 자지에 이빨 자국 남겠다. 이거 어쩌지? 당분간 마누라 앞에서 조심해. 마누라 앞에서 속옷 벗지 말고, 마누라랑 배꼽 맞추고 싶다면 불 끄고 해. 자지에 내 이빨자국 없어질 때까지만 조심해. 근데 남자 자지에 이빨자국은 금방 없어지니깐 너무 걱정하지 말고.

이랬던 미주다. 참 인간적인 것 같다. 그 외에도 일준이를 자주 걱정해 주었다.

- 내가 네 자지 잘 빨아주겠지만, 혹시나 내가 다른 일로 이곳에 며칠간 못 나올 수도 있어. 그런 일은 없겠지만 네가 못 참고 다른 도우미 만나잖아. 돈 주며 자지 빨아달라고 할 거면 담배 안 피우는 여자를 선택해. 나중에 자지 안 설 수

도 있다. 담배 피우는 년들은 니코틴 때문에 식도 주변이 더러워.

 이렇게 알뜰하게 일준이를 걱정해 주던 미주였다.

 그런 일련의 과정들을 생각하니, 다음 기회에 미주에게 고민상담을 해도 될 것 같다. 일준이는 그런 생각들을 하며 집으로 들어갔다.

 다시 시간이 지나, 고환에 정액이 차오른다. 아내와의 만족스럽지 못한 부부관계가 미주를 생각나게 한다. 그래도 부부 사이에 관계를 가지며 부부간의 사랑을 유지해야 할 것이다. 아내와 아들이 잠든 밤. 일준이 혼자 잠을 이루지 못하고 있다. 거실에서 아내를 기다리며 아내와의 부부생활을 기대했는데, 일준이의 바람과는 달리 아내는 그냥 잠들어버렸다. 솔직히 아내와 별로 하고 싶지도 않다. "미주"라는 아주 강한 맛을 봤기에, 평범한 부부생활은 그리 기대되지도 않는 것이다. 일준이는 유흥업소가 생각났다. 미주의 정성이 그립고, 선주사장과 미주에게 본인의 몸을 과시하고 싶다. 이제는 또 무엇을 입고 갈까? 차라리 룸에 들어가면 실오라기 하나 걸치지 않고 벗고 있을까? 일준이는 자신의 몸을 보며 침을 삼키는 선주사장의 얼굴이 떠올랐다. 웃음이 새어 나왔다. 좀 더 과감하고 희한한 것을 입고 싶다. 그러다 미주가 본인의 몸가락과 고환을 머리끈으로 묶어주던 것이 생각났다. 핸드폰으로 성인용품을 검색했다. 검색하다 보니 비슷한 것이 있다. 성인용품으로 "실리콘 링"이란 것인데, 인체에 무해하고 탄력성이 있어 크기도 늘어난다. 설명란을 보니, 남자의 사정을 지연시키고 물건을 더욱 크게 보여주는 역할을 한다고 적혀있다. 일준이는 "이거다."라는 생각을 했다. 심마니가 산삼을 본 것처럼, 크게 기쁨의 함성을 지르고 싶을 정도다.

그런 식으로 "성인 실링콘 링"으로 검색하니, 종류가 다양하다. 그중, 마음에 드는 것 2개를 장바구니에 담아두었다. 하나는 세 개의 링이 한 세트인데, 각각의 링 지름길이가 조금씩 달랐다. 가장 작은 링은 몸가락 아래쪽에, 두 번째로 작은 링은 고환 윗부분에, 가장 큰 링은 몸가락과 고환을 같이 합쳐 착용하는 것이다.

일준이가 장바구니에 담아놓은 두 번째 실리콘 링은 살색의 실리콘 링인데, 3개의 구멍이 나있다. 기능적으로, 앞에 설명한 실리콘 링을 하나로 합쳐놓은 듯하다. 착용하면 몸가락과 고환 사이에 위치해, 각각의 뿌리 부분을 잡아주었다. 첫 번째보다 실용적인 것 같다.

일준이는 2개 다 구입하려다 마음을 접었다. 갑자기 이런 것을 2개나 사면 아내가 이상하게 생각할 것이다. 그래서 첫 번째 것을 사기로 했다. 일주일도 되지 않아, 일준이가 주문했던 성인용품이 집에 도착했다. 택배상자에는 '사무용품'이라고 적혀있다. 일준이는 포장지를 뜯으며 예의상 '아내'에게 먼저 사용하기로 했다.

집에 일준이 혼자 있을 때, 3개의 실리콘 링이 한 세트인 성인용품을 씻었다. 나체인 상태로 차례대로 착용했다. 그런데 성기 부분의 털 때문에 불편했다. 몸에 "착"하며 착용할 때나 벗겨낼 때, 털이 조금씩 빠지기도 하고 뜯겨나가기도 했다. 그럴 때마다 아픔이 전해졌다.

일준이는 다리 면도기가 생각났다. 다리 면도기로 본인의 성기 부분을 깨끗이 밀었다. 성기 주변이 깨끗해진 상태로 전신거울 앞에 섰다. 자신의 몸가락과 고환이 확연하게 보였다. 털이 짧은 것이 마치 큰 아기 같다. 몸가락 주변으로 걸리적거리는 것이 없으니 활동하기도 조금 편해진 것 같다. 처음부터 이렇게 제모할 걸 그랬다. 연예인들이 브라질왁싱을 하는 데에는 다 이유가 있는 것이다.

일준이는 다시 실리콘 링을 차례대로 착용했다. 거부감이 없이 자연스럽게 착용할 수 있었다. 전신거울을 보니, 본인의 몸가락이 더욱 도드라져 보였다. 빨리 이 링을 착용한 상태로 아내와 몸을 섞고 싶다.

며칠이 지나, 일준이가 기대하던 날이 왔다. 아들이 일찍 잠든 것이다. 일준이는 거실에 있는 아내에게 다가가, 끈적거리는 애무를 했다. 입술과 혀로 아내의 목 주변을 거닐었다. 아내의 얕은 신음소리가 들렸다. 아내도 이 날을 고대했던 모양이다. 일준이는 아내의 얕은 신음소리가 신호일 것이라 생각했다. 일준이는 거실 조명을 어둡게 하고 옷을 벗었다. 그리고 당당하게 아내 앞에 섰다. 앉아있던 아내가 놀라, 물었다.

- 여보, 고추 주변으로 제모했네. 왜?
- TV 보니깐 연예인들 브라질왁싱 많이 하더라. 나도 해보고 싶었는데, 그런 것으로 돈 쓸려니 아깝잖아. 그리고 그런 숍 가더라도 남이 내 성기 주변을 제모하는 상황이 민망할 것 같고. 그래서 셀프로 해봤어. 어때?
- 모르겠어. 너무 낯설다. 자기 혹시 야동 보니?
- 아니. 왜?
- 포르노나 야동에서는 남자, 여자 다 제모하잖아. '여보가

따라 하는 게 아닐까?'라고 생각한 거야.

- 아니야. 연예인 따라 하는 거라니깐. 그리고 하나 더 보여 줄 것이 있어.

일준이는 옷방으로 가더니, 성인용품 3개의 실리콘 링을 들고 나타났다.

- 어머, 그건 또 뭐야?

- 이거 자지, 고환에다 묶는 거야. 한번 봐봐.

일준이는 차례대로 묶었다. 몸가락, 고환, 전체에다 실리콘 링을 착용했다. 몸가락이 더 돌출되는 것 같아, 일준이 자신은 뿌듯했다.

- 그거 왜 했어? 그리하면 뭐가 좋아.

일준이는 아내의 시큰둥한 반응에, 기대했던 재미와 흥분은 반감되었다.

- 이거 남자사정을 지연시켜 준다고 그랬어.

- 그럼 필요하네.

아내의 마지막 말이 일준이의 기분을 상하게 만들었다. 어쨌든 기분이 좋아야 발기도 잘 될 것이다. 몸가락이 작아지니, 실리콘 링이 빠졌다. 일준이는 나중에, 흥분한 상태에서 착용하기로 마음먹었다.

일준이는 상한 기분을 뒤로한 채, 지금은 즐기기로 했다. 일준이는 아내를 거실소파에 앉히고, 본인은 아내 앞에서 골반을 좌우로 크게 흔들었다. 그러자 몸가락이 크게 요동치면서 좌, 우 안쪽 골반을 때렸다. 아내의 웃음소리가 들렸다.

- 여보. 그게 뭐야. 천박하게.

순간 일준이는 입에서 쌍욕이 나올 뻔했다. 기분 좋게 시작하자며 재미로 몸가락을 흔들었는데, 아내는 "천박"이라는 단어를 사용했다. 돌아온 대답에 일준이는 크게 실망했다. 예상과 다른 아내의 행동과 말투에, 몸가락 힘이 빠졌다. 그런 것도 모르고 아내는 팬티만 입은 채, 거실바닥에 깔린 매트 위에 누웠다. 일준이는 아내의 발 부분에 무릎을 꿇고 앉았다. 아내의 팬티가 보였다. 팬티 밑면에 짧은 레이스가 달린 분홍색 팬티였다. 팬티의 고무밴드를 잡자, 아내는 허리를 들었다. 일준이가 팬티를 벗겼다. 아내는 무릎을 약간 접고 다리를 벌렸다. 아내의 팬티와 몸짓에, 일준이의 몸가락에 힘이 약간 들어왔다. 일준이는 아내의 몸에 자신의 몸을 포개고 입술과 혀로 아내의 깨끗한 피부를 탐닉했다. 아내는 양손을 깍지 낀 채 머리를 받친 자세다. 아주 편안해 보였다. 일준이만 애가 타는 듯하다. '목마른 자가 우물을 판다.'는 말이 있다. 지금 일준이가 목마른 자다. 일준이는 아내의 B컵 가슴을 손으로 모아 빨고 핥았다. 이제 아내의 음부에서 애액이 흘러나왔을 것이다. 일준이는 살며시 자신의 몸가락을 아내의 음부입구에 갖다 대었다. 물기가 느껴졌다.

일준이의 몸가락이 음식 냄새를 맡은 짐승처럼 흥분한 상태가 되었다. 귀두로 입구를 비비적거렸다. 일준이는 침착하기로 했다. 실리콘 링 3개를 차례대로 착용했다. 실리콘 링에 의해 본인의 몸가락이 더 커진 것 같다. 자신의 몸가락으로 피가 쏠리고, 그 상태에서 실리콘 링이 혈류를 잡아주니 말이다. 일준이는 아내의 몸에 몸가락을 천천히 삽입했다. 천천히 엉덩이를 앞뒤로 조금씩 움직였다.

- 어때?
- 뭐가?
- 내 자지 좀 커진 것 같아.

- 글쎄. 그런 것 같기고 해. 뭔가 달라진 것 같아. 링이 남자 사정하는 거 지연시켜 준다고 했으니 오랜만에 제대로 하겠네. 몇 차례를 제외하고, 할 때마다 여보만 즐기잖아.

일준이는 아내의 입을 틀어막고 싶다. 그리고 마음 같아서는 미주의 이야기를 해주고도 싶다. '내가 빨리 사정하면 나를 다시 흥분시켜 주면 된다. 그럼 두 번째는 오랫동안 할 수 있다.'라고 말이다. 그런 생각들을 하고 있는데, 밑에서 아내의 말소리가 들렸다.

- 여보, 좀 더 깊숙이 찔러 넣어봐. 커진 것 제대로 느끼게.

일준은 몸을 아치형으로 만들어, 최대한 몸가락을 깊숙이 넣었다. 일준은 다시 물었다.

- 어때?

- 너무 좋아. 이제 세게 박아줘. 박을 때 지금처럼 깊숙이 넣어줘.

아내가 애교를 떨며 애원했다. 일준이는 급속도로 흥분했다. 양손을 아내 허리쯤에 위치시키고 상체를 들었다. 그 상태에서 엉덩이를 앞뒤로 크게 흔들었다. 일준이의 몸이 아내의 몸에 부딪칠 때마다 일준이의 큰 엉덩이가 덜렁거렸다.

일준이는 자신의 달라진 모습을 보여주고 싶었고, 몸가락으로 아내를 혼내주고 싶었다. 몸의 모든 근육들이 날 선 것 같다. 하체를 크게 흔들고 있는데, 밑에 있던 아내가 "잠깐"을 외쳤다.

- 그만해!

- 여보, 왜 그래? 이제 시작하려는데. 어디 아파?

- 아! 내 보지. 보지 주변으로 너무 따가워. 바늘로 살짝 쑤시는 것 같아.

- 그게 무슨 말이야?
- 빨리 당신 자지 빼.

아내는 발로 일준이의 몸을 밀어버렸다. 그러더니 본인의 음부를 양손으로 감싼 채, 옆으로 몸을 돌렸다.

일준이는 어리둥절했다. 뭐가 잘못된 것일까? 갑자기 왜 저러는 것일까? 어디가 아픈 것인가?

아내가 '왜 그러는지' 설명해 주었다.

- 여보 고추 털 깎았지? 깎으려면 제대로 왁싱해서 털을 하나도 없게 했어야지. 이게 뭐야? 지금 여보 고추 주변은 축구장 잔디 같아. 잔디도 그냥 잔디가 아니라 날 선 강철잔디. 그 털이 내 보지와 주변을 찌르는 거야. 아파.

순간 일준이는 무슨 말을 해야 할지 몰랐다. 이 순간이 너무 당황스럽다. 아내의 잔소리는 계속되었다.

- 게다가 그 고무링이 당신 자지 안쪽에 위치하면서 털의 방향도 90도로 세워주고 있어. 그러니깐 그 털이 더욱 뾰족하게 내쪽으로 서 있다고.

아내의 말도 일리가 있다. 실리콘 링의 뚜께 폭이 짧다. 링의 뚜께가 그나마 두껍다면 짧은 털이 찌르는 것을 방지할수도 있을 것이다. 근데 뚜께가 가늘다 보니, 살이 접히면서 털의 각도가 정면을 보고 있었다.

계속된 아내의 잔소리에 일준이도 슬슬 화가 났다. 몸가락 주변의 털을 깎은 것과 실리콘 링은 '아내와의 잠자리가 즐거움'이 될 수 있도록 노력한 과정이다. 그런 것은 몰라주고 계속 화만 내니, 서운하고 화가 나는 것이다. 아내는 눈치도 없이 계속 떠들었다.

- 여보, 그거 왜 했어? 쓸데없이. 나 질염 자주 걸리는 거
몰라? 그러다가 또 병원에 가라고? 지금은 안 가도 되는 병
원을, 당신 때문에 다시 갈 수도 있다고. 연예인이 왁싱하는
거 보고 따라 했다고? 당신이 연예인이야? 왜 당신도 연예인
하고 싶은 거야? 고추 털 깎았으니 연예인이 된 것 같아? 분
수에 맞게 살자. 나 이제 못하겠어. 조금만 더하면 보지에서
피 날 것 같아. 당신 고추 털이 수북이 자라날 때까지, 우리
부부관계는 없어.

참고 있었던 일준이의 화가 터졌다.

- 그래. 알았다. 그만하자.

일준이는 자신의 몸가락에서 세 개의 링을 모두 뺐다. 이미
몸가락이 작아진 상태라 분리하기 쉬웠다. 일준이는 화장실
로 가, 본인의 몸가락과 실리콘 링들을 간단하게 씻었다. 실
리콘 링을 제자리에 갖다 놓고 안방으로 들어가 버렸다. 안
방 밖으로 아내의 잔소리가 다시 들리기 시작했다.

아내와 서먹해진 관계는 시간이 지나, 다시 원래의 부부관
계로 돌아왔다. 하지만 일준이의 속마음은 불편하다. 성기 주
변의 제모와 성인용품을 착용하는 등, 일준이 자신의 노력이
오히려 화가 되었다. 자신의 노력을 몰라준 아내가 미웠고
마음에 상처를 입었다. 그런 것도 모르고 아내는 평소와 똑
같이 행동했다. 아내의 태도에 서운함과 반발심이 생겼다. 일
준이는 미주가 이 모든 상처를 치유해 줄 것이라 확신했다.

며칠 후 미주를 만나기 위해 유흥업소를 찾았다. 물론 성인
용품 실리콘 링을 챙겼다.

날씨가 이제 제법 서늘해졌다. 일준이는 더 이상 짧은 반바

지를 입을 수 없었다. 못 입으니, 짧은 반바지 밑단으로 들어오는 미주의 손길이 자주 생각나고 그럴 때마다 흥분되었다. 그래서 룸에 들어가면 그냥 바지를 벗고 있기로 마음먹었다. 어차피 선주사장과도 허물없는 사이가 되었기 때문이다.

가게에 들어가기 전에, 미주에게 '가게에 놀러 갈 것'이라고 연락을 해두었다. 유흥업소에 들어가니, 선주사장이 반겼다.

- 반가워. 삼촌. 미주한테 연락할까?

- 아니요. 이미 연락했어요.

선주사장이 일준이를 룸으로 안내했다.

- 삼촌, 노래 부르면서 놀고 있어. 술 하고 안주 갖다 줄게.

- 저....... 사장님. 저 바지 좀 벗고 있어도 돼요?

- 그럼. 뭘 물어보고 그래. 다 벗고 있어도 돼. 그럼 나야 좋지. 멋진 몸도 구경하고.

선주사장은 웃으며 룸을 나갔다. 일준이는 일어나 화장실로 갔다. 소변을 보고 다시 룸에 들어오니, 벌써 맥주와 술잔이 탁자 위에 놓여 있었다. 물론 슬리퍼도 있었다.

일준이는 바지를 벗고 슬리퍼로 갈아 신었다. 속옷으로 트렁크 팬티를 입고 있었다. 화가 난 허벅지 근육 탓에 트렁크 밑단으로 틈이 보이질 않는다. 현관문에 달린 종소리가 들리더니, 잠시 후 미주가 룸으로 들어왔다. 여전히 미니스커트에, 검은색 블라우스를 입고 있다.

- 뭐야? 오늘은 누나 기쁘게 해 줄 쇼 없어?

- 몰라요. 누나 하는 거 보고, 보여주든지 말든지 결정할게요.

- 그래? 그럼 내가 뭘 해야 하는데?

미주는 일준이에게 다가가 앉았다. 그리곤 일준이의 몸가락을 만지작거렸다.

- 주니, 이제 대범하네. 이렇게 바지도 안 입고 있고. 몸이 탄탄해서 손 넣을 틈이 없다. 그럼 남대문으로 들어가야겠네.

미주의 손이 트렁크 팬티 앞섶을 통해 들어갔다. 일준이의 몸가락과 불알을 팬티 밖으로 끄집어내었다.

- 아이고, 그동안 답답했지?

미주는 손을 집게모양으로 만들어 일준이의 몸가락 중간마디를 잡았다. 그리고 진동을 주며 흔들었다. 그러자 일준이의 몸가락이 풍선처럼 부풀어 올랐다.

- 누나, 마음에 들어요? 좋아. 오늘 누나를 위해 색다른 모습을 준비했어요.

- 뭔데?

그때 문이 열리더니, 선주사장이 과일안주를 들고 왔다. 과일안주를 탁자에 내려놓을 때, 발기된 일준이의 몸가락이 눈에 들어왔다. 선주사장은 모른척하며 바로 룸을 나가버렸다. 사장으로서, 그들과 같이 놀 수 없다는 생각 때문이었다.

빠른 움직임으로 퇴장한 선주사장의 모습에 미주가 놀랐다.

- 언니, 왜 저러지?

- 사장님 체면에 같이 놀기 창피하겠죠.

- 아니야. 저번에 보니깐, 눈길이 계속 너한테 있던데.

- 나도 좀 창피해요. 내버려 두세요.

- 정말 창피한 거 맞아?

미주는 말을 하며 일준이의 귀두 밑을 때리듯이 손바닥으로 쳐올렸다. 일준이는 대답하지 않고 웃어 보였다.

 일준이는 성인용품 실리콘 링으로 자신의 몸가락 묶은 모습을 보여주려니, 벌써부터 흥분이 되었다. 귀두 끝에서 소량의 정액이 살짝 흘러내렸다. 그 모습을 발견한 미주는 쪼그려 앉아, 몸가락을 단번에 물었다. 그리고 "쪽"하는 소리가 나게 빨아 당겼다.

- 뭐야? 한 것도 없는데, 울고 있어? 마누라가 또 안 해줘? 마누라는 집에서 뭐 해? 남편 정자가 이렇게 가득 차 있는데? 빨리 풀어줘야지. 결혼만 하면 끝이야? 정자를 빼줘야 남편이 다른 생각 안 하지. 아무튼 요즘 젊은 여자들은 그런 생각 안 한다니깐.

- 누나, 결혼했을 때는 어땠는데요?

- 난 알아서 남편 자지 빨아주었지. '이제 정자가 가득 찰 때가 되었겠다.'라는 생각이 들면 남편이 내 앞에서 바지 벗어. 그럼 난 입으로 사정 시켜주지. 다른 년 생각하지 말라고.

- 이야~ 누나의 전 남편은 정말 좋았겠네요.

- 남편만 좋았지. 그래도 바람피울 놈은 바람피운다.

- 헐~.

- 아무튼 팬티 벗어봐. 제대로 빨아보자.

 일준이는 일어났다. 불쑥 튀어나온 몸가락 때문에 힘겹게 팬티를 벗었다. 그러자 미주의 얕은 환호가 쏟아졌다.

- 어머~. 뭐야? 제모했네. 제모하니깐 자지가 더 커 보여. 멋지다.

- 제대로 된 왁싱이 아니라 짧게 깎았어요.

- 멋지다.

- 사실 이것 때문에 털 깎았어요.

일준이는 바지주머니에서 성인용품 실리콘 링을 3개를 꺼냈다. 그리고 차례대로 착용했다. 몸가락은 커 보이고, 고환은 찹쌀떡처럼 모양이 잡혔다. 그리고 그 둘이 더욱더 도드라져 보였다. 미주는 계속 놀라며 웃었다. 아내와 전혀 다른 반응에 일준이는 기분이 좋았다.

- 나 이제 더 이상 못 참겠다. 나 소파에 앉아 있을게. 빨리 내 입에 넣어줘. 빨리 맛보고 싶다.

일준이는 미주의 바람대로 해주었다. 미주는 "음음"하며 감탄을 자아냈다. 그러면서 손으로 엄지 척을 만들어 보였다. 일준이의 몸가락을 입에 넣고 머리를 앞뒤로 흔들기 시작했다. 불알은 손잡이인 양 계속 잡고 있다. 미주는 뭔가가 생각났는지, 일준이의 몸가락을 뱉으며 말했다.

- 나만 보기 아깝다. 언니한테 보여줘야겠다.

일준이는 미주를 만류했다.

- 누나, 이건 싫어. 이건 누나한테만 보여줄 거야. 사장님 싫어할 거야.

- 언니가 밤늦게까지 가게 돌본다고 고생이 많아. 이런 재미도 있어야지. 고생하시는 사장님을 생각해서 네가 봉사한다고 생각해. 그리고 언니 이런 거 좋아해.

미주는 일어나, 일준이의 손목을 잡았다. 그리고 문밖으로 나가려 했다.

- 누나, 미쳤어? 나 데리고 사장님한테 가려고? 그러다 다른 손님과 부딪히면 어쩌려고?

- 내가 이 룸에 들어올 때 보니깐, 손님 없더라. 지금 이 가게에는 우리 세명밖에 없어. 그리고 네가 일찍 왔어. 지금

손님 올 시간 아니야.

미주는 일준이를 안심시켰다. 다시 일준이의 손목을 잡은 채, 휴게실로 향했다. 일준이는 나체의 상태로 가게 복도를 지나, 선주사장이 있는 휴게실 앞에 다다랐다.

선주사장이 운영하는 유흥업소 내 휴게실은 도우미들이 옷을 갈아입거나 소지품을 맡기는 곳이다. 또한 손님이 없을 때 선주사장이 쪽잠을 자거나 TV를 보는 장소이기도 하다. 8평 정도의 좁은 방으로 침상, 조그마한 탁자, 이불과 요, TV가 놓여있다.

선주사장이 요 위에서 이불을 반쯤 덮은 채, 누워서 TV를 시청하고 있었다. 미주가 휴게실 문 틈으로 얼굴을 내밀었다.

- 언니, TV 보는구나. 우리 주니가 재미난 거 보여줄 거라는데? 밤에 잠도 제대로 못 자고 고생하는 언니를 위해 준비했다네. 잘 봐.

미주가 일준이의 손목을 잡아, 휴게실 안으로 세차게 끌어당겼다. 그러자 일준이는 넘어지듯 선주사장 앞에 나타났다. 나체의 일준이가 수줍게 서있다. 근데 성기 부분에 검은 물체가 얼핏 걸려있는 것이 보였다. 선주사장은 벌떡 일어나, 눈을 비비고 난 후 다시 확인했다. 검은색 실리콘 링 3개가 보였다. 몸가락 밑부분, 불알 위, 몸가락과 불알 전체를 감싸고 있는 것이다. 그 3개의 링으로 인해 몸가락이 더 커 보이고, 불알은 동그란 만두 같은 모양을 유지하고 있었다.

- 어머~, 삼촌 자지에 그게 뭐야?

미주가 일준이 대신 대답했다.

- 우리 주니가 누나들을 기쁘게 해 주려고 인터넷에서 구매

했다는데. 우리들 눈요기하라고 준비했다네. 정말 기특하지 않아? 게다가 자지 털도 잘랐어. 더 잘 보여주려고. 우리 주니 착하지?

미주는 흐뭇한 표정으로 이어 말했다.

- 언니 뭐 해? 우리 주니 정성을 생각해서라도 만지거나 빨아줘야지.

- 미쳤어? 내가 손님 자지를 빨고 만지게?

미주는 선주사장의 손을 잡았다. 그리고 일준이 곁으로 데려가, 강제로 몸가락을 잡게 했다. 물론 선주사장이 뿌리칠 수도 있지만 못 이기는 척 일준이의 몸가락 살결을 느꼈다. 그러다 속마음이 입 밖으로 새어 나왔다.

- 정말 멋지다.

선주사장은 자신의 손을 집게모양으로 만들었다. 일준이의 몸가락과 불알을 차례대로, 꼬집듯이 꾹꾹 누르며 만졌다. 그리고 몸가락을 가볍게 말아 거머쥐고, 위아래로 흔들었다. 흥분했는지 부끄러운지, 선주사장의 얼굴에 홍조가 보였다.

- 피부 탄력도 좋고 매끈한 것이 예쁘다.

감동한 듯한 선주사장의 얼굴이 갑자기 돌변했다.

- 미주야, 이제 그만 가봐. 손님하고 재미나게 놀아야지. 삼촌 몸 진짜 예쁘다. 우리를 위해 이런 쇼도 준비해 주고, 정말 고마워. 잘 봤으니깐 이제 나가봐.

선주사장은 '빨리 나라가'는 손짓을 했다. 미주와 일준이는 선주사장이 있는 휴게실을 나와, 다시 룸으로 왔다. 룸에 도착하자, 미주가 크게 웃으며 말했다.

- 저 언니 완전 내숭 덩어리야. 저번에 네가 왔다 갔을 때 나한테 뭐라고 했는지 알아? 너랑 한번 해보고 싶대. 그러면서 군침을 삼키더라. 내가 "정말로 하게 해 줄까?"라고 말했더니, 다시 말이 바뀌더라. "아직 남편이 있고 자식들도 있는데, 어찌 그러냐? 그냥 상상만 잠시 한 거라고." 그 모습이 얼마나 웃기던지. 너무 고소한 것 같아.

- 누나, 뭐가 고소해요?

- 너 같은 남자하고 하고 싶은데, 사회적 체면과 환경 때문에 못하잖아. 지금만큼은 남편 없고 도우미로 일하는 내가 부러운 것이지.

- 두 분 친한 거 맞죠?

- 당연히 친하지. 근데 간혹 언니가 날 무시할 때도 있다고 했잖아. 그거 복수하는 거야. 못할 거 뻔히 알면서 애 태우게 만드는 거.

- 누나는 참 장난꾸러기야.

- 이런 일도 가끔은 있어야지. 너 때문에 요즘 즐겁다니깐.

- 어휴~.

- 아무튼 오늘 우리 주니 때문에 많이 웃었네. 너무 고마워. 오늘 내가 제대로 들어줄게. 자, 이제 실리콘 링 빼. 내가 입으로 해줄게.

- 이거 착용한 채로 받고 싶어요.

- 주니야. 남자 자지에 피가 오랜 시간 쏠려있어도 좋지 않아. 피가 통해야지. 그리고 싸고 난 후 한번 더하면 되니깐, 욕심 버려도 돼.

　일준이는 고개를 끄덕였다. 미주의 말을 따랐다. 실리콘 링을 몸에서 분리했다.

기분이 좋아진 일준이는 미주 앞에서 애교를 떨며 뒤돌아 뒤태를 보여주었다.

- 누나, 내 엉덩이 봐.

 일준이는 허벅지에 힘을 가하자, 엉덩이가 볼록하게 모양이 잡혔다. 다시 힘을 풀자, 엉덩이 근육이 조금 처진 모습으로 내려갔다. 엉덩이가 들썩거리는 모습을 보며, 미주는 흐뭇해했다.

- 이 누나 기쁘게 해 주려고 희한한 개인기도 개발했구나. 너 정말 착하다. 마음에 들어. 엎드려 봐. 상 줄게.

 일준이는 탁자에 상체를 바짝 엎드리고 발뒤꿈치를 들었다. 뒤쪽으로 뜨겁고 끈적한 것이 느껴졌다. 미주의 혀가 일준이 항문 중심을 핥고 있는 것이다. 미주의 혀가 휴지라도 된 것처럼 밑에서 위로 쓱쓱 훑고 지나갔다.

- 다시 정면으로 서봐. 이 누나 입에다 잔뜩 싸.

 일준이는 소파에 앉아있는 미주 입 앞으로 자신의 몸가락을 내밀었다. 미주는 아주 자연스럽게 입을 열어 일준이의 몸가락을 살짝 물었다. 한 손으로는 불알을 만지작거리며, 머리를 흔들었다. 그동안 자극을 많이 받은 탓에 30초도 되지 않아, 사정감이 밀려왔다. 일준이는 미주의 머리를 바짝 잡아당기며 짜증을 냈다.

- 아~. 이게 아닌데. 좀 더 오래 즐기고 싶었는데. 너무 속상해.

 일준이의 몸가락은 미주의 식도 앞에서 정액을 내뿜었다. 미주는 아랑곳하지 않고 젖소 가슴에 우유를 짜듯이 일준이의 불알을 만졌다.

 몇 초 후, 일준이는 미주의 머리를 놓아주었다. 미주는 프로답게 혀로 일준이의 몸가락 주위를 맴돌다, 귀두 끝을 닦아주었다. 그제야 일준이의 몸가락을 뺄어냈다. 미주는 재떨이에 정액을 뺄어냈다. "캬~"하며 목에 걸린 가래를 뺄듯이 다시 뺄었다. 한번 더 입 안에 침을 모으더니, 힘차게 또 뺄어내었다.

- 으~. 걸쭉한 것이 목에 달라붙은 것 같아. 주니야. 처음 누나 입에 쌀 때는 너무 목 깊이 넣지 마.

일준이는 웃으며 고개를 끄덕였다. 하지만 속으로는 '다음에 더 깊숙이 넣으리라.'라는 마음가짐이다.

미주는 자신과 일준이의 술잔에 맥주를 부었다. 서로 잔을 부딪히며 술을 마시고 안주도 먹었다.

둘은 또다시 짧은 담소를 나누었다. 담소를 나누는 가운데, 둘의 손은 분주히 움직였다. 미주의 손은 일준이의 불알을 가지고 놀았다. 이에 질세라 일준이도 치마 안으로 손을 넣었다. 손가락을 구부렸고, 굽어진 손가락 마디로 미주의 보지 입구를 간지럽혔다. 미주는 입에 침을 모으기 시작했다. 엄지와 두 번째 손가락을 집게모양으로 만들었다. 손가락에 침을 묻힌 상태로 일준이의 몸가락을 잡아 흔들었다.

둘은 서로의 하체에 손을 댄 채, 담소를 이어갔다. 일준이는 미주를 이길 수가 없었다. 일준이는 미주의 손놀림에 말을 자연스럽게 할 수가 없었던 것이다. 미주의 손이 자신의 몸가락을 볼모로 잡고 있는 듯하다. 일준이는 자신의 손을 치마에서 뺐다.

- 누나, 항복요.

일준이는 자신의 아래를 쳐다보았다. 몸가락이 다시 회복되어 뻣뻣하게 서 있다. 미주는 몸가락을 잘 길들이는 조련사 같다. 미주는 빠른 동작으로 허리를 틀어, 옆자리에 앉은 일준이의 몸가락을 다시 물었다. 목안 깊숙이 넣는지, 미주의 이마가 일준이의 허벅지에 닿는 것이 보였다. 미주는 "아~"라는 신음소리를 냈다. 자신의 행동에 집중하라는 것이다.

미주는 일준이의 몸가락을 문 채 가만히 있었다. 잠시 후 일준이는 축축한 것이 느껴졌다. 일준이가 자세히 들여다보니, 미주 입에서 침이 흘러나왔다. 자신의 불알을 지나 엉덩이 골까지 적시고 있는 것이다. 지금 미주는 일준이의 몸가락에 최대한으로 침을 묻히고 있는 것이다. 미주는 얼굴을 일준이의 하체에 파묻은 채, 치마 안으로 손을 집어넣었다. 팬티를 벗더니, 그 상태로 팬티를 자신의 왼쪽 손목에 감았다.

그제야 미주는 고개를 들었다. 곧바로 소파에 벌러덩 누웠다. 다리를 벌리며, 빨리 들어오라는 손짓을 보였다.

일준이는 조금 아쉬웠다. 좀 전만 하더라도 미주 입에 너무 빨리 사정한 것이 후회되었기에, 이제는 쾌락을 장시간 느껴보고 싶은 것이다. 일준이는 미주의 말대로 하지 않고 허리를 세운채, 소파에 앉았다.

- 누나, 내 위로 올라와요. 빨리.

미주는 잠시 어리둥절했다. 하지만 미사일처럼 우뚝 서있는 일준이의 몸가락을 보니, 일준이의 마음을 알 것 같았다. 미주는 아주 빠른 동작으로 일준이 몸 위로 걸터앉았다. 앉으면서 자연스럽게 일준이의 몸가락이 미주의 몸에 삽입되었다. 미주는 무릎을 접어 발을 일준이의 무릎에 올렸다. 미주가 일준이를 약간 내려다보는 위치다. 일준이가 미주의 큰 가슴을 번갈아가며 빨고 핥고 있다. 미주는 그런 일준이를 흐뭇하게 내려다본다. 갑자기 무언가가 생각났는지, 일준이가 미주를 보며 말했다.
- 누나. 나 자지 주변에 난 털들을 짧게 잘랐어요. 그래서 그 털들이 누나 보지나 주변을 찌를 수도 있어요. 며칠 전에 아내랑 했는데, 아내가 질색을 하더라고요. 누나 괜찮겠어요?
- 머리는 폼으로 달아놓은 거야? 그럼 손가락을 끼워서 간격을 두면 되지. 그럼 그 털들이 몸에 안 닿을 거 아니야. 그것도 아니면 콘돔 윗부분을 잘라서 자지에 끼우던가. 학교 선생님이 되어서 어찌 그런 쪽으로 머리를 안 쓰냐? 그래서? 그날 마누라하고 제대로 못했겠네? 그렇지?
- 네. 아내가 잠자리를 거부하더라고요. 부부사이도 어색해졌어요.
- 이런~. 그날 못 푼 거, 지금 나한테 다 풀어.
- 네. 누나. 고마워요.

일준이는 허리를 움직였다. 미주도 일준이의 짧은 털들로 인해 아픔이 있는지, 보지 입구에 손가락을 갖다 대었다. 일준이의 몸가락이 들어올 때마다 미주의 손가락이 완충작용을 해주면서, 일준이의 짧은 털들이 미주의 살들을 찌르지 않도록 막아주었다.

일준이의 몸가락이 미주 몸 안으로 깊숙이 들어가지 않아도, 미주는 몸 안으로 들어온 몸가락을 느낄 수 있었다. 미주는 몸가락의 강직함을 느끼며 움직이질 않았다. 오롯이 일준이의 봉사를 받아보고 싶은 마음인 것이다.

일준이는 미주 밑에서 허리를 움직이며 피스톤 운동을 했다. 같이하면 더 느낌이 나고 좋았을 텐데, 미주가 꿈쩍도 하질 않으니 답답하다. 그래서 미주의 엉덩이를 "찰싹"소리가 나도록 한 대 때렸다. 그러자 미주도 서서히 엉덩이를 흔들기 시작했다. 일준이는 미주의 엉덩이 뒤쪽에 손을 위치시키며, 미주의 움직임에 따라 몸을 움직였다.

둘은 서로의 속살을 느끼며, 쾌락에 도달했다. 그새 일준이에게 사정감이 밀려왔다.

- 누나, 나 조금만 더 하면 쌀 것 같아.

- 그래?

미주는 일준이의 몸에서 분리되었다. 그리고 일준이를 일으켜 세웠다. 긴 소파 중앙에 누워, 입을 벌렸다.

- 주니야. "내 입이 여자 보지다."라고 생각하고 입에다 넣다 뺐다하며 좆질 해봐. 그리고 사정하고 싶으면 사정하고.

일준이는 "역시 미주다."라는 생각을 했다. 평소에 해보고 싶었던 자세였다. 근데 미주가 알아서 해주니, 참으로 기쁜 것이다. 일준이는 미주의 가슴부위에 살짝 올라탔다. 미주의 목을 최대한 압박하지 않은 상태로, 미주의 입에 자신의 몸가락을 삽입시켰다. 미주는 입을 약간 벌린 상태로, 일준이의 몸가락을 맞이했다. 일준이는 상체를 최대한으로 숙인 상태로, 엉덩이를 세차게 흔들었다. 그러자 미주의 머리가 소파에 묻혔다 나오는 듯하다. 일준이는 미주의 상태는 생각하지 않고, 계속 엉덩이를 앞 뒤로 흔들었다. 그리고 본인의 느낌을 토로했다.

- 아~. 감칠맛 나. 너무 좋다.

뒤통수가 소파에 파묻히는 것이 불편할 것인데, 미주는 아무렇지 않은 표정이다. 오히려 한 손으로 일준이의 불알을 주무르고, 다른 손으로는 엉덩이를 만졌다. 미주도 즐거운 것이다.

일준이는 소파에 엎드린 채, 시원하게 미주의 입에 사정을 했다. 미주의 얼굴에는 변화가 없다. 하지만 미주의 손은 계속 움직이며 불알과 엉덩이를 주물렀다. 일준이가 일어서려고 했다. 하지만 미주가 일준이의 엉덩이를 양손으로 잡고선, 일준이를 놓아주지 않았다. 일준이는 상체를 조금 들어, 미주를 내려다보았다. 미주의 목이 꿀렁거리는 것이 보였다. 미주의 혀가 몸가락을 몸수색 또는 몸을 뒤지는 것처럼 샅샅이 더듬었다. 잠시 후, "쪽"소리와 함께 일준이의 몸가락과 미주의 얼굴이 분리되었다. 일준이는 본인도 모르게 "아흐~"라는 괴성을 내질렀다. 미주는 일어나 맥주를 한잔 마셨다. 소파에 널브러진 것처럼 앉아있는 일준이 입에 과일 안주를 넣어주었다.

일준이는 이제 정신을 차렸다. 두 번이나 사정하고 나니, 창피함이 밀려왔다.

- 누나, 나 신음소리 너무 크게 낸 것 같은데. 선주사장이 들었으면 어떡하죠? 누나 나중에 혼나는 거 아니에요?

- 언니는 곰 같이 미련하고 둔해서 잘 몰라. 지금 휴게실에서 TV 보다가 처자고 있을걸.

- 누나, 사장님하고 사이가 멀어졌어요. 말투가 왜 그래요?

- 아니야. 언니랑 나는 아직도 친해. 저번에 이야기했잖아. 간혹 본인과 내가 "다른 위치"라며 기분 나쁜 말을 내뱉는다고. 그리고 들키면 뭐 어때? 부러워서 혼자서 껄떡대겠지.

미주와 일준이는 서로 크게 웃었다. 미주는 과일안주를 계속 일준이의 입에 넣어주며 이야기했다.

- 너랑 이렇게 땀 빼니깐 너무 좋다. 나 원래 손님이랑 이렇게까지 안 하는데. 넌 잘 생기고 몸매도 좋고 착하니깐, 이

렇게까지 해주는 거야. 고맙게 생각해. 다른 년 같았으면 2
차 가자고 난리 치며 너한테서 팁 받으려고 엄청 애쓸걸.

- 누나, 고마워요.

- 이제 시간 다 되었어. 옷 입자. 집에 가서 가장으로서, 멋
진 사회인으로서 열심히 일해야지.

- 네.

 일준이가 옷을 입는데, 본인의 고민이 갑자기 떠올랐다. '미
주에게 말해볼까?' 망설여졌다.

- 저....... 누나. 나 고민이 있는데요.

- 뭔데?

- 아니에요. 다음에 할게요. 지금 시간 다 되었잖아요.

 잠시 후 정말로 "마칠 시간이 다 되었다."는 기계음이 울려
퍼졌다. 미주는 리모컨을 찾더니, "취소"버튼을 눌러버렸다.
둘은 이미 옷을 다 입은 상태였다. 미주가 차분하게 말했다.

- 주니야. 괜찮아. 말해봐.

- 시간 다 되었잖아요. 사장님 알면 안 좋을 텐데.

- 내가 방금 이야기했지. 언니가 곰처럼 미련하다고. 지금
휴게실에서 TV 보다가 잠들었다니깐. "마쳤다."라는 기계음
도 못 들었을 걸. 지금 꿈나라에서 헤매고 있어. 그리고 내
가 보도방에서도 위치가 좀 높아. 나이가 있으니깐. 내가 알
아서 어느 정도는 다 처리할 수 있어. 그러니깐 신경 쓰지
말고 이야기해 봐.

 일준이는 진중한 표정을 지으며 어렵게 고민을 꺼냈다.

- 나, 누나 만나니깐 너무 좋아요. 근데 와이프한테 미안하
고 죄책감이 느껴져요. 아픈 과거이야기 꺼내서 미안하지만
누나도 결혼생활 했잖아요. 전 남편이 젊은 여자와 바람피워

서 이혼했다면서요?

미주도 심각한 표정을 지으며 묵묵히 일준이의 이야기에 귀 기울였다. 일준이의 이야기는 계속되었다.

- 누나. 미안해요. 제가 말을 우회적으로 해서 누나 기분 상하지 않게 말하려고 했는데. 그게 잘 안되네요. 말주변이 없어서 미안해요. 하지만 누나도 결혼생활 했으니, 이해하실 수 있을 것 같아요. 제 마음 이해하죠?

일준이는 횡설수설해하며 했던 이야기를 또 했다. 그만큼 당황한 기색이 역력하다. 미주는 그런 일준이를 큰 가슴으로 안아주었다. 일준이의 입에 혀를 집어넣고 침을 빨아 삼켰다. 일준이를 놓아주고는 정자세로 고쳐 앉았다.

- 주니야. 당연히 네 마음 알지? 네 와이프의 입장도 이해하고. 이 누나가 너보다 오래 살고 인생경험도 많은데. 네가 그렇게 허심탄회하게 이야기해 주니깐 고맙다. 그리고 너 참 착하구나. 보통의 남자들은 그런 죄책감과 미안한 마음도 가지지 않는데 말이야. 그럼 이제 내 생각과 이야기를 해줄게. 들어봐. 내 결혼생활에 남편의 바람은 큰 충격이었어. 세상이 끝나는 줄 알았지. 그때 너무 화가 났어. 내가 그 녀석 새끼까지 낳아주고 하고 싶으면 항상 받아주었는데 말이야. "어찌 나한테 이럴 수 있냐?"며 엄청 화를 냈어. 그리고 몇 번 정도는 남편의 바람을 눈감아 주었어. 그리해도 남편은 젊은 년과 계속 바람을 피더라고. 전 남편이 젊은 년에게 마음이 있다는 것을 알고는 이혼을 결심했어. 이혼할 때 자식들한테 너무 미안하더라. 얼마나 미안했으면 눈물이 나더라고. 이제 시간이 한참 지나고 나니깐, 지금은 아무 충격도 없고 남편이 바람피운 것에 대한 나쁜 감정도 사라졌어. 그리고 가끔

씩 이런 생각도 해봐. 내가 기다려주었으면 어땠을까? 그럼 남편이 그 젊은 년과 언젠가는 헤어지고 내게 오지 않았을까? 그리고 자식들한테 미안하지도 않고 말이야.

- 누나는 왜 바람피우던 남편이 돌아올 것이라 생각했어요?
- 상황이 내게 유리하니깐. 나와 남편 슬하에 자식이 둘이나 있어. 또 우리는 공식적인 부부이고, 결혼으로 인해 우리 가족과 남편, 남편 가족들과 연결되어 있어. 생각해 봐. 남편이 계속 바람피우면, 누가 가장 피해를 볼까? 나도 스트레스 받겠지만, 바람피운 남편은 손가락질 받겠지. 커가는 자식들 눈치도 보이고 말이야. 게다가 "바람핀다."는 소문이 남편 가족이나 친척들에게 흘러가봐. 개망신 당하는 것이지.
- 그렇군요.
- 며칠 전에 TV를 봤어. 연예인 이야기야. 어떤 아내가 남편의 바람을 계속 지켜보며 남편이 돌아올 때까지 기다리더라. 그리고 시간이 지났어. 결국 남편이 눈물을 흘리면서 아내에게 돌아왔어. 뉘우치고 자신을 버리지 않은 아내를 생명의 은인처럼 떠받들며 모시고 잘 살더라. 남편 입장에서 얼마나 고맙겠어? 자신의 큰 잘못을 용서해 주고 자신을 받아줬으니 말이야.

일준이는 미주의 말에 고개를 끄덕였다.

- 지금 넌 심리적으로 엄청 불안할 거야. 당연한 거야. 넌 너무 착하니깐. 착하니깐 죄책감이 드는 거야. 여기 와서 나를 만나는 것을 아내에게 들킬까 봐, 그것도 걱정되고. '아내를 사랑하는 마음이 나(미주)로 인해 변심하는 것은 아닐까?'라는 의심도 스스로에게 할 거야. 근데 너의 인생에서 아내 얼굴 보는 시간이 많아? 아니면 나 보는 시간이 많아?

- 당연히 아내죠.

- 그래. 넌 집에 가면 아내를 만날 거야. 날 만나는 것은 '술 한잔 마시거나 스트레스가 극에 달할 때, 아내와의 잠자리에서 만족하지 못해 생긴 것을 해소하고 싶을 때, "재미"로 풀고 싶을 때'나 만나는 거야.

- 알아요. 근데 제가 누나를 생각하는 마음이 되게 커요. 그것이 사랑인지 헷갈려요. 내 사랑은 아내인데.

미주는 기특하다는 듯, 다시 일준이의 입에 입을 맞추었다.

- 마누라 누군지 모르지만, 정말 부럽다. 과거로 돌아가, 내 남편이 너 같았으면 진짜 매일 물고 빨았다. 지금 주니, 네가 나를 생각하는 마음이 큰 것은 너무 고마워. 근데 그것은 사랑이 아니야. 헷갈리지 마. 아내와의 섹스에서 완벽한 만족을 못 느끼잖아. 그런데 나랑 할 때는 어때?

- 누나랑 하면 너무 좋고, 기분이 제대로 풀려요.

- 그래. 그거야. 내가 너의 욕구를 너무 잘 들어주고 풀어주니깐, 네가 나를 찾는 것이야. 그런 마음이 발전해서 나에 대한 마음이 애정으로 변한 것이야. 자주 만나니 당연히 정이 드는 것이지. 옛날 조선시대 때, 어여쁜 아가씨가 살았어. 이 아가씨는 두 명의 남자 중 한 명과 결혼해야 돼. 첫 번째 남자는 잘 생기고 키도 커. 근데 집이 가난해. 두 번째 남자는 집은 부유하고 잘 사는데, 키도 작고 볼품없이 생겼어. 아버지가 딸에게 물었지. "너 누구랑 살래?" 그랬더니 딸이 뭐라고 한 줄 알아? "잠은 잘 생기고 키 큰 남자 집에서 자고, 낮에는 잘 사는 남자 집에서 살림하고 싶어요."라고 했어.

- 그게 뭐예요? 둘 중에 하나 고르라는 건데. 그래서 누구를

골랐어요?

- 나도 답은 모르겠어. 그 아가씨는 누구를 선택했는지는 기억나지 않아. 하지만 보통의 여자라면 볼품 없어도 잘 사는 남자를 선택 했을거야. 고생 없이 잘 사는 것이 더 중요하니깐. 아무튼 지금 내가 한 이야기가 무엇을 의미하는 줄 아니?

- 무슨 이야기인데요?

- 본인 하고 싶은 대로 하고 사는 거야. 사람의 본성에 어느 정도는 충실하게, 지 꼴리는 대로 하며 살고 싶은 거라고. 대신 남들에게 피해만 주지 않으면 돼.

- 아하.

- 좀 전에 내가 네 자지 실컷 빨고 핥았잖아. 네 정액도 소량 먹었고.

- 누나, 부끄러워요. 그런 이야기는 하지 말아요.

- 너 방금 어땠니? 내 보지에 니 자지로 엄청 쑤셨잖아.

- 누나, 말이 너무 세다.

- 아니. 사실이야. 근데 이 사실을 누가 알지? 여기 CCTV라도 있나? 아니면 선주사장이 엿보고 다른 곳에 가서 이야기라도 할까? 그런 일 없어. 왜? 누가 신고라도 하면 어쩌려고? 가게영업정지 당할 수도 있어. 선주사장은 우리가 룸 안에서 어떻게 놀던지 신경 쓰지 않아. 뭐, 대충은 알겠지. 하지만 단골손님 확보를 위해서 지금 눈 감고 있는 거야. 지금 선주사장은 휴게실에서 정말로 눈 감고 처자고 있을걸. 이게 현실이야. 더 현실적으로 이야기해 보자. 주니야, 네가 아내 보는 것이 미안해서 이제부터 누나 만나러 안 올 거야? 그리해도 돼. 나야 아쉽지만 너만 행복해질 수 있다면 감내할 수

있어. 그렇게 할래?

 일준이는 아무 대답도 하지 않았다.
- 너무 죄책감 가지지 마. 그냥 나를 성인용 마네킹으로 생각하면 기분이 나아질까? 내 나이가 오십이니깐, 성인용 아줌마로 할까?
 일준이와 미주는 서로 크게 웃었다. 미주가 다시 입을 열었다.
- 그리고 우리의 만남이 영원히 갈 것 같아? 얼마 못 가.
- 아니. 왜요? 누나, 일 그만두나요?
 미주는 살짝 웃으며 말했다.
- 나 오십 넘었어. 보지에 물도 예전만큼 나오질 않아. 예전에는 끊임없이 나와서 보지털이 흠뻑 젖었는데....... 너랑 할 때, 내가 네 자지 다시 입에 넣은 거 생각 나? 그때 내 보지에 물이 안 나와서 조금 뻑뻑 했어. 그래서 네 자지에 내 침 바른 거야. 침이 윤활유 역할이라도 하라고. 이제 러브젤로 준비해 놨어. 애들 먹이는 조그마한 약통 알지? 넌 아들 있으니깐 알겠다. 애들 시럽이나 가루약 타서 먹이는 약통 있잖아. 엄마 손가락만 한 크기의 약통에다 러브젤 담아서 가지고 다녀. 너랑 할 때 물이 안 나오면 사용하려고.
- 누나, 아쉽네요. 누나 젊었을 때 만났으면 더 좋았을 텐데.
 미주가 호호호 웃으며 다시 말했다.
- 아니야. 지금 만난 것이 다행이야. 젊었을 때 나 만났으면, 너 나한테 못 헤어 나올걸. 그래서 마누라 버리고 나한테 올걸.

미주의 농담에 일준이도 덩달아 웃었다. 미주는 이번엔 남자 입장을 이야기했다.

- 그리고 너도 마찬가지야. 남자 성욕도 어디 평생 가니? 그래프로 따지면 어느 정도 치솟다가 꺾일 때가 있어. 그럼 네가 나를 안 찾을 걸. 안 그래?

일준이는 미주의 말에 고개를 끄덕였다. 아직까지는 미주를 자주 보고 싶은 마음이 간절한 것이다.

- 누나, 그럼 도우미 생활을 언제까지 할 거예요? 생각한 나이가 있어요? 일 그만두는 거요.

- 글쎄. 계속 생각 중인데, 아직 모르겠어. 현재 우리 엄마가 살아 계셔. 촌에 혼자 계시는데. 내가 돌볼 거야. 엄마 돌볼 것을 생각하면 빠른 시일 내에 그만둘 수도 있어.

'조만간 그만둘 수도 있다는.' 말에, 일준이의 얼굴에 당황한 기색이 역력하다.

- 누나 못 본다고 생각하니 너무 아쉽네요. 어머니 요양원에 보내면 안돼요? 요양원 보내고 누나는 오래 일해도 될 것 같아요. 아직 피부도 좋고, 동안이에요.

- 나도 널 보고 싶어서라도 그러고 싶은데....... 요양원을 믿지 못하겠어. 뉴스에도 종종 나오잖아. 간호원들이 노인들 학대하는 거 말이야. 그리고 울 엄마가 답답하다며 요양원은 싫다고 했어. 아무튼 당장은 아니니깐 너무 걱정하지 마.

- 네. 누나, 감사해요.

일준이는 다행이라 생각했는지 미주 곁으로 다가가, 미주를 꼬옥 안아주었다.

- 누나는 진짜 효녀네요. 정말 대단해요.

- 쑥스럽게 왜 이래? 내가 말한 것으로 네 고민이 조금 풀렸

나?

- 네. 많이 풀렸어요.

- 그래. 내가 한번 더 이야기할게. 네가 여기를 찾는 것은 단순히 재미나게 놀러온거야. 아내 보기가 지겹거나 성생활이 불만족스러울 때. 가끔씩 여기 오면 내가 너의 욕망과 스트레스를 풀어줄 거야. 난 딱 거기까지야. 그리고 마누라한테 미안해하지 마. 마누라가 너한테 헌신적으로 너의 욕망을 충족시켜 주거나 잘했다면, 네가 날 찾겠어? 자업자득이야. 나 봐라. 나는 결혼생활할 때 밤마다 남편 자지를 입에 달고 살았어. 남편 정액도 엄청 먹었고. 근데 지금 내 결혼생활은 어때? 끝났잖아. 남편이 젊은 년 만나서 딴살림 차렸잖아. 나처럼 열심히 해도 안 되는 경우도 있는데, 넌 어때? 네가 나랑 바람 피니? 나랑 동거해? 아니잖아. 그냥 술 한잔 마시고 2차로 재미나게 놀려고 나 찾는 거잖아. 우리는 여기서 1시간 동안만 애인생활하는 거잖아. 그렇지? 내가 네 마누라 입장이라면 도우미에게 고마워할 거야. 마누라가 못 풀어주는 것을 도우미인 내가 정성을 다해 풀어주니깐. 본인이 못해주는 것을 남이 해주는데, 얼마나 고마운 일이야. 안 그래?

- 네.

- 그러니깐 마누라와의 합궁에서 발생되는 불만족이나 스트레스는 나한테 풀어. 내가 의사야.

일준이는 "의사"라는 말에 웃음을 터트렸다.

- 하하하. 누나, 자신을 "의사"라고 표현하니깐 좀 웃기네요.

- 왜? 아니야? 내가 네 스트레스 풀어주고 너의 정신을 맑게 해 주잖아. 그럼 넌 다시 건강한 정신으로 집에 돌아갈 거

야. 집에 가서는, 가장으로서 별 탈 없이 네 임무에 최선을 다하겠지. 근데 내가 너의 욕구를 충족시켜주지 못하면 넌 어떻게 될까? 마누라와의 불만족스러운 성생활로 인해, 언젠가는 마누라와 싸우지 않을까? '난 최선을 다하고 정성스럽게 하는데, 넌 왜 대충 하냐?'라고 따지지 않을까? 이해 못하는 네 마누라하고 말다툼하겠지. 그럼 그게 부부싸움되는 거야. 아내에게서 발생한 불만과 고민을 내가 다 풀어줌으로써, 넌 집에 가서 불만과 고민을 생각도 하지 않을 거야. 물론 아내에게도 싫은 소리 하지 않을 것이고. 어때? 이래도 내가 의사가 아니야?

- 그러고 보니 "누나가 의사"가 맞네요.

- 그리고 한 가지 더. 내가 여기서 도우미로 일하잖아. 그러다 보니 바람피우는 남자들 이야기를 많이 들어. 실제로 보기도 해. 한 번은 남자손님 5명이 놀러 왔었어. 5명이 다 친구인데, 도우미 5명을 불러서 재미나게 놀더라고. 마칠 시간이 다 되어서 '2차 가자는 말'이 나왔어. 그중 2명은 안 갈 것처럼 점잖은 척을 하더니, 나중에 도우미 연락처 알아내더라. 그리곤 나중에 다시 만나서 모텔에 가서 떡을 치며 재미 보더라고. 이게 현실이야. 부부생활에 있어서, 여자든 남자든 성생활이 만족스럽지 못하면 바람피울 확률이 높아져. 특히 주니, 너 같은 경우는 키 크고 잘 생겨서 여자들에게 작업 걸면 거의 다가 넘어갈 거야. 그런데 네가 바람피울 생각을 갖지 않도록 이 누나가 너의 욕구를 다 해결해 주잖아. 그래서 네가 바람 안 피는 거야. 네 마누라는 나에게 선물이라도 바쳐야 돼. "남편 바람 안 피게 만들어줘서 고맙습니다."라고 하면서 말이야. 그런 의미로 너도 나에게 고마워해야 되겠다.

바람피우려면 정말 피곤해. 마누라한테 거짓말을 밥 먹듯 해야하고 안 걸리려면 머리도 엄청나게 굴려야 돼. 일상생활에서 시간분배도 잘해야 되고. 신경 쓸 게 엄청 많아. 넌 나 때문에 그런 짓 안 해도 되잖아. 네가 "나는 바람 안 필 건데요."라고 해도, 성생활이 불만족스러우면 밖으로 눈을 돌릴 수밖에 없어.

일준이는 연신 고개를 끄덕였다. 일준이 입장에서는 미주의 말이 다 옳은 말이기 때문이다.

- 맞아요. 누나의 역할이 큰 걸, 다시 한번 더 느끼네요. 누나랑 이렇게 재미나게 놀다 집에 가잖아요? 그럼 정말로 아내에게 더 잘해요. 미안해서요.

- 봐! 내 말 맞지? 나 때문에 마누라랑 사이도 좋잖아. 이제 깨달았구나. 이리 와. 상 줄게.

미주는 일준이를 다시 일으켜 세웠다. 바지 지퍼를 열고 손을 집어넣었다. 일준이의 몸가락을 밖으로 꺼내, 입에 물었다. 미주는 일준이의 몸가락을 1분 정도 입에 머금은 상태로 고개만 가볍게 천천히 끄덕였다. 그리고 놓아주었다. 일준이의 튼실한 몸가락이 무서운 기세로 미주를 가리키고 있다.

- 이제 집어넣어. 누나 턱 아프다.

- 누나, 이렇게 서 있는데, 어떻게 집어넣어요?

둘은 또 마주 보며 웃었다. 미주가 입을 열었다.

- 주니야. 너무 죄책감 가지지 마. 알겠지? 네가 너무 착해. 착한 것이 독이 될 수도 있어. 계속 미안하고 죄책감 가지면 너만 스트레스야.

- 누나. 고마워요. 누나 말씀 들으니깐 모든 고민이 해결된 것 같아요. 그리고 일 그만둘 생각하지 말아요. 누나 지금도

너무 매력적이에요.

- 고맙다. 이제 집어넣어. 바람 빠진 풍선처럼 줄어들었네.

정말 미주의 말대로 일준이의 몸가락이 번데기처럼 작아져 있다. 일준이는 몸가락을 바지 안으로 집어넣고 지퍼를 닫았다.

미주가 일어나 룸의 문을 열었다. 일준이를 보며 다시 말했다.

- 이 누나가 언제 일 그만둘지 모르니깐 자주 놀러 와. 알겠지?

- 누나, 제발 그런 말하지 말아요. 제가 자주 놀러 올게요.

- 그래. 너 보니깐 오래 일해야겠다. 너를 위해서라도.

- 누나~. 누나도 진짜 착해요. 누나는 천사.

미주와 일준이는 서로 끌어안으며 딥키스를 나누었다. 둘은 손을 꼬옥 잡고 카운터로 향했다. 카운터에는 아무도 없다. 미주가 큰 목소리로 선주사장을 불렀다.

- 언니. 우리 주니. 이제 집에 간다.

휴게실에서 우당탕 소리가 들린다. 잠시 후 선주사장이 안 잔 척 눈을 크게 뜨며, 휴게실에서 나왔다. 파마머리가 한쪽으로 눌려지고, 얼굴이 부은 것이, 누가 봐도 자다 깬 얼굴이다.

- 아니, 벌써 시간이 그리 되었어? 삼촌, 재미나게 놀았어?

- 네. 미주누나 덕분에 아주 재미나게 놀았어요.

일준이가 카운터에서 계산하는 중에, 미주가 입을 열었다.

- 언니, 우리 주니가 너무 착해. 이런 곳에 오면 마누라한테 미안한가 봐.

그 말을 들은 선주사장은 일준이를 때리는 시늉을 하며 나무랐다.

- 그런 생각하지 마. 재미나게 놀면 스트레스 풀리잖아. 그리되어야 사회생활이나 부부생활에 더 전념할 수 있는 거야. 근데 스트레스 못 풀잖아. 그럼 스트레스로 인한 짜증을 누구한테 내겠어? 바로 가까운 가족들이야. 간혹 가다 이런 곳에서 재미나게 노는 것은 좋은 거야. 그리고 마누라한테 절대 미안한 마음 갖지 마.

미주의 표정이 밝다. '봐! 내 말이 맞지?'라는 듯이 일준이를 지그시 쳐다본다. 계산을 끝낸 일준이는 홀가분한 마음으로 가게를 나섰다. 이제 고민이 해결된 듯하다.

일준이는 집으로 가는 길에, 미주가 한 말들을 되새김질했다. 미주의 말이 다 맞는 것 같다. 부부생활에 있어서, 적극적이지 못한 아내의 행동에 불만이 많았다. 하지만 미주의 헌신적 도움으로 그 불만이 많이 해소되었다. 굳이 아내에게 내 불만을 표출할 필요도 없고, 그로 인해 발생할 수 있는 부부싸움도 피할 수 있었던 것이다.

일준이는 핸드폰을 꺼내 들었다. 예전에 인터넷 쇼핑 속, 장바구니에 담아두었던 성인용품을 확인했다. 일준이가 가지고 있는 실리콘 링과 마찬가지로, 몸가락과 고환을 잡아주는 데 하나의 실리콘 구조로 되어있다. 게다가 몸가락과 고환을 잡아주는 실리콘 부분의 폭이 넓은 탓에, 짧은 털에 찔릴 수도 있는 것을 막아줄 것이다. 일준이는 결제했다. 몸가락 주변의 짧은 털 때문에, 불편해하는 아내를 위한 것이다. 빨리 이것을 착용하고 아내를 기쁘게 해주고 싶은 마음이 굴뚝같다.

 미주의 말이 옳았다. 일준이는 아내에게 서운한 마음이 사라져 버렸다. 오히려 전보다 더 잘해주었다. 과거에, 만족스럽지 못한 부부관계로 인해 아내에게 불만을 표출 할 생각이었다. 그런 생각도 지금은 무의미하게 느껴졌다. 미주 덕분이다.

아내가 웬일로 영양제를 사놓았다. 일준이가 의아해 아내에게 물었다.

- 여보, 이게 뭐야? 누구 영양제야?

- 당신 거야. 당신 요즘에 몸이 허한 것 같아서. 일하고 운동하느라 몸이 많이 피곤할 것 같아서.

 일준이는 아내의 배려심에 깊이 감동했다. 자신에게 무관심한 척해도 아내는 자신을 사랑하고 있다는 것을 깨달은 것이다. 일준이는 아내와 같이 집안일을 하며 부부관계가 전보다 더욱 돈독해졌다.

 며칠 후, 일준이가 주문한 성인용품이 택배로 도착했다.

 늦은 밤, 아내와 아들은 자고 있다. 일준이는 잠든 아내의 어깨를 흔들어 깨웠다.

- 여보, 왜 그래?

- 일어나 봐. 우리 안 한지 너무 오래되었어.

- 알아. 그럼 내일 하자. 나 지금 너무 잘 자고 있었단 말이야.

- 아니. 난 오늘 해야겠어. 준비한 것도 있어.

- 뭔데?

- 거실로 나오면 알려줄게. 아무튼 빨리 나와.

 아내는 투덜거리며 거실로 나왔다. 자다 깬 아내는 일준이가 무엇을 준비했는지 관심이 없다. 쏟아지는 잠을 이기지 못하고 거실에 깔아놓은 매트 위에 다시 드러누웠다. 일준이는 아내의 바지와 팬티를 동시에 벗겼다. 그리고 상의 밑단을 잡아 목까지 밀어 올렸다. 아내의 B컵 크기의 젖가슴이 보였다. 일준이는 아내의 가슴을 덥석 물었다. 게걸스럽게 입과 혀로 핥고 빨기 시작했다. 아내는 한번 해보라는 듯이, 여전히 두 눈을 감은채 아무 미동도 없다. 일준이는 실망하지 않고 분주하게 움직였다. 입술과 혀로 상체를 애무하고 두 손으로 엉덩이와 허벅지를 부드럽게 쓰다듬었다. 몇 분이 지나자 일준이의 정성이 통하는 듯하다. 아내의 자궁 바깥쪽, 털에 물기가 묻어났다. 아내가 입을 벌리며 신음소리를 옅게 토해냈다.

- 여보, 저번에 짜증 낸 거 미안해. 고추털은 많이 자랐지? 어느 정도 시간 지났으니깐 괜찮겠지. 내 보지에 천천히 넣어줘.

일준이는 애무를 멈추고 준비한 성인용 실리콘 링을 몸가락에 천천히 착용했다. 그 상태로 아내의 몸 안으로 몸가락을 집어넣었다. 일준이는 아내의 표정을 살피며 물었다.

- 여보, 괜찮아.

- 응. 털이 꽤 자라났는가 보네. 이제 보지 주변으로 따끔거리는 것이 없어졌어. 좀 더 세게 박아줘.

일준이는 자신의 엉덩이를 뒤로 쭉 뺐다가 다시 앞으로 쭉 밀며 말했다.

- 성인용품 실리콘을 착용했어. 이건 저번 실리콘 링과 다르게 고추를 감싸는 표면이 넓어. 게다가 폭의 두께도 굵어. 그래서 내 짧은 고추털도 커버해 줄 거야. 당신 기분 좋게

해 주려고 장만했어. 어때? 쓸만해?

- 응. 이건 괜찮네. 그럼 저번 성인용품은 어떻게 했어?

- 버릴까 생각하다, 돈 주고 산 것이 너무 아까워서 간직만
하고 있어.

일준이는 능청스럽게 거짓말을 했다. 이제 폭이 좁은, 3개
의 실리콘 링은 미주와 선주사장을 위한 것이 되었다.

일준이의 성관계 기술이 향상된 듯하다. 예전 같으면 사정
할 시간인데, 아직도 피스톤 운동을 하며 열을 올리고 있다.
신기했는지 아내가 눈을 반짝이며 물었다.

- 여보, 오늘 왜 이리 오래 해? 뭐 좋은 약이라도 먹었어?

- 나 운동하잖아. 그리고 이 성인용품도 한 몫하는 것 같아.

- 여보, 나 지금 기분 너무 좋아.

아내는 일준이 밑에서 환희의 기쁨을 표출하고 있다. 사실
일준이의 성관계 기술이 발전한 것은 미주의 지도편달 때문
이다. 미주가 침착하게 일준이의 욕구를 받아주고 풀어주니,
일준이의 피스톤 기술도 향상된 것이다. 일준이는 사정감이
밀려오면 흔들던 엉덩이를 멈추고, 아내의 상체나 입을 입술
로 공략했다. 그리해도 사정감이 계속 진행된다면 본인의 몸
가락을 아내의 몸에서 꺼내, 밖에서 식혔다. 그런 식으로 하
다 보니 애무 포함 20분이란 시간이 흘렀다.

일준이는 아내의 몸으로 들어가, 다시 세차게 엉덩이를 흔
들었다. 아내는 "경이롭다."라는 표정으로 일준이를 쳐다봤
다. 손으로 일준이 이마의 땀을 닦아내며, 좀 더 힘내라는
응원의 미소를 보낸다.

일준이도 이제 지쳤다. 이제 끝을 내기로 했다. 아내의 몸
과 연결된 상태로 쪼그려 앉았다. 상체를 든 상태로, 아내의

골반을 잡고 본인의 엉덩이를 세차게 마구 흔들기 시작했다. 밑에서 아내의 악쓰는 소리가 들렸다.

- 여보, 제발~.

일준이는 절정에 도달할 때, 몸가락을 꺼내 아내의 배위에다 사정했다. 귀두가 사람처럼 토하듯이 여러 번 나누어서 정액을 뱉어냈다. 일준이는 긴 숨을 내쉬며 주저앉았다.

- 여보.

일준이를 부르는 아내의 경쾌한 목소리가 들렸다. 아내를 쳐다보니, 아내가 기쁜 표정으로 엄지척을 보여주었다. 둘의 관계는 전보다 더욱 돈독해진 것이다.

한 달 후, 일준이는 다시 미주를 만나기 위해 유흥업소를 방문했다. 선주사장의 안내로 룸에 들어갔다. 룸에 들어서자마자, 일준이는 선주사장에게 양해를 구했다.

- 사장님, 저 여기서 편안하게 있어도 되죠?

- 그럼 홀딱 벗고 있어도 돼.

일준이가 바지를 벗어, 소파 구석에 접어두었다. 튼실한 허벅지가 빛나는 듯하다.

- 아이고 미주는 좋겠다.

선주사장이 빛나는 일준이의 허벅지를 쳐다보며 한마디 하고 룸을 나갔다.

잠시 후 현관문 열리는 소리가 들리더니, 술잔과 맥주를 들고 미주가 룸으로 들어왔다.

- 우리 주니 왔네. 나 보고 싶었지?

- 네.

- 뭐야. 이제 가을이라 쌀쌀한데 팬티차림이네. 안 추워?

- 누나가 데워주면 되죠.

미주가 방긋 웃으며 술과 맥주를 탁자 위에 올려놓았다. 일준이 옆으로 바짝 다가가 앉더니, 일준이의 허벅지를 어루만졌다. 이에 질세라, 일준이도 벌어진 미주의 두 다리 사이로 두 손을 집어넣었다. 짧은 치마 안으로 들어간 두 손 중, 한 손은 미주의 안쪽 허벅지를 잡았다. 나머지 한 손은 두 번째 손가락을 구부렸다. 구부러진 손가락 마디로 미주 팬티 밑부분을 가볍게 문질렀다. 그때 문이 열리더니, 선주사장이 과일 안주를 들고 왔다. 둘의 행동을 못 본척하며 과일안주를 탁자 위에 천천히 올려놓았다.

- 둘이 호흡이 잘 맞나 보네. 참 재미나게 노네. 보기 좋다.

일준이는 장난기가 발동해, 구부러진 손가락을 거칠게 움직였다. 미주도 만만치 않은 상대다. 미주는 태연한 척 일준이의 허벅지를 쓰다듬으며 일준이의 팬티 입구를 찾았다. 그리고 입구 안으로 손을 집어넣어 일준이 몸가락의 목을 졸랐다.

둘의 손 위치와 손의 움직임에, 선주사장은 놀란 듯하다. 보란 듯이 서로의 성기를 만지고 있는 모습을 보니 빨리 이 자리를 벗어나야 될 것 같다. 선주사장은 민망한지 헛기침을 하더니, 빠른 걸음으로 룸을 나가버렸다.

일준이는 미주의 태연함에 놀랐다.

- 누나, 정말 대단해요. 내가 누나보지 간지럽혔는데도 꿈쩍도 하지 않네요.

- 나야, 고맙지. 우리 잘생긴 주니의 손길이니깐.

둘의 눈길이 마주쳤다. 서로 먼저랄 것도 없이 동시에 끌어

안고 딥키스를 나누었다. 일준이가 조바심을 내며 미주에게 제안했다.

- 누나, 오늘은 내 자지 그만 빨아요. 바로 누나랑 배꼽 맞출래요.

- 또 서두른다. 누나가 알아서 해준다고 했지? 우선 입으로 한번 받아줄게. 그다음 내 보지에 꽂으면 되잖아.

- 오늘은 순서를 바꿔보고 싶어요.

- 네 마음 이해해. 빨리 내 보지 속살을 느끼고 싶겠지. 그치만 처음 사정할 때 양이 많잖아. 자칫 잘못하면 네 정액이 소파나 내 옷에 묻거나 튈 수도 있어. 그럼 청소해야 할 일들이 많아지잖아. 대신 입에다 사정한다고 생각해 봐. 얼마나 깔끔하겠어. 어디 튀거나 새지도 않고, 내 입으로 쏟아지잖아. 네 사정이 끝나면 내가 혀로 네 좆도 닦아주잖아. 얼마나 효율적이야. 게다가 네 자지는 잘 서니깐 걱정할 필요 없잖아. 누나 믿지?

- 네. 알겠어요.

- 그래. 그럼 일어서. 한번 시원하게 빨아줄 테니깐.

일준이는 팬티를 발목까지 내리고 소파에 앉은 미주 앞에 당당하게 섰다. 몸가락을 통해 따스함이 느껴졌다. 미주가 한 손으로 일준이의 엉덩이를, 다른 손은 일준이의 불알을 잡은 채, 머리를 격하게 흔들었다.

일준이는 밑을 내려다보았다. 헤드뱅을 하듯이 흔들리는 미주의 머리와 머리를 뒤로 뺄 때마다 오목하게 들어가는 미주의 뺨을 보니, 기가 막힌다. 금세 사정감이 밀려왔다. '빨리 사정하는 것이 정말 아깝다.'라는 생각이 저절로 들게 만드는 모습이다. 몸가락을 빼, 식히고 싶지만 미주가 일준이의 엉덩이와 불알을 잡고 있다. 미주는 일준이의 흥분을 위해 엉덩이와 불알을 잡은 것도 있지만, 일준이가 몸가락을 내빼는 것을 방지하는 목적도 있었던 것이다.

일준이는 미주의 머리를 몸 쪽으로 바짝 잡아당기고 몸을 활처럼 아치모양을 만들어 사정했다. 일준이가 미주의 머리를 놓자마자, 미주는 재떨이를 찾았다. 이번에는 혀로 닦아주지 않았다. 토해내듯 입안의 내용물을 뱉어냈다. "컥, 컥" 소리를 내며 목 안에 남아있는 일준이의 정액을 더 토해내려 안간힘을 쓰는 모습에, 일준이는 희한한 쾌감을 느꼈다.

미주는 진정이 되었는지, 더 이상 "컥컥"거리지 않았다. 재떨이에 맥주를 반컵정도 부었다. 때마침 재떨이 색깔이 검정색이다. 하얗고 커다란 부유물이 떠다니는 것이 확연하게 육안으로 확인되었다. 일준이의 정액이었다. 미주는 손가락으로 재떨이를 가리키며 일준이에게 말했다.

- 주니야. 네 아기들이야. 양이 정말 많다.

재떨이를 쳐다보던 일준이에게 여러 감정이 교차했다. 불법적인 증거를 남긴 것 같아, 창피하기도 하고 미주 입에 많이 사정한 것에 뿌듯하기도 했다. 한편 미주는 재떨이를 보며 슬픈 표정을 지었다. 심지어 재떨이를 향해 "안녕"하며 손을 흔들기도 했다.

- 주니 아기들아. 미안. 세상에 빛도 못 보고.

옆에서 지켜보던 일준이가 미주의 행동에 의아해했다.

- 누나, 지금 뭐해요?

- 저 애들이 여자 난자로 들어가 임신되고, 아기가 되고, 커서 성인이 되면 얼마나 멋지겠어. 지금의 너처럼 말이야. 근데 저렇게 재떨이에 버려지는 게 너무 가슴 아프다. 이래서

네가 두 번째는 삼키는 거야. 유기하는 것보다 내가 먹는 게 낫지.

- 헐.

미주의 발언에 일준이는 웃음을 터뜨렸다. 미주도 같이 웃었다. 일준이는 미주가 내뱉은 말이 진심인지 장난인지 아부성 발언인지 알 수가 없었다. 아무튼 미주의 말에 일준이는 용기를 얻었다. 더 진한 행위를 해보고 싶은 것이다.

- 누나, 죄송해요. 저도 모르게 몸이 반응하네요.

일준이는 태연하게 뒤돌아섰다. 그리고 허리를 최대치로 숙였다.

- 뭐 하는 거야? 지금 나보고 네 항문 빨아달라는 거야?

- 네.

- 주니야. 누나 숨 좀 돌리자. 응?

- 누나, 미안해요. 오늘은 좀 세게 달리고 싶어요. 대신 나중에 누나 부탁 들어줄게요.

- 그래. 나 맥주 좀 마시고.

일준이 뒤쪽에서 "꿀꺽꿀꺽"하는 소리가 크게 들렸다. 잠시 후 일준이 하체 뒤쪽으로 느낌이 왔다. 문어다리에 달린 빨판으로 닦아주는 느낌이다. 그런데 그 습도와 온도가 적당하다. 기분이 너무 좋은 것이다. 그 빨판이 내려가, 일준이의 불알까지 급습했다. 불알이 어딘가로 빨려 들어가는 듯하다. 그러자 신기하게 일준이의 몸가락이 다시 커졌다. 뒤에서 미주의 목소리가 들렸다.

- 이제 그만. 누나 목하고 턱 아프다. 이제 네 차례야. 하고 싶은 대로 마음껏 해봐. 나에게 하는 것을 실습 또는 연습이라고 생각해. 집에 가서 마누라한테는 진심으로 좆질하고.

- 누나한테도 진심으로 할 거예요.

미주는 며칠 전 일준이의 고민을 들어주던 것이 생각났다. 일준이 부부의 성생활도 궁금해졌다.

- 주니야. 너 마누라 하고 배꼽 맞출 때 뭐가 불만족스럽지? 말해봐. 이 누나가 들어보고 조언이나 충고 정도는 해줄 수 있어.

일준이는 잠시 생각을 하더니, 입을 열었다.

- 나 빨리 좆질하고 싶은데, 아내는 적당한 애무를 먼저 원해요. 그래서 제 나름대로 애무를 했다고 생각하고 들어가면 뭐라고 해요. 더 애무하라고. 그럼 조금 짜증 나면서 흐름이 깨져요.

- 이런, 마누라가 공부만 했는가 보네. 경험이 많이 없는 것이 느껴져. 만약에 내가 네 아내였다면 네 자지를 엄청 빨고, 내 보지에 침 바르겠다. 그러고 신나게 하겠다. 하긴 사람 마음이 다 내 마음대로 되는 것은 아니지. 주니야 그럴 때는 네가 입으로 빨아줘. 하기 전에 마누라한테 아랫도리 씻고 오라고 해. 빨려다 역겨운 냄새 맡으면 하고 싶은 마음도 사라지니깐. 마누라 밑부분 빨다 보면 저절로 침이 묻잖아. 흥분도 되고. 일석이조야. 그럼 애무도 길게 할 필요도 없는 것이지.

- 다음부터 그렇게 할게요.

- 말 나온 김에 한번 연습해 보자.

미주는 소파에서 일어나, 치마를 가슴 밑까지 올리고 팬티를 벗었다. 그리고 술을 버리는 술통을 찾았다. 술통을 본인의 다리 한가운데 두고 미주는 자세를 살짝 낮추었다. 맥주를 단전 밑으로 부어, 자신의 음부를 씻기 시작했다. 손가락까지 넣어서 깨끗이 씻는 모습이 보였다. 탁자 위에 놓인 물티슈와 휴지로 대충 닦고 소파에 앉았다. 몸통을 돌려 긴 소파 팔걸이에 상체를 기대고 다리를 벌렸다.

- 주니야. 일로 와. 소파에서 엎드려 누나 보지 빨아 봐.

"이야~" 일준이는 자신도 모르게 감탄사가 흘러나왔다. 일준이는 얼굴을 가까이 갖다 대었다. 미주의 말이 들렸다.

- 여기서 주의할 점. 흥분되어서 손가락 집어넣고 그러면 절대 안 돼. 우리 처음 만난 날, 생각 나? 그때 이 누나가 어떻게 했지? 남자든 여자든 성기를 대할 때는 무조건 입으로 맞이해야 돼. 알겠지? 손은 거들기만 하면 돼. 예를 들어 여자가 남자의 자지를 빨 때, 손은 입에 잘 들어가도록 지지만 잘하면 돼. 반대로 남자가 여자의 보지를 빨 때, 혀를 깊숙이 집어넣어 보고 싶다. 그럴 때 살을 바깥쪽으로 미는 역할만 하면 되는 거야. 그게 손의 역할이야. 잘 알지도 못하는 남자들이 흥분해서 여자 밑에다 손가락 집어넣으려고 애쓰잖아. 그거 정말 배려심 없는 짓이고 양아치 짓이야. 우리 주니는 착하니깐 여자를 대할 때는 절대 손가락 넣는 짓 하지 마. 무슨 G팟을 찾느니 지랄하는 놈들이 있는데, 그것은 정말 여자가 흥분했을 때 가능해. 그럴 때는 간혹 손가락 넣어도 돼. 그 외에는 무조건 입으로 해야 돼. 남자든 여자든 말이야.

- 네. 잘 알겠습니다.

- 그래. 명심해. 내 보지가 "네 마누라 보지다."라고 생각하고 한번 해봐. 처음에는 닭 벼슬같이 생긴 것을 입에 물고 핥아 봐. 그렇지. 잘한다. 어때? 부드럽지. 그런 다음 사마귀처럼 돌출된 것이 보일 거야. 그건 조심해야 돼. 절대 이빨

로 깨물어서는 안 돼. 벽에 붙어있는 사탕이라고 생각해. 그럼 쉬울 거야. 될 수 있으면 혀로. 지금은 네가 곰이라고 스스로 최면을 걸어. 그리고 지금 빨고 있는 것은 꿀이 담긴 통이라고 생각해. 혀를 날름날름 거리며 핥아먹는다고 상상해 봐. 꿀이 없다. 그럼 혀를 길게 빼야지. 그래야 바닥에 있는 꿀까지 빨아먹지. 핥아먹다가 입구에 꿀을 흘렸네. 그럼 입구 주변도 핥아먹어야지. 그렇지. 잘한다. 네 마누라 홍콩 가겠는데. 그렇게 몇 번 하고 난 후, 혀를 최대치로 길게 빼 봐. 너 너무 잘한다. 하나를 가르쳐주면 열을 깨닫는구나. 네 마누라 누군지 모르지만, 정말 부럽다. 시샘 나. 주니, 네가 이렇게 잘해주니깐 내 입이 심심하다. 네 손가락이라도 입에 넣어줘.

일준이는 미주의 입에 두 번째 손가락을 집어넣었다. 미주는 일준이의 몸가락을 빠는 것처럼 입에 넣고 고개를 흔들었다. 그러다 일준이 뒤통수의 머리카락을 한 손으로 움켜쥐었다. 그리고 몸 쪽으로 세게 잡아당겼다. 일준이의 얼굴이 미주의 음부에 처박혔다. 동시에 일준이의 코가 미주의 음부 안으로 살짝 들어갔다. 일준이는 의아한 표정을 지으며 고개를 들었다. 미주가 손을 놓았다. 웃으며 말했다.

- 주니야. 방금 내가 한 짓을 마누라가 하잖아. 그럼 마누라가 엄청 흥분했다는 거야. 이럴 때는 '그러려니'하면서 넘어가면 돼.

미주의 말에 일준이는 크게 웃었다. 미주도 "키득키득"하며 소리 내어 웃었다. 미주는 물티슈를 찾더니, 일준이의 코를 닦아주었다. 기분이 좋아진 일준이가 입을 열었다.

- 누나는 참 배려심이 깊어요. 내가 방금 입과 입술로 느껴

봤잖아. 솔직히 누나 보짓살이 더 졸깃한 것 같아.

- 지금 네가 흥분해서 그리 느낀 것이야. 늙은 보지가 푸석하니 볼품없지. 말이라도 고맙다. 아무튼 이제 본격적으로 시작해.

미주는 일준이를 일으켜 세우고, 자신은 소파에 제대로 자리를 잡았다. 근데 정자세로 눕지 않고 칼잠 자듯이 몸을 옆으로 세웠다. 그 상태로 다리를 벌려 한쪽 다리는 소파 등받이에 올렸다. 미주의 희한한 행동에 일준이가 미주에게 물었다.

- 누나, 왜 제대로 안 누워요?

- 너 집에 가서 이거 마누라한테 써먹어봐. 마누라가 좋아한다. 내가 몸을 이렇게 옆으로 세운상태로 네 자지가 들어오잖아. 그럼 더 깊숙이 들어오는 것 같아. 여자들이 이런 자세 좋아해. 너 지금까지 네 마누라 하고 정자세로만 했지? 이런 자세나 다양한 자세로 해봐야 느낌도 색다르고 더 흥분된다니깐. 자 빨리 연습해 보자.

일준이는 서둘러 미주의 몸 안으로 들어갔다.

- 누나, 너무 잘 들어가요. 나 방금 눈대중으로 넣었는데.

- 그러게. "프리패스"네.

일준이는 소파 등받이에 있던, 미주의 한쪽 다리를 본인의 겨드랑이 사이에 끼운 채 피스톤 운동을 했다. 미주가 한 손으로 자신의 입을 막는 것이 보였다. 또한 다른 팔로 자신의 덜렁거리는 가슴을 받치는 모습도 보였다. 그리해도 미주의 가슴은 크게 요동치고 있었다. 일준이는 본인도 모르게 미주의 가슴을 한 손으로 만지작거렸다. 그러면서 입을 뗐다.

- 누나, 어때요?

- 아 자세 너무 좋아. 나 이제 나이 들어 물이 잘 안 나올 때도 있는데, 이 자세로 하면 물이 잘 나와. 주니, 네 자지 정말 맛있다. 오늘은 이 누나한테 먹히고 내일부터 마누라한테 먹혀라. 네 마누라 너무 부럽다. 이런 말자지 같은, 네 자지를 자주 맛볼 수 있어서. 주니야. 오늘 네 자지로 이 누나 죽인다는 각오로 해.

- 네. 누나.

일준이는 폭주하기 시작했다. 미주의 도발이 일준이를 달군 것이다. 일준이는 땀을 뻘뻘 흘리며 엉덩이를 세차게 흔들었다. 얼마나 세차게 흔드는지, 본인의 엉덩이가 출렁거리는 것이 느껴질 정도였다. 미주는 양팔을 벌려 소파를 붙잡고 있다. 인상을 쓰는 것이, 마치 아픔을 참는 것 같기도 하다.

일준이는 미주의 한쪽 다리를 겨드랑이에 낀 채, 연거푸 몸 박음질을 했다. 그러다 요동치듯 크게 흔들거리는 것이 보였다. 미주의 큰 가슴과 엉덩이였다. 일준이는 피스톤 운동의 속도를 낮추고 유심히 미주를 내려다보았다. 이 자세가 꽤나 좋은 자세인 듯하다. 미주가 칼잠 자듯이 옆으로 누운 상태로 있으니, 미주의 가슴과 엉덩이를 다 만질 수 있었다. 정자세보다 만지는 것이 더 수월했다. 바로 앞에는 미주의 엉덩이를 만질 수 있고 손을 조금 더 멀리 뻗으면 가슴을 만질 수 있는 것이다.

미주의 엉덩이과 가슴이 출렁거리는 모습이 눈에 들어오니 일준이는 흥분되었다. 얼마 지나지 않아, 사정감이 조금씩 밀려왔다. 양손으로 미주의 엉덩이 윗부분을 말아쥐었다. 없는 손잡이를 억지로 만들어놓은 듯하다. 일준이의 엉덩이가 또 폭주하기 시작했다. 미주의 엉덩이를 잡고 본인의 엉덩이를 빠르게 흔들었다. 미주가 소파를 놓고, 본인의 입을 두 손으로 틀어막는 것이 보였다. 미주의 큰 가슴이 크게 요동치며 본인의 턱을 때렸다.

- 누나, 소리치고 싶어?

미주는 고개를 크게 끄덕였다.

- 한번 질러봐요. 어차피 사장님 자고 있을 거잖아요.

미주는 대답대신 고개를 크게 가로저었다.

- 누나, 보기보단 소심하시네. 누나 좀 있으면 나올 것 같아요.

미주가 또다시 고개를 크게 끄덕였다.

일준이가 엉덩이를 빠르게 흔든 후 벌떡 일어섰다. 몸가락이 빠지는 순간, 미주도 상체를 세워 앉았다. 이미 연습한 것처럼 미주는 소파에 앉는 순간, 일준이의 귀두 부분을 덥석 물었다. 귀두를 입에 머금은 채, 한 손으로 몸가락마디를 거머쥐었다. 거머쥔 손은 지그시 마디를 누르고 입 쪽으로 잡아당겼다. 나머지 손도 가만있지 않았다. 일준이의 불알을 부드럽게 감싸 쥐더니, 천천히 마사지를 해주었다. 양손이 각각 따로 움직이는 것이, 정말 많이 해본 솜씨다. 일준이는 미주의 행동에 감탄하며 미주의 입안에 사정을 했다. 이제는 미주의 혀도 동참했다. 귀두 부분을 돌며 배회하더니, 귀두 입구를 몇 차례 닦아주었다. 그제야 미주의 손은 움직임을 멈추고 제자리로 돌아갔다.

미주가 일준이의 몸가락을 놓아주자, 일준이는 소파에 풀썩 주저앉았다. 미주는 본인의 술잔에 맥주를 따라 마셨다. 일준이는 소파 등받이에 기댄 채 물었다.

- 누나, 오늘 내 정액 맛은 어때요?

- 몰라. 맥주하고 같이 먹으니깐 맥주 맛만 나는데. 게다가 방금 것은 양이 적잖아.

- 누나는 거리낌이 없네요.

- 양이 많으면 나도 버겁지. 남자 정액이 영양소라는 말을 TV에서 잠깐 본 것 같아. 그래서 소량은 먹어보는 거야. 특히나 잘생기고 몸 좋은 주니의 몸에서 나오는 정자는 너무 아까워.

일준이는 미주의 농담에 빙그레 웃었다. 문득 미주는 선주 사장에게 또 장난을 치고 싶어졌다.

- 주니야. 언니에게 도우미 인사하고 갈 수 있어?

- 네?

- 지금 언니는 휴게실에서 또 처자고 있을 거야. 너 오기 전에 라면 한 그릇 먹었거든. 지금 딱 배 부르고 잠 올 시간이야. 네가 다 벗은 상태로 자지, 불알에 고무링 끼고 언니 앞에 나타나는 거야.

- 싫어요. 너무 변태 같아요. 그리고 저번에 한번 보여드려 잖아요. 이제는 사장님도 싫어할 거예요.

- 아니야. 언니는 그런 거 좋아해. 처음에는 놀라겠지. 하지만 잠 깨고 정신 차리면, 분명 웃으면서 손뼉 치고 크게 웃을 거야. 내가 언니를 한 두 번 봤니? 오랜 시간 같이 일한 사이야. 그러니깐 걱정하지 마.

일준이는 미주 앞에서 싫은 티를 팍팍 냈다. 하지만 마음속에 묘한 흥분이 솟구치는 듯하다. 사실 일준이는 운동한 몸을 선주사장에게 못 보여주고 귀가할 것이 내심 신경 쓰였다. 근데 미주가 이런 제안을 하니, 못 이긴척하며 들어주기로 했다.

때마침 '시간이 다 되었다.'라는 기계음이 들렸다. 미주는 리모컨을 찾아, 기계음을 껐다. 미주는 일준이를 보며 말했다.

- 이제 슬슬 준비해야지. 빨리 자지에 고무링 착용해.

- 누나, 근데 내 자지가 작아졌는데요.

- 호호호. 그래도 괜찮아. 세우면 되지.

미주가 일준이를 세우더니, 불알을 덥석 물었다. 혀와 입술로 마사지를 하듯 주무르고 한 손으로 몸가락을 살며시 잡아 흔들었다. 그러자 일준이의 몸가락이 다시 살아났다.

일준이는 바지 주머니에서 성인용 실리콘 링을 꺼냈다. 몸가락 아래 부분, 불알 윗부분, 몸가락과 불알 합친 전체에 3개의 링을 각각 착용했다. 미주가 손뼉 치며 좋아했다.

- 어머. 귀엽다. 네 자지랑 불알이 너무 강조된 것 같아. 그러니깐 소시지랑 메추리랑 같다.

미주는 룸문을 열려다, 멈칫했다. 다시 소파로 돌아와 앉았다.

- 주니야, 이리 와. 누나가 한번 더 빨아줄게.

일준이는 아무 말하지 않고 미주 앞에 섰다. 미주가 다시 일준이의 몸가락을 입에 넣기 시작했다. 일준이의 몸가락에서 아픔이 전해지는 것이 느껴졌다. 미주로 인해 두 번이나 사정했으니 그럴 만도 하다. 미주는 이제 일준이의 불알을 입에 넣은 채 입술과 혀로 쪼물딱거렸다. 그러자 미주의 인중에 놓여있던 일준이의 몸가락이 서서히 커지더니, 미주의 코를 덮었다. 미주는 일준이의 불알을 뱉으며 말했다.

- 젊어서 그런가, 운동을 많이 해서 그런가, 회복력이 너무 좋다. 이제 나랑 같이 나가자. 밖에 손님 없어.

미주는 룸의 문을 천천히 열었다. 고요하다. 손님이 있었다면 말소리나 노래 부르는 소리가 들렸을 것이다. 미주가 일준이의 손을 잡았다. 그리고 가게 복도를 지나 카운터로 향했다. 카운터 바로 옆이 휴게실이다.

일준이는 나체인 상태로, 카운터 앞에 섰다. 게다가 몸가락과 고환에는 실리콘 링을 착용했다. 카운터 벽면에 상체만 볼 수 있을 정도의 거울이 걸려있다. 일준이는 근육질 몸매의 자신이 더욱 멋져 보였다. 본인이 장난감으로 전락한 것 같은, "현타"가 왔지만 거울을 보고 다시 자신감을 찾은 것이다.

미주는 일준이의 심리상태는 고려하지도 않고 큰 소리로 선주사장을 불렀다.

- 언니, 우리 주니 나왔어요. 주니 이제 집에 가요.

조용했던 휴게실에서 또다시 '우당탕'하는 소리가 들렸다.

- 어. 잠깐만.

선주사장이 자신의 머리를 매만지며 휴게실로 나왔다. 발가벗은 일준이의 모습을 보고 화들짝 놀랐다.

- 어머나, 이게 뭐 하는 짓이야?

선주사장의 놀라는 모습에, 일준이는 얼어붙었다. 하지만 미주는 박수를 치며 즐거워했다.

- 성공! 우리 주니가 그냥 가기 허전하다고. 언니를 위해서 이렇게 준비했어. 언니도 서프라이즈를 준비한 사람의 성의를 생각해야지. 그런 표정 짓고 있으면 우리 주니가 민망하잖아.

그제야 선주사장의 얼굴에 미소가 돌아왔다.

- 어머. 삼촌, 너무 고맙다. 내 나이에 이런 싱싱한 몸을 언제 또 봐? 매일 늦은 밤까지 손님 받고 도우미 부르느라 지겹고 따분했는데, 주니 삼촌 덕분에 즐거워.

선주사장은 일준이의 성난 엉덩이를 손바닥으로 여러 차례 때리며 다시 말했다.

- 이제 재미나게 봤으니깐 삼촌 얼른 옷 입고 가. 집에 마누라 기다린다.

일준이가 룸으로 되돌아가려는데, 미주가 일준이를 잡았다.

- 주니야, 언니 반응이 영 별론데. 사장님 앞에서 자지 한번 흔들어봐.

미주의 말에 일준이는 순간 멈칫했다. 자신의 몸가락을 빨아주고 핥아주는 미주 앞에서 무슨 짓이든 할 수 있지만, 점잖은 선주사장 앞에서는 다소 버거웠다.

- 얼른.

웃으며 다그치는 미주의 목소리가 들렸다. 일준이는 '에라이, 모르겠다.'라며 골반을 좌우로 흔들었다. 그러자 발기된 몽둥이를 크게 휘두르는 것처럼 몸가락이 양쪽 골반을 번갈아가며 때렸다. 미주와 선주사장이 손뼉 치며 좋아했다. 칭찬이 고래를 춤추게 한다고. 일준이는 두 여자의 환호에 더욱더 흥분했다. 이제 공중에서 뛰기 시작했다. 실리콘 링으로, 고환은 움직임이 없었지만, 몸가락은 풍물놀이의 상모 돌리기처럼 크게 돌아갔다. 미주와 선주사장은 휘파람까지 불며 크게 기뻐했다. 서서히 미주와 선주사장의 웃음소리가 잦아들었다. 일준이는 미주가 그만할 때까지 나체인 상태로, 골반을 흔들거나 제자리 뛰기를 했다.

- 주니야. 이제 그만해. 힘들겠다. 룸으로 가서 옷 입어.

일준이는 골반 흔드는 것을 멈추고, 룸으로 가려고 했다. 그때 일준이의 뇌리를 스치는 충동적인 노출 욕망이 일어났다. 그 짧은 찰나에, 좀 더 보여주고 싶은 것이다. 미주와 선주사장을 뒤로한 채, 허리를 접어 발가락을 만졌다.

- 아이고, 발가락이 아프네. 오다가 부딪쳤나?

일준이의 몸이 폴더형 핸드폰처럼 반으로 접히는 듯하다. 미주와 선주사장의 시야에 일준이의 큰 엉덩이와 그 중심의 엉덩이 골이 선명하게 보였다. 특히 선주사장은 일준이의 엉덩이 크기에 경악했다.

- 어머, 저 엉덩이 봐, 공설운동장 같다.

발가락을 만지던 일준이는 천천히 상체를 세웠다. 뒤쪽으로 미주와 선주사장의 눈길이 느껴졌다.

일준이는 룸으로 돌아와, 실리콘 링을 몸에서 제거하고 옷을 입었다. 순간 창피함이 몰려왔다. 이제 더 이상의 쇼는 생각하지 않고, 카운터로 가서 계산하고 빨리 귀가할 것이다. 선주사장은 일준이의 돌발행동에 놀랐는지, 카운터 의자에 앉았다. 일준이는 서둘러 계산을 했다. 미주는 현관문 밖으로 나와 일준이를 배웅했다. 선주사장의 가게가 지하에 있으므로, 나가려면 계단으로 올라가야 한다. 일준이가 인사를 하고 계단 중간쯤 갔을 때였다. 미주가 현관문에 서서 서운한 듯 크게 말했다.

- 우리 주니, 지금 가면 또 언제 와? 이 누나 주니보고 싶어서 어떡해?

미주가 연기자처럼 슬픈 표정을 지어 보였다. 일준이는 계단으로 후다닥 내려와, 미주의 입에 혀를 집어넣었다. 미주도 기다렸다는 듯, 일준이의 혀를 한참 동안 빨아 당겼다. 두 혀가 교차하고 포개기를 여러 번 반복한 후에야, 각자의 입으로 돌아갔다.

- 누나, 나 이제 진짜 간다. 자주 놀러 올게요. 조그만 더 기다려요.
- 그래. 알겠어. 잘 가. 벌써 보고 싶다.

일준이는 다시 한번 더 미주의 입에 키스를 했다. "쪽~" 소리가 나며 둘은 떨어졌고, 일준이는 계단을 뛰어 지상출입구 쪽으로 달려갔다.

미주는 가게 안으로 돌아왔다. 선주사장이 미주를 빤히 쳐다보며 물었다.

- 둘이 밖에서 뭐 했어?
- 아무것도 안 했어. 그냥 배웅만 했는데요.

선주사장의 눈에, 미주의 입가에 묻은 침이 보였다. 미주는 카운터에 있는 선주사장을 뒤로한 채 휴게실로 들어갔다. 미주는 휴게실에서 방긋 웃었다. 그리고 손등으로 입가에 묻은 침을 닦았다. 사실 미주는 선주사장에게 보여주기 위해 일부러 침을 닦지 않은 것이다.

나는 미주의 재미있는 이야기를 듣기 위해, 여러 차례 선주사장의 가게에 방문했다. 그리하여 도우미 미주에게 보동방 동료와 본인의 단골손님인 일준이 이야기까지 들었다. 모두 다 재미나고 다소 충격적인 이야기였다. 하지만 가장 충격적인 것은 미주의 이야기였다. 나는 젊은 시절 도우미인 미주와 동거를 생각했었다. 근데 미주는 "네가 아깝다."라며 동거를 거부했었다. 지금 곰곰이 생각해 보면 미주가 도우미 일을 오래 할 심산이었던 것이다. 미주에게 이 '도우미'라는 일이 천직인 듯하다. 게다가 도우미생활을 오래 한 탓에, 나름대로의 눈치와 심리전도 상당히 발전한 듯하다.

내가 봤을 때, 일준이라는 남자는 미주의 손안에 놀아나는 느낌이다. 거의 모든 상황이 미주에게 유리하기 때문이다. 미주는 어릴 적 이상형의 남자를 만나, 가게 안에서 연애를 마음껏 즐기고 있다. 또한 몸 좋은 미남의 일준이를 고정단골로 만들어, 그녀의 안정적인 수입원이 되게 했다. 결정적인 것은 아내에 대한 죄책감을 무마시키고, 오히려 "당연한 현상"이라며 가스라이팅한 것이다. "사람들 대부분이 자신이 하고 싶은 거 다하고 사는 것이 낙"이라며, 일준이를 설득했다. 본인은 나이가 많아, 언제 도우미 일을 그만둘지도 모른다며 일준이를 조바심 나게 만들었다. 그 조바심으로 인해 일준이는 더욱더 미주에게 집착하게 되고 아내에 대한 죄책감은 사라져 버렸다.

미주는 일준이를 이용하기도 했다. 선주사장과 미묘한 신경전이 벌어지고 있는데, 미주가 일준이를 사용한 것이다. 선주사장 앞에, 일준이를 발가벗기고, 그것도 모자라 온갖 쇼를 보여주도록 유도했다. 선주사장 입장에서는 키 크고 젊은 미남의 남자와 룸 안에서 연애하는 미주가 살짝 부러울 것이다. 그런 식으로 선주사장의 신경을 건드리고 살짝 약 오르게 만들었다. 미주는 그 짓을 하며 선주사장과의 신경전에서 이긴 것이라 여길 것이다. 다시 말해 선주사장을 약 올리고 있는 것이다. 선주사장은 딱히 할 말이 없다. 미주가 본인의 가게영업에 도움이 되니, 미워도 싫은 소리를 할 수 없는 것이다.

내가 미주에게 정말 소름 끼친 것은, 미주의 의외의 행동 때문이다. 미주의 핸드폰에는 카X라는 앱이 깔려있다. 그녀의 핸드폰에 일준이의 전화번호가 저장되면, 그의 카X을 볼 수 있다. 미주는 일준이의 카X으로 들어가, 그가 꾸민 사진첩을 통해 그의 일상을 엿본 것이다. 내가 회사회식을 끝내고, 선주사장의 유흥업소에 방문해 술을 마신 적이 있다. 당연히 미주의 이야기를 듣기 위함이었다. 그때 미주는 나에게 즐거운 표정을 지으며 말했다

- 나 가끔 우리 주니 카X에 들어가. 그럼 주니랑 그의 마누라 사진이 보여. 그년 사진 보고 있으면 뭐랄까? 괜히 흥분되고 통쾌해. 주니 마누라는 나의 학창 시절, 내가 싫어하던 반장하고 이미지가 비슷하거든. 나 주니 마누라 사진 볼 때마다 나도 모르게 중얼거려. "네 남편 내가 따먹고 있다. 이년아! 네 남편 자지, 불알 실컷 빨고 똥꼬까지 빨아준다. 게다가 네 남편 정자도 먹는다. 내가 네 남편 하고 연애하는 거 모르지? 그렇다고 내 탓하지 마라. 네가 나보다 젊고 예뻐도 남자 녹이는 기술은 내가 한수 위야. 어쩔 수 없어. 주니는 나한테 푹 빠졌어. 나도 그렇고. 넌 나한테 고마워해야 해. 나 때문에 너희들이 부부싸움도 하지 않고 잘 지내니깐. 앞으로도 너희들의 부부생활에서, 일준이가 불만스러워하고 원하는 성생활은 내가 책임지고 해결할게. 물론 즐기는 시간이 영원하지는 않겠지만 오래갈 것 같아. 네 남편 잘 교육시켜서 너도 밤에 즐기게 해 줄게. 그러니깐 너무 걱정하지

마. 호호호." 이렇게 나 혼자 말하고 나면 왠지 속이 후련해. 학창 시절의 반장에게 시원하게 복수하는 것 같기도 해. 그리고 남의 집 사과 따먹는 느낌도 나. 원래 남의 것 따먹는 것이 더 짜릿하고 맛있는 거잖아.

- 누나, 전 남편과 이혼한 계기가 남편의 바람이라고 했잖아요. 그때 남편이 젊은 여자와 바람피웠다면서요? 혹시 지금 하는 행동에 그때의 "복수"라는 감정도 있나요?

- 글쎄. 네 말 들어보니 그렇네. 근데 이제 남편에 대한 나의 마음은 없어. 잘 모르겠다. 나의 마음 한 구석에 그 젊은 년에 대한 복수심이 조금은 남아있을 수도. 근데 난 그 젊은 년이랑 달라. 난 일준이의 가정을 지켜주고 싶어. 오히려 일준이와 아내가 서로 사랑할 수 있도록 도와주고 싶어. 그래서 내가 성교육도 시켜주잖아. 밤에 섹스로 더 가까워지라고. 네가 말하니깐, 내가 왜 일준이 부부의 가정을 지켜주려고 하는지 알 것 같아. 내가 젊은 년한테 나의 전 남편을 빼앗겼잖아. 그때 참 힘들었거든. 그래서 그 아픔을 알기에, 일준이 아내에게 그 아픔을 전가시키지 않을 거야. 그리고 일준이와 나의 연애도 한 시절이야. 일준이나 나나 다 제 갈길 있는 거야. 일준이는 아내와 노후를 보낼 것이고, 난 시골에서 우리 엄마와 노후를 보낼 거야.

  미주는 히죽히죽 웃으며 내게 본인의 속마음을 이야기했다. 솔직히 미주가 나에게 본인의 속마음을 다 이야기해 주어서 고마웠다. 하지만 카X을 보며 일준이 아내에게 하는 말들을 내게 이야기하지 않았다면, 나는 미주에게 크게 실망하지 않았을 것이다. 미주가 내게 쓸데없는 이야기들을 너무 많이 한 것이다.

반대로 일준이라는 남자가 미주에게서 얻는 것은 단 한 가지, 한순간의 쾌락이다. 나도 일준이의 속마음을 조금은 알 것 같다. 원래 남자라는 동물이, 한번 사정하면 허무하다. 그러나 시간이 지나면 다시 욕구가 생긴다. 일준이는 아내와의 잠지리에서 부족한 부분을, 미주를 통해 채우고 있다. 일준이는 선주사장가게에 방문해, 미주와 재미나게 놀다 귀가한다. 여러 번의 사정으로 귀가 길이 허무할 것이다. 게다가 아내에게 미안하고 그로 인해 후회가 될 것이다. 그럼에도 불구하고 고환에 정자가 또다시 차오르면 그 부족한 부분을 채우기 위해, 또다시 미주를 만나로 갈 것이다. 그 과정이 지금 계속 되풀이되는 것이다.

미주는 일준이의 그런 부족한 부분을 이용, 잘 활용하고 있는 것이다. 미주는 나에게 "아직까지 일을 그만둘 생각은 없다."라고 했다. 몸이 허락된다면 오랫동안 일준이와 연애를 즐기고 싶다고도 했다. 오랜 도우미 생활로 얻게 된, 남자를 기쁘게 해주는 기술로 일준이와 계속 룸 안에서 연애를 즐길 것이다. 미주는 일준이와의 관계를 돈독히 하기 위해, 다른 손님과의 2차에서는 콘돔을 착용한다고 했다. 하지만 일준이와 몸을 섞을 때는 콘돔을 끼지 않고, 보건소에서 정기적으로 검사도 한다고 했다. 일준이를 위한 "배려"란다. 미주의 많은 말들로 인해, 그런 행동들이 미주의 욕심과 집착으로 보였다. 또한 그런 언행이 나에게 소름을 유발시켰다.

내가 좀 전에 미주의 가스라이팅이라고 표현했지만, 다른 시각에서 보면 다를 수도 있다. 개인의 개성이 다르듯이 개인의 성적 욕구에 따른 결과로, 자연스러운 일일 수도 있을 것 같다. 각 개인의 성적 욕구가 다르며 그 크기도 다양하다. 우리 공장의 김 씨 아저씨는 20대 초반에 결혼했다. 일찍 결혼을 했음에도 40대 후반이 될 때까지 외도를 했다. 그의 바람 끼 때문에 아내와도 자주 싸우고 이혼 직전까지 갈 뻔도 했다. 여자를 밝히는 그의 색기는 우리 공장에서 유명하다. 김 씨 아저씨와 같이 회식을 한 적이 있다. 그는 그 당시 젊었을 때, 바람피우던 시절의 심정을 내게 말해주었다.

- 나는 어릴 때부터 여자하고 빠구리하는 것이 그리 좋더라. 그래서 마누라 하고도 일찍 결혼했지. 결혼해서 빠구리 실컷 하려고. 근데 한 여자하고만 하니깐 지루한 거야. 먹는 것으로 비유하면 매일 같은 밥과 반찬만 먹는 격이지. 그래서 다른 여자들 만나고 다녔지. 내가 바람피우는 거 들켜서 여러 번 싸우기도 하고 마누라 많이 속상하게 했지. 근데 어쩔 수 없었어. 여자 하고 빠구리를 하고 싶어서 죽겠는데. 어쩌라고. 주체를 못 하겠는데.

김 씨 아저씨는 현재 50대로써, 성적 욕구가 많이 줄어들었다. 지금은 아내만 바라보며 부부간에 좋은 관계를 유지하고 있다. 또한 열심히 돈을 모으며 노후를 준비하고 있다.

다른 이성의 경우도 있다. 우리 공장에 최 조장이란 사람도 있다. 이 사람은 일을 빨리빨리 처리해서 "조장"이란 직급을 달고 있지만, 성격이 급하고 다혈질이다. 우리 공장에 근무하는 몇 명의 사람들이 최 조장의 아내가 다른 남자와 팔짱 끼고 돌아다니는 장면을 몇 번 목격했다. 다시 말해 최 조장의 아내가 다른 남자를 만나고 있었던 것이다. 하지만 어느 누구도 그 사실을 최 조장에게 말하지 않았다. 성격 급하고 다혈질인 최 조장이 아내의 외도를 알게 된다면 어찌 행동할지 짐작이 가기 때문이다. 뉴스에 나올 법한 일들이 발생할 수도 있으므로, 지금까지도 최 조장에게 말하지 않은 것이다. 직장동료의 말이 사실이라면 최조장의 아내도 보통 사람들보다 성적 욕구가 클 것이다. 이렇듯 각 개인의 성적 욕구가 다양하고 그로 인해 많은 일들이 발생한다. 앞에서 설명했듯, 미주가 일준이의 성적욕구를 받아주고 풀어줌으로써 일준이의 가정이 편안한 것은 사실이다. 미주의 말대로 일준이와 그의 아내는 미주에게 고마워해야 할 수도 있다.

우리 공장 김 씨 아저씨의 사례처럼 시간이 모든 것을 해결해 줄 것이라 생각한다. 시간이 지나면 일준이도 미주에게서 벗어나, 다시 가정으로 돌아올 것이다.

나는 일준이와 미주의 이야기로, 반성하게 된다. 나는 일준이에 비해 부부생활에 모자람이 없다. 민아와 속궁합도 잘 맞고, 나의 성적욕구도 잘 풀어준다. 난 굳이 미주가 필요 없는 것이다. 다만 민아와의 부부생활이 일상이 되어, 그 소중함을 잠시 망각한 것이다. 미주와의 만남과 그녀의 이야기로 인해, 다시 내 사랑의 소중함을 깨닫게 되는 계기가 되었다.

이제 일상의 일탈을 멈추고, 유흥업소를 찾는 발길을 끊어야겠다. 가정에 충실하고 나의 아내, 민아만 사랑하는 것에 매진할 생각이다.

-끝-

맺음말

20대 때 좋아하는 여성이 있었다. 우리는 서로에게 호감이 있었고, 마음속에 "결혼"이라는 씨앗도 자라고 있었다. 하지만 우여곡절 끝에 좋은 결실을 보지 못하고 헤어졌다. 정확히 말하면 보기 좋게 내가 차였다.

나를 버린 그녀에게 복수하고 싶었다. 소설 속에 그녀의 이미지를 새긴 민아(가명)를 등장시켜 발가벗기고 능욕할 참이었다. 뜻대로 되지 않았다. 소설 속에서 그녀와 결혼하고 해피엔딩으로 사는 모습만 그려졌다. 내 마음속에 남아있는 복수심보다 아쉬움과 '민아(가명)가 행복했으면'하는 마음이 더 컸나 보다.

공장에서 일하는 내 신분으로, 서민이나 노동자의 애환과 인간의 원초적인 성적 욕망을 글에 녹여내보고 싶었다. 흥미롭고 재미나게 쓰기 위해 노력하다 보니, 성행위 묘사가 많이 부각된 것 같아 부끄럽다. (특히 3편은 각오하고 글을 적었다.)

글의 소재가 떨어져 버렸다. 일상생활이나 주변에서 발생하는 소재들이 발견된다면 또다시 글을 쓰고 싶다.